D1626599

EVENBEELD

Vertaald door Sophie Brinkman

Dara Horn

Evenbeeld

2002 Uitgeverij Bert Bakker Amsterdam

Voor mijn ouders,
Susan en Matthew Horn,
die mij over de hele wereld brachten,
en voor mijn man,
Brendan Schulman,
die mij thuisbracht.

Oorspronkelijke titel *In the Image*
© 2002 Dara Horn
© 2002 Nederlandse vertaling Uitgeverij Bert Bakker en Sophie Brinkman
Omslagontwerp Mariska Cock
Omslagillustratie Image Store/Photonica
Foto auteur Roy Cafaro/In Sync
www.pbo.nl
ISBN 90 351 2411 1

Uitgeverij Bert Bakker is onderdeel van Uitgeverij Prometheus

I

Toeristen

Een gril van het lot is zelden noodlottig, maar soms is dat wel het geval. Twee ongelukken vonden in Leora's leven plaats voordat ze zeventien werd. Eerst liet haar vriendin, Naomi Landsmann, terwijl ze op een heldere, koude winterdag van hun middelbare school naar huis liep en de straat overstak, haar handschoen vallen, ze bukte zich om hem op te rapen en werd overreden door een auto waarvan de bestuurder, die net in bezit van zijn rijbewijs was, niet de moeite nam achterom te kijken. En daarna, elf maanden na de dood van Naomi, zag Naomi's grootvader, Bill Landsmann, Leora's naam in de plaatselijke krant en slaagde er niet in Leora's vriend te worden.

Bill Landsmann was een toerist. Hij zag er niet uit als een toerist: geen schreeuwerig hemd, geen zonnebril, geen gezonde kleur. In feite zag hij er in het geheel niet uit als het type dat ergens heen gaat. Hij was een oude man, ergens in de zestig of zeventig, met een volledig witte haardos en een fragiel, bijna uitgeteerd lichaam dat het bijzonder moeilijk maakte om je hem languit op een strand of trekkend door de toendra voor te stellen. Hij had armen als dunne rietstengels en benen als jonge, buigzame boomstammen, en hij zag eruit alsof een golf of een windvlaag hem moeiteloos omver kon werpen. In een groep oude mannen van het magere type zou Bill Landsmann nergens door opvallen, behalve misschien door zijn stem, die voor de toevallige waarnemer de enige aanwijzing vormde dat Bill Landsmann ergens anders vandaan kwam. Bill Landsmann sprak met een duidelijk Duits accent, geen ruw maar een verfijnd accent, waarbij hij zijn uitspraak van de 'r' aan het woord en de gelegenheid aanpaste, het type Duits accent dat eens op verfijning en cultuur had gewezen. Er was echter nog één andere aanwijzing voor het feit dat Bill Landsmann iets van de wereld had gezien. Als Bill Landsmann naar dingen keek, zag hij ze niet zoals andere mensen ze zien. De meeste mensen registreren wat ze zien, hoe onbewust ook, als deel van een continuüm van tijd en ruimte waarin elke plaats en elk moment met de volgende versmelten als zandkastelen die oplossen in water. Maar als Bill Landsmann om zich heen keek, zag hij de wereld onderverdeeld in beelden, alsof zijn oog een camera was en hij vierkantjes van de wereld knipte, één keer met zijn ogen knipperde en een moment op de film van zijn netvlies vastlegde. En dat was te zien aan de manier waarop hij naar de dingen keek.

Ook Leora was een toerist – of, om precies te zijn, was dat kortgeleden geworden. Na de dood van Naomi was Leora opgehouden met praten. Ze had nooit veel vriendinnen gehad – Naomi was een van de weinigen geweest. Nadat Naomi gestorven was, hield Leora op met praten en keek ze alleen nog naar de dingen, keek naar haar omgeving alsof ze een bezoeker was, iemand op doorreis. Voorwerpen en mensen, nauwelijks van elkaar te onderscheiden, bevroren voor haar ogen tot kleine panelen: lachende leerlingen in de hal van een school, een zwemmende vis in een aquarium, haar ouders, haar broer, een kom soep die voor haar stond, een hoop oude sneeuw aan de kant van de weg.

In een poging haar uit haar zwijgen te halen, hadden Leora's ouders haar en haar broer meegenomen op een lange zomervakantie, een bezoek aan verscheidene steden in Europa, delen van Noord-Afrika en een deel van het Midden-Oosten. Ze waren dolblij toen Leora geïnteresseerd leek in wat ze zag, en dat najaar won Leora zelfs een plaatselijke opstelwedstrijd met een bijdrage die ze tijdens hun reis had geschreven, iets over historische joodse vindplaatsen in Spanje. Haar ouders verklaarden haar genezen en feliciteerden zichzelf. Maar in feite had de reis de zaken alleen verergerd. Leora had zichzelf ondergedompeld in honderden jaren geschiedenis, in duizenden kilometers van plaatsen en gezichten die niets meer van haar vroegen dan een klik van de sluiter.

De krant plaatste een artikel over haar winnende opstel op een binnenpagina waarop verder alleen aankondigingen met betrekking tot de bejaardensociëteit en overlijdensberichten stonden. En daar vond Bill Landsmann haar, een zwervende jongere tussen de ruïnes, en spoorde haar op.

'Ik denk dat onze interesses sterk overeenkomen,' vertelde hij haar met zijn fijne accent over de telefoon. Hij stelde zich voor als Naomi's grootvader, legde uit dat hij haar een paar keer op Naomi's verjaardagsfeestjes had ontmoet, zei dat Naomi vaak over haar had gesproken. Leora herinnerde zich dat Naomi over hem had verteld: een vreemde man, met pensioen, een amateur-fotograaf die over de wereld had gereisd. Verder herinnerde Leora zich niets over hem. 'We zijn allebei geïnteresseerd in de joodse geschiedenis en we houden allebei van reizen. Zou je bij mij op bezoek willen komen? Met je ouders, zij zijn ook uitgenodigd. Ik kan je wat dia's van mijn reizen laten zien.'

Leora zei ja, ze wilde de dia's graag zien. Dat was haar eerste vergissing met betrekking tot Bill Landsmann.

'Is het niet een beetje vreemd dat Naomi's grootvader zo geïnteresseerd is in Leora?' vroeg Leora's moeder.

Het gezin had de stationcar een paar maanden eerder geleasd – om de een of andere reden leek het niet meer de moeite waard om een auto te kopen – maar hij had nog steeds de geur van 'nieuwe auto'. Leora zat achterin, op de rand van de harde vinylbank, en voelde zich alsof ze vier jaar was, zoals haar ouders over haar spraken, in gespelde woorden waarvan ze dachten dat zij ze niet begreep.

'Alle oude mensen zijn tegenwoordig in Leora geïnteresseerd,' zei haar vader, 'sinds ze op de bejaardenpagina heeft gestaan.'

'Ha ha, pap, wat grappig,' mompelde Leora vanaf de achterbank. Haar ouders negeerden haar. Leora moest ineens denken aan hun vakantiereis. Ze hadden op veel plaatsen een chauffeur en een gids gehuurd, die dan voorin zat en zich omdraaide naar Leora en haar familieleden achter in de auto of het busje om hun te vertellen over de gebouwen die ze passeerden of, op plaatsen waar geen gebouwen waren, over de leemhutten, bomen, rotsen, bavianen. Eventjes had Leora het gevoel dat haar moeder de gids was en haar vader de chauffeur, in een of ander vreemd land, en ze voelde die verwarde nieuwsgierigheid die haar die zomer in een vreemd land vaak had getroost terwijl ze zich afvroeg waar die mensen haar precies naar toe brachten.

'Nou ja. Hij is dus een oude man en hij leest de bejaardenpagina. En hij reist veel. Misschien wil hij gewoon iemand anders uit de buurt ontmoeten die graag reist,' merkte haar vader op.

'Ik denk dat het iets meer is dan dat,' antwoordde Leora's moeder. 'Ik bedoel, als je aan die man denkt. Zijn kleindochter gaat dood en zijn zoon verhuist naar Californië met zijn schoondochter en kleinzoons' – dat is waar, dacht Leora; het was angstaanjagend zo snel als Naomi's ouders en broertjes na haar dood waren vertrokken – 'en wat moet hij nu doen? Ik denk dat hij alleen op zoek is naar iemand om mee te praten,' zei ze, en ze zweeg vervolgens, alsof ze meer had gezegd dan ze van plan was.

Leora probeerde haar moeders uitdrukking in de achteruitkijkspiegel te vangen, maar het was te donker om ook maar iets te zien. Ze ging achteroverzitten en keek uit het raampje, tuurde door de onafgedekte ramen van huizen die ze passeerden om een glimp op te vangen van interieurs, decoraties, meubelen. Huizen interesseerden haar sinds ze als kind een poppenhuis had gehad. Niet een of ander afschuwelijk ding van roze plastic, maar een echt poppenhuis, een nauwkeurige replica van een stadshuis van drie verdiepingen, compleet met gepotdekselde gevels, houten dakspanten en een inrichting in de grootse stijl van het einde van de negentiende eeuw. Maar Leora kon het nauwelijks zien als háár poppenhuis, want in werkelijkheid was het van Naomi en haar. Toen Leora lang geleden het lege poppenhuis voor haar verjaardag kreeg, was Naomi er verrukt van geweest. Ze hadden het huis samen afgebouwd. Ze legden de dunne mortel voor de zeshoekige vloertegels in de keuken, brachten het afschuwelijke paisleybehang aan dat op het behang leek dat Leora van haar moeder niet in haar echte kamer mocht hebben, zetten de niet-werkende grootvaderklok voorbij hun eigen bedtijd en ruzieden een week over de namen van de poppetjes. Op een dag merkten Naomi's ouders haar belangstelling op en ze vroegen of zij ook een poppenhuis wilde. Maar Naomi zei nee. Ze had al een poppenhuis: dat van Leora. Het poppenhuis bleef in Leora's slaapkamer staan toen ze er allang te oud voor waren, maar na Naomi's dood kon Leora de aanblik niet meer verdragen. Ze sleepte het naar de kelder en begroef het onder dozen oud speelgoed van haar broer.

De auto draaide Algonquin Drive op. Haar stad was verdeeld in wijken waarin alle straatnamen op een bepaald thema waren geïnspireerd, en Algonquin Drive bevond zich in de 'indiaanse wijk', of, zoals Leora's ietwat aanmatigende lerares van de middelbare school het noemde, de 'inheemse wijk'. Bill Landsmann was inheems aan de Algonquin Drive. Leora's vader liet de auto kruipend verdergaan en zocht onder de slecht verlichte huisnummers naar 413. Toen ze het gevonden hadden – een klein huis met dikke gordijnen die dichtgetrokken waren – en ernaartoe liepen om aan te bellen, had Bill Landsmann de deur al voor hen geopend. Leora herkende hem toen ze hem weer zag. Hij had de dunne lippen en het magere lichaam van Naomi. Zijn linkerhand was tegen de deurpost gedrukt, terwijl zijn rechterhand, een wegenkaart van rode en blauwe slagaderen en aderen die door de bleke huid schenen, aan een hachelijk dunne pols bungelde die eruitzag alsof hij zou scheuren als papier als hij hun zijn hand zou aanbieden om te schudden. Dat deed hij niet.

'Welkom, welkom!' sprak hij stijfjes, met het accent dat Leora zich van het telefoongesprek herinnerde. 'Heerlijk dat jullie er zijn. Kom binnen, kom binnen, dan laat ik jullie mijn dia's zien.'

Toen ze alledrie naar binnen waren gegaan, merkte Leora dat Bill Landsmanns hele huis naar 'nieuwe auto' rook. Het grootste deel van de voorwerpen in het huis leek zelfs gemaakt te zijn van vurenhouten panelen en vinyl. Ze liepen de gang door, die gespeend was van decoratie, en gingen de kamer in. Leora liep achter Bill Landsmann, met haar ouders achter zich, en hield haar ogen op het witte haar van zijn achterhoofd gericht alsof het een soort baken was, een toorts die hen naar hun bestemming bracht. Maar het was Bill Landsmanns stem die hen tot stoppen maande: 'Ga zitten.'

Leora en haar ouders namen plaats op een harde bank van bordeauxrood vinyl. Behalve de bank was de kamer ingericht met drie stoelen, een salontafel, een vloerkleed en een oud televisietoestel met gigantische knoppen in een houten kast. Leora wierp een korte blik door de kamer en merkte opgelucht dat nergens portretten van familieleden te zien waren. Maar het vreemdste deel van de kamer, het deel dat hun het gevoel gaf in iets terechtgekomen te zijn wat nu niet bepaald een woonkamer was, was de wand met boekenkasten. De kasten, die een lange muur van de kamer volledig bedekten, waren gevuld met rijen zwarte kartonnen dozen, allemaal van precies hetzelfde formaat, alleen van elkaar onderscheiden door heldergele getallen die, met een perfectie die een sjabloon moest hebben vereist, op de zijkanten waren geschilderd. De getallen liepen tot ver in de honderden. Aan de rechterkant van de boekenkast was een kleine haak waaraan, aan een dik rood koord, een vinyl notitieboekje hing. De onderste planken herbergden een complete *Encyclopaedia Judaica*.

'Allemachtig, ik zie dat u alles gecatalogiseerd hebt. Wat zijn dat allemaal?' vroeg Leora's moeder met een blik naar de boekenkasten.

Bill Landsmann keek haar aan alsof hij haar vraag ging beantwoorden, maar dat deed hij niet. 'Heerlijk dat jullie er zijn,' herhaalde hij. 'Volgens mij hebben we iets gemeen. Ik heb tweeënzeventig landen bezocht, met speciale belangstelling voor de joodse geschiedenis. O,' – hij zweeg toen een lange vrouw de kamer binnenkwam – 'en dit is Anna, mijn vrouw.' Voor Leora zag ook Anna er vaag bekend uit, een vrouw met bordeauxrood haar, in de kleur van de bank. Leora's vader stond op om Anna de hand te schudden, maar ze glimlachte alleen naar hen, een brede, minzame glimlach, en liep snel naar de andere kant van de kamer, waar ze de deur van een kleine kast opende. Ze haalde er een scherm uit van het type dat Leora zich herinnerde van films op de basisschool, en zette het voor het raam.

'Vandaag laat ik jullie wat dia's zien van allerlei verschillende plaatsen over de hele wereld,' vervolgde Bill Landsmann. 'Ik heb deze dia's zo gerangschikt dat ze in beelden en kunstwerken het bijbelverhaal laten zien.' Anna ging terug naar de kast en kwam deze keer te voorschijn met een vouwstoel en een muziekstandaard, die ze aan de andere kant van de kamer, tegenover het scherm plaatste. Toen liep ze voor de derde keer de kast in. Leora begon het te beschouwen als een soort goocheltruc, alsof een goochelaar willekeurige voorwerpen uit een hoge hoed trok.

Anna kwam de kast uit met een gewone diaprojector. Ze zette hem op een bijzettafeltje bij de vouwstoel, stopte de stekker in het stopcontact en voltooide daarmee de goocheltruc voordat ze naar een andere kamer verdween.

Leora was Bill Landsmann, die geen woord had gezegd sinds Anna was verschenen, inmiddels volledig vergeten. Nu merkte ze dat hij naar de boekenkast was gelopen. Hij had het bungelende zwarte notitieboekje in zijn hand en Leora zag hem er, turend door zijn dikke brillenglazen, een ogenblik in bladeren. Toen keek hij op naar de boekenkast en ging op zijn tenen staan. Voor Leora zag het eruit alsof iemand hem van de vloer tot het plafond uitrekte, waarbij zijn middel zich versmalde als een strakgespannen elastiekje. Hij koos doos nummer zeventien. Toen hij die gepakt had, wurmde hij hem open en haalde er een volle diacarrousel uit die hij in de projector plaatste. Vervolgens haalde hij er een stapeltje getypte vellen dun papier uit, zette dat op de muziekstandaard en knipte een zaklamp aan. Het licht in de kamer ging uit.

'Ik wil jullie graag welkom heten voor een reis rond de wereld,' las Bill Landsmann op van het script op de muziekstandaard, 'een reis waarop jullie de vele vindplaatsen uit de Hebreeuwse bijbel zullen bezoeken via beelden van over de hele wereld. We zullen beginnen met Genesis, met het scheppingsverhaal.' En zo begon het verhaal, vormloos en leeg, in de duisternis op het oppervlak van het diepe en de stem van Bill Landsmann zwevend over het water.

De 'reis rond de wereld', ondernomen vanaf het comfort van de vinylbank, ging uren door. Leora herkende de reliëfvoorstellingen van Ghiberti op de kapel van Brunelleschi in Florence van het vastbinden van Isaak; op de dia stond Abraham over zijn zoon gebogen op een bergtop terwijl een engel zijn hand uitsteekt om hem tegen te houden, een tweemaal vastgelegd moment, eerst in het bronzen reliëf en dan op de dia van Bill Landsmann. 'En Abraham zag de berg uit de verte… en beiden gingen tezamen verder,' citeerde Bill Landsmann uit Genesis, lezend uit zijn script. Hij liet een foto zien van een archeologische vindplaats in Jeruzalem waar eens de oude tempel stond, maar op de dia zag je de moskee op de berg niet, en zelfs de toeristen niet die een bezoek aan de vindplaats brachten, alleen een hoop gevallen stenen terwijl Bill Landsmann weer een tekst oplas: 'Hoe alleen, hoe desolaat is de stad, die eens vol mensen was, als een weduwe!' Hij liet een dia zien van een kudde geiten en bokken bij een rots, een foto die ergens in Centraal-Azië was gemaakt, waarbij één bok een rood koord om zijn hoorns was gebonden. 'Deze bok is de zondebok,' las Bill Landsmann hardop voor, de tekst met zijn vinger volgend. 'We leren over de zondebok in het boek Leviticus. De hogepriester bindt een rood koord om de hoorns van de bok, precies zoals hier, en dan wordt de bok van een rots geduwd als boetedoening voor de schulden van de mensheid. Ik ben zelf een *cohen*, een afstammeling van de hogepriester.' Arme bok, dacht Leora. Ze stelde zich Bill Landsmann als de hogepriester voor, die de bok klaarmaakt voor zijn val van de rots. Maar voor ze het wist, hadden ze de bok aan zijn lot overgelaten en keken ze naar de volgende dia in zijn witte raampje, en de volgende, en de volgende.

Het concept was in zekere zin briljant: de bijbel op film, de grootste momenten eruit vastgelegd op dia's, begeleid door de afgemeten toneelstem van Bill Landsmann die de bijpassende teksten uit zijn goedgeoefende script las. Maar ergens rond Deuteronomium merkte Leora een raar gevoel op dat ze in de afgelopen elf maanden had leren kennen: een lege misselijkheid achter in haar keel. Naomi was een kunstenares geweest, in het geheim. Terwijl ze naar de diaparade keek, herinnerde Leora zich in weerwil van zichzelf hoe Naomi haar soms naar haar tekeningen had laten kijken: volmaakte kopieën in grijs en wit van schilderijen van Vermeer en Rembrandt, of, een enkele keer, een origineel werk van haarzelf. Naomi vertelde Leora graag over de geschiedenis en de context van de schilderijen die ze had nagetekend, de kleine omkaderde wereld van het zeventiende-eeuwse Amsterdam en soortgelijke plaatsen. Leora had gedacht dat het bedotterij was van Naomi's kant, dat Naomi alleen maar schilderijen van anderen namaakte om niet over haar eigen werk te hoeven praten. Maar nu, luisterend naar de stem van Bill Landsmann, had ze het gevoel dat ze blind werd. De reis werd vervolgd en bereikte zelfs de beruchte wateren van Babylon, waar de bannelingen uit Israël zich kennelijk hadden neergelegd en in een enorme hoop loofbladeren hadden geweend ('Dit is uiteraard niet echt de rivier in Babylon... het is een riviertje bij de East Mountain Reservation, hier in onze eigen stad. Maar ik moet daar altijd denken aan de rivier in Babylon.'), en ineens kon Leora niets meer helder zien, hoe ingespannen ze ook keek. Toen de lampen weer aangingen, moest ze haar ogen dichtknijpen tegen het heldere licht, als een pasgeboren baby. Bill Landsmann bood hun koffie aan, die Anna onmiddellijk bracht zonder een woord te zeggen.

'Dus u komt oorspronkelijk niet uit New Jersey?' vroeg Leora's vader, een geeuw onderdrukkend. Het begon laat te worden.

'O nee, ik ben in Wenen geboren,' antwoordde Bill Landsmann, hoewel hij op dat moment meer bezig was de diacarrousel terug in de doos te stoppen.

'O ja?' vroeg Leora's moeder, en Leora en haar ouders keken elkaar aan. Het feit dat Bill Landsmann oud was, en een jood, en in Wenen geboren, leek om een verklaring te vragen. Hier staat een man, dacht Leora even, die niet in leven hoort te zijn.

Maar er kwam geen verklaring. 'Hmm,' kuchte Leora's moeder, die hem nog een paar seconden gaf om de leegte op te vullen. Dat deed hij niet. Er viel een pijnlijke stilte, tot Anna terugkwam en naar het scherm liep om het weer in de kast te zetten.

'En komt u ook uit Europa?' vroeg Leora's vader, die zijn vraag nu in Anna's richting wierp.

Bill Landsmann antwoordde voor haar, terwijl zij het scherm oprolde en weer in de kast dook. 'Nee, Anna is een echte Amerikaanse. Ze heeft hier haar hele leven gewoond.' Leora herzag haar eerdere mening over de dingen. Bill Landsmann was de echte goochelaar hier, de meester van de vingervlugheid. Anna was niet meer dan zijn assistente.

'Ja, ik woon hier mijn hele leven al, geboren en getogen,' merkte Anna op terwijl ze uit de kast kwam en eindelijk sprak, waarna de minzame glimlach weer om haar mond verscheen. Maar haar stem deed haar woorden gestand. Ze sprak volkomen zonder accent. Terwijl ze de koffiekopjes verzamelde, wendde ze zich kort tot Leora, spelend met de lepeltjes om te voorkomen dat Leora haar ogen zou zien, die, merkte Leora, strak op de vloer waren gericht. 'Je moet weten,' stotterde Anna zacht, 'dat Naomi het altijd over je had. Ze hield echt van je,' besloot ze met een hoge stem, die per ongeluk oversloeg toen hij zich een weg uit haar mond zocht. Leora keek naar haar op, maar ze liep alweer terug naar de keuken. Het was die avond de enige keer dat de naam van Naomi werd genoemd.

In de auto, onderweg naar huis, merkten Leora's ouders op, zoals ze vaak hadden gedaan nadat ze gebouwen waren gepasseerd of leemhutten of rotsen of bavianen in andere landen, dat het een 'interessante, echt interessante' avond was geweest. Maar kennelijk niet zo interessant als alle andere dingen die ze in hun leven te doen hadden, want Leora was de enige die terugging.

Leora's tweede vergissing met betrekking tot Bill Landsmann was dat ze weer bij hem op bezoek ging. Hij had haar opgebeld om te zeggen dat ze haar trui bij hem thuis had laten liggen en vroeg haar vervolgens langs te komen om die op te halen en nog een paar dia's te bekijken. Leora wilde niet gaan. De afgelopen maanden had ze dat lege, misselijke gevoel steeds minder vaak gehad, maar bij de gedachte terug te moeten naar het huis van Bill Landsmann kwam het meteen weer opzetten. Bill Landsmann dreef haar echter aan de telefoon in het nauw door haar een tijdstip te laten kiezen, en

Leora kon geen excuus bedenken. Ze beloofde langs te komen.

De bumper van de auto met de geur van 'nieuwe auto' knalde tegen de brandkraan voor het huis van Bill Landsmann. Leora reed achteruit, draaide aan het stuur en begon weer vooruit te rijden in een nieuwe poging. De brandkraan leek nog steeds een zekere magnetische aantrekkingskracht op de bumper uit te oefenen. Ze had nog maar drie maanden haar rijbewijs, nadat ze na het gebeurde met Naomi maandenlang geweigerd had ook maar te proberen te leren rijden. 'Kut!'

'Hallo, Leora!' riep ineens een stem. Leora zette de motor af, draaide zich om en zag Bill Landsmann met zijn handen op zijn heupen glimlachend op zijn gazon staan. Terwijl hij het portier voor haar opende, vroeg ze zich af hoe lang hij daar al stond te wachten.

'Wil je mijn tuin zien? Ik laat je de rivier zien,' kondigde hij aan.

'O, goed,' antwoordde Leora verbijsterd. De rivier? Voordat ze kon vragen wat hij bedoelde, liep hij het gazon al op, met zijn armen op zijn rug. Ze liep achter hem aan en keek weer naar zijn witbehaarde achterhoofd terwijl ze hem volgde zoals ze een gids in een vreemd land zou volgen.

In de tuin achter het huis was een riviertje. Het leek meer op de uitlaat van een riool eigenlijk, want het water werd met een geweldige kracht uit een wijde pijp gestuwd die uit een nabije heuvel stak. Het was echter groot genoeg om in te zwemmen, maar waarschijnlijk niet om in te verdrinken.

'Zie je, de stroom is nu sterk door de regen van vorige week,' merkte Bill Landsmann op terwijl hij naar het stijgende water gebaarde. 'Ik stond er net naar te kijken, terwijl ik op je wachtte. We zijn soms bang voor overstromingen hier, maar tot nu toe hebben we geluk gehad… We hebben al dertig jaar geluk gehad.' Dus hij woonde al dertig jaar in hun stad, dacht Leora, bijna twee keer zo lang als zij. Toch had hij meer van een vreemdeling dan zij.

Leora knipperde met haar ogen; plotseling stelde ze zich voor hoe ze er samen uit moesten zien: een oude man en een jong meisje die in een tuin bij een bulderende stroom stonden. Misschien waren het een grootvader en kleindochter, of leraar en leerling? Wie zou het kunnen zeggen zonder iets meer te weten. Bill Landsmann zweeg ook een ogenblik, staande bij de stroom, en Leora vroeg zich even af waar hij aan dacht of wat hij zag. Toen draaide hij zich ineens om en liep terug naar het huis. Leora volgde hem.

Deze keer ging de diavoorstelling over de joden in India, die volgens Bill Landsmann (en, toen Leora het later zelf controleerde, ook volgens de *Encyclopaedia Judaica*) al tweeëntwintig eeuwen op het Indiase subcontinent woonden, sinds het moment waarop een groep joodse handelaren schipbreuk leed dicht bij de stad Kochin. Het bestaan van de joodse gemeenschap werd opgetekend door middeleeuwse joodse reizigers, vertelde Bill Landsmann, kooplieden die tijdens hun reizen verslagen maakten van joodse gemeenschappen over de hele wereld. Leora veronderstelde dat hij zichzelf als hun opvolger zag. 'Met wie maakt u die reizen?' vroeg ze Bill Landsmann toen hij ten slotte het licht weer aandeed. 'Met uw vrouw?'

'O nee,' zei Bill Landsmann lachend. 'Mijn vrouw gaat zo nu en dan met me mee, maar ze houdt niet echt van reizen. Dus reis ik meestal alleen.' Hij pakte de diacarrousel en begon hem op te bergen, en Leora merkte een zekere tederheid bij hem op wanneer hij de dia's vasthield, alsof hij een familiestuk streelde, iets wat hij geërfd had van iemand die al lang dood was.

'Alleen? Dat is belachelijk! Voelt u zich dan niet eenzaam?'

'O nee,' zei hij weer. 'Volgens mij zien mensen meer als ze alleen reizen. Ik vind het altijd veel gemakkelijker om te zien wat ik wil zien als ik alleen reis. Over een paar weken moet ik een operatie ondergaan en daarna wil ik plannen gaan maken voor mijn volgende reizen.'

'Waarnaartoe?' vroeg Leora, hoewel ze zich ongemakkelijk begon te voelen. Het was vreemd, obsceen bijna, vond ze, om daar met Naomi's grootvader te zitten en niet over Naomi te praten, hoewel duidelijk was dat geen van beiden over haar wilde beginnen. De naam hing in de lucht boven elk woord dat ze spraken, bijna als een geur.

'Birobidzhan, denk ik,' zei hij. 'Dat is een deel van Rusland nu, dicht bij de grens met Mantsjoerije. Toen Stalin aan de macht was, heeft hij het tot een joodse sovjetstaat gemaakt. Dicht bij China, dat geloof je toch niet. Maar het is waar. Het was een joodse staat.'

'Juist,' zei Leora resoluut. Ze kon haar ongemakkelijke gevoel niet meer verbergen. De geur begon haar neusgaten binnen te dringen, verstikte haar. 'Ik moet nu gaan, meneer Landsmann,' zei ze snel, een beetje bang dat hij haar zou willen overhalen nog te blijven. 'Ik wens u het beste met uw operatie.'

Maar Bill Landsmann maakte het haar niet moeilijk. 'Ik zie je spoedig!' zei hij, en hij begeleidde haar naar de deur zonder te vergeten haar haar trui – de ogenschijnlijke reden voor zijn uitnodiging – terug te geven. Leora zelf was de trui helemaal vergeten; als hij hem niet aan haar had gegeven, had ze er nooit aan gedacht. Terwijl Bill Landsmann toekeek hoe ze in de auto stapte en wegreed, had Leora het gevoel dat hij al wist wanneer ze terug zou komen.

Het duurde niet lang voor Leora besefte dat Bill Landsmann dingen van haar stal om te zorgen dat ze naar zijn huis terug zou komen. Elke keer, leek het, 'liet ze iets achter', wat weer een telefoontje opleverde en een uitnodiging om weer een paar dia's te bekijken. Eerst stal hij haar trui, toen haar hoed en één keer zelfs haar portemonnee. De eerste paar keren vond ze het niet erg; ze werd toch wel gefascineerd door de dia's van joodse gemeenschappen in Bukhara, Singapore, China, Turkije, Marokko, Ethiopië, Curaçao, Brazilië en Turkmenistan. Sommige achtervolgden haar in haar dromen, zoals de foto van dichtbij van het gezicht van een verschrompelde man, gekroond met een veelkleurig, geborduurd hoofddeksel waarvan de draden los rond zijn oren hingen, die zijn ogen boos dichtkneep en terugdeinsde voor de lens. Maar toch was ze geboeid, zelfs bij dia's die de ene na de andere geit toonden, niet alleen door het feit dat op al die plaatsen joden woonden maar ook door het feit dat Bill Landsmann de moeite had genomen hen op te zoeken en iets te weten te komen over hun leven. Maar nadat ze meer van Bill Landsmanns scripts had gehoord, kwam het bij haar op dat hij haar in feite een rol toebedeelde in het script. Hij was begonnen bijna alle bijschriften die hij haar voorlas te voorzien van kleine opmerkingen, en vulde deze steeds aan met een overbodig 'ja?'

'Deze synagoge heeft een vloer van zand om de mensen te herinneren aan het dolen door de woestijn, ja?'

'En deze synagoge is verzonken in de grond gebouwd omdat hij niet hoger mocht zijn dan de moskeeën, maar op deze manier toch een hoog plafond kon hebben, ja?'

'Deze stam eet niets anders dan geitenmelk en geitenvlees, maar nooit samen, ja?'

Het 'ja?' aan het eind van vrijwel elke zin, bijna altijd een zin waaraan Leora niets had toe te voegen, klonk haar nu in de oren als een wenk van een toneelmeester om te glimlachen of te lachen of te knikken of te fronsen, alsof ze de rol van iemand anders speelde. En ineens begreep ze waarom Bill Landsmann nooit over Naomi praatte. Hij wilde dat Leora Naomi was.

Op een dag was ze alleen thuis toen de telefoon ging: 'Hallo, zou ik Leora kunnen spreken?'

Ze onderdrukte een kreun. Ze kon er deze keer niet onderuit, ze had de telefoon aangenomen. 'Daar spreekt u mee, meneer Landsmann,' zei ze tegen hem. 'Hoe is het met u. Is de operatie goed gegaan?'

'Ah, ah, de operatie. Ja, die was heel prettig. Heel prettig.' Leora had nooit gedacht dat een operatie beschreven kon worden als 'prettig'. Bill Landsmann praatte door en weidde uit over de bijzonderheden. 'Ik had al lange tijd een probleem met mijn maag dat verholpen moest worden. Het maakte het moeilijk om te reizen. Nu moet het gemakkelijker zijn om dingen te dragen als ik reis, want dat was heel moeilijk met het probleem dat ik had. Het bevalt me niet om maar een beetje thuis te zitten, ja?' zo besloot hij met een lachje.

Leora lachte uit beleefdheid. Na een geladen stilte vervolgde Bill Landsmann: 'Maar goed, ik wilde je laten weten dat je je handschoenen hier hebt laten liggen. Misschien kun je ze een keer komen ophalen, dan kan ik je wat dia's laten zien van de joden van Birobidzhan. Ik heb veel foto's van de…'

Leora schraapte haar keel en nam een beslissing. 'Weet u, ik vind het heel vervelend om dit te moeten zeggen meneer Landsmann, maar ik geloof niet dat ik nog meer van uw dia's hoef te zien.'

'Wat?' kwaakte hij in de hoorn.

'Nou, ik bedoel dat ik denk dat ik ongeveer alles gezien heb wat ik wil zien.'

Bill Landsmanns stem begon te beven. 'Maar ik heb nog zo veel dingen die ik je wil laten zien! En het belangrijkste is dat je je handschoenen hier hebt laten liggen. Je moet ze komen ophalen. En dan kun je naar een paar dingen kijken die ik je wil laten zien, ja? Je kunt de handschoenen meenemen en ik…'

'U mag de handschoenen houden, meneer Landsmann,' onderbrak Leora hem met een stem die luider werd. 'Ik koop tien paar handschoenen voor u als u wilt. Ik heb een idee. Ik geef u een cadeaubon voor de legerdump. Dan kunt u een hele vrachtwagenlading handschoenen kopen en kunnen we ze allemaal naar de joden van Birobidzhan sturen. Of we kunnen wat aandelen in een handschoenenonderneming voor u kopen. En wat vindt u van een verzekeringsmaatschappij die tegen kleine diefstallen verzekert? Hoe lijkt u dat?' Leora schreeuwde nu bijna en praatte sneller dan ze dacht. En toen vlogen de woorden uit haar mond: 'Ik ben Naomi niet, meneer Landsmann! Ik word Naomi nooit, hoeveel dia's u me ook laat zien!'

Bill Landsmann was zo geschokt dat hij ophield met praten. Voor Leora werd de stilte aan de telefoon bijna tastbaar. En toen hing hij op.

Er gebeurde iets vreemds met Leora na haar uitbarsting tegen Bill Landsmann: ze begon zich af te vragen waar hij was. Toen ze niets meer van hem hoorde, kwam de gedachte bij haar op dat ze nooit zou weten of er iets met hem was gebeurd of waar zijn volgende 'reizen' heen zouden gaan. Ze had nooit kunnen dromen dat zoiets haar zou bezighouden, maar zijn afwezigheid begon haar te bedrukken. Ze begon zo nu en dan langs zijn huis te rijden, waarvoor ze een grote omweg maakte als ze 's middags of 's avonds naar huis ging. (Maanden eerder had ze langs het oude huis van Naomi gereden, maar nu woonde er een ander gezin. Nieuw en beter, met alle kinderen intact.) De meeste mensen in haar stad lieten de gordijnen open, had Leora op die donkere avonden of namiddagen gemerkt. 's Avonds kon je naar binnen gluren en hun meubelen bekijken, of mensen met elkaar zien praten en je voorstellen waar ze het over hadden, gissen, op basis van een hoek van een gebarende arm, of ze grappen maakten met elkaar of zich hardop zorgen maakten of ruzie kregen. Maar de familie Landsmann koos ervoor de gordijnen altijd dicht te houden. Was er iemand thuis? Zat Bill Landsmann in zijn donkere woonkamer zijn dia's van de joden van Birobidzhan te bewonderen? Bekeek hij zijn dia's eigenlijk wel als er niemand anders bij was? Of was hij vertrokken naar Oezbekistan, of Zimbabwe of een andere uithoek van de aarde om hun medejoden op te sporen? Ze dacht aan hem op de dag dat ze de telefooncel op school binnenliep, waardoor ze elkaar weer ontmoetten.

Niemand maakt nog glazen telefooncellen, wist Leora, maar ze hadden er nog een in de middelbare school, het oude glazen type dat je in staat stelt van buitenaf te zien wie er staat te praten zonder dat je kunt horen wat er wordt gezegd. In de telefooncel waren een oude munttelefoon met een draaischijf en een dik telefoonboek van de stad. Ze hadden altijd een spelletje met deze telefooncel gespeeld, Naomi en zij. Er was een andere telefooncel buiten, ongeveer vijftig meter verder, en door de glazen voordeuren van de school goed zichtbaar vanuit de telefooncel binnen, en op een dag kwam Naomi erachter hoe je van de ene naar de andere cel moest bellen. Daarna hadden ze er een soort systeem van gemaakt. Naomi liep elke dag van school naar huis, terwijl Leora de bus nam. Normaal kon je de schoolbus niet zien aankomen tenzij je buiten de school was, waar niemand op koude winterdagen wilde wachten. Om Leora de kou te besparen, ontwikkelde Naomi een methode. Aan het eind van de schooldag wachtte Leora in de telefooncel, en Naomi belde haar wanneer ze aan haar wandeling naar huis begon om haar te laten weten of de bus er stond. Het was helemaal niet praktisch, maar daar ging het niet om. Waar het om ging was de spanning en de verrukking van het wachten in de geluiddichte cel, de langeafstandsglimlach wanneer de telefoon overging en Leora wist dat het voor haar was. De laatste tijd had Leora de gewoonte om de zijdeur van de school te gebruiken en de telefooncel geheel te mijden. Bovendien interesseerden spelletjes haar niet meer. Leora was altijd een goede leerling geweest, maar na de dood van Naomi was het huiswerk een obsessie geworden. Ze dook in geschiedenisboeken, prentte scheikundige vergelijkingen in haar hoofd, kon van bijna elk land ter wereld de hoofdstad noemen en het type regering beschrijven; ze werd degene die de afscheidsrede voor haar klas zou houden. In de lente van haar laatste schooljaar was ze toegelaten tot elke universiteit waarvoor ze een aanvraag had ingediend met een opstel over de manier waarop haar reizen haar een nieuw en breed perspectief op de wereld hadden gegeven en ogen waarmee ze de wereld kon zien.

Op die betreffende middag echter had Leora voordat ze naar huis ging een formulier moeten afgeven bij het kantoor van de schoolverpleegster, dat zich bij de voordeur bevond, naast de telefooncel. Toen Leora het kantoor uitliep, stond ze even stil en keek naar de telefooncel. Ze dacht nergens aan, ze keek alleen. Toch, terwijl ze slechts keek en nergens aan dacht, liep ze met een paar stappen naar de telefooncel en opende de deur.

Ze stapte de telefooncel in, deed de deur achter zich dicht en ging op het pathetisch kleine plankje zitten dat als zitplaats diende. Nu kon ze alle leerlingen in de hal rond zien lopen, op weg naar de bussen, maar ze kon niet horen wat ze zeiden en geen van hen merkte haar ook maar op. Het kwam bij haar op dat het wellicht zo was om in een ander land te zijn zonder de taal te kennen, dat je naar mensen om je heen keek zonder ze te kunnen verstaan, en dat zij je in het geheel niet opmerkten, alsof je niet bestond. Ooit, jaren geleden, terwijl ze iets opzocht in het woordenboek, was Leora's oog bij toeval op het woord 'vertalen' gevallen, waarvan een verouderde vorm ook betekende, herinnerde ze zich terwijl ze daar in de geluiddichte cel zat, 'naar het hiernamaals overbrengen zonder de dood te veroorzaken'.

Leora staarde ouder gewoonte naar de telefoon, wachtend tot hij zou overgaan, maar wendde haar blik toen af. Belachelijk, dacht ze. Op zoek naar afleiding pakte ze het telefoonboek, dat naast de telefoon aan een dik rood koord hing. Ze opende het en liet de zware hoop bladzijden zich opstapelen op haar schoot, waarna ze al snel door de L zat te bladeren. Er waren vier Landsmanns in de buurt, merkte ze, maar slechts één van hen, 'LANDSMANN, W.', woonde op Algonquin Dr. nr. 413. Naomi's familie, onder de naam van haar vader, 'LANDSMANN, B.', stond er ook nog in, hoewel haar ouders en twee jongere broertjes al verhuisd waren. De stad zou moeten wachten op het nieuwe telefoonboek, dacht Leora, voordat Naomi officieel als dood zou worden beschouwd. Ze liet haar ogen over de namen van de andere Landsmanns, Landsmans, Lansmans, Lanzmans en Lanzmanns op de bladzijde gaan en vroeg zich af of ze elkaar ooit hadden ontmoet of ook maar van elkaar hadden gehoord. Het leek waarschijnlijk dat ze elkaars namen eerder hadden gezien, misschien zelfs voor elkaar waren aangezien en elkaars pakketjes en telefoontjes hadden ontvangen. Maar zouden ze, behalve elkaars namen, ook maar iets van elkaar weten? Waarschijnlijk niet, dacht Leora.

Op dat moment ging de telefoon.

Leora keek naar de hoorn en voelde dat ze verbleekte. Het telefoonboek gleed van haar schoot als een man aan de galg wanneer het luik onder hem wegvalt, glipte de lucht in en bungelde daar, stikkend aan zijn dikke rode koord. Toen de telefoon voor de tweede keer overging, schrok Leora zo van het geluid dat ze in een hoek van de cel ineendook alsof het geluid een hand was die haar hoofd tegen de wand wilde slaan. Bij de derde keer schudde ze haar hoofd heen en weer in een poging na te denken en hield zichzelf voor dat het niet was wie ze dacht dat het was, dat het iemand anders moest zijn. Toen hij voor de vierde keer overging, slikte ze en vroeg zich af: als het echt niet was wie ze dacht dat het was, waarom zou ze dan opnemen? Maar toen, terwijl ze haar hoofd weer schudde, redeneerde ze: als het echt niet was wie ze dacht dat het was, waarom zou ze dan níet opnemen?

Toen hij vijf keer was overgegaan, nam ze op.

'Hallo?'

'Hallo, Leora! De school is uit, ja?'

'*Meneer Landsmann?*' Ze liet de hoorn bijna vallen.

Hij lachte. 'Je herkent mijn stem!'

'Meneer Landsmann, waar bent u? Hoe hebt u mij kunnen bellen? Hoe wist u dat ik hier was?'

'Rustig maar,' zei hij. 'Kijk eens naar buiten.'

Langzaam draaide Leora zich om in de telefooncel tot ze door de glazen voordeuren van de school naar buiten kon kijken. Ongeveer vijftig meter verder, aan de andere kant van het grasveld en te midden van hopen pas gemaaid gras, stond een gedaante waarvan ze moest aannemen dat het Bill Landsmann was naast de andere telefooncel naar haar te zwaaien. Dit liet nog verscheidene dingen onverklaard, maar Leora was te verbijsterd om daaraan te denken.

'Luister, Leora, heb je misschien een paar minuten? Ik wil je iets laten zien. Niet bij mij thuis… ergens anders.'

Het idee dat Bill Landsmann ergens buiten zijn diaverzameling bestond, intrigeerde haar, hoewel ze dat niet wilde toegeven. Ze begon weer te ademen. 'U bedoelt nu?' vroeg ze.

Hij hoestte. Het waaide buiten en het werd moeilijk hem te verstaan. Leora wilde dat hij gewoon op zou hangen en binnen zou komen. Maar dat deed hij niet. 'Ja, nu, of misschien ook later. Als we later gaan, kun je ook meekomen naar mijn huis en kan ik je nog wat van mijn di…'

Ze onderbrak hem. 'Nee, nu is goed,' zei ze. 'Maar over een uur moet ik naar huis.' In een uur kon het niet al te vervelend worden, dacht Leora, vooral als er geen dia's bij betrokken waren. Bovendien had het wel iets fascinerends. Ze werd voor het eerst uitgenodigd om met Bill Landsmann op reis te gaan.

'Goed dan,' zei Bill Landsmann. 'Kom naar buiten, dan gaan we een stukje lopen.'

Ze liepen een kleine kilometer, meest heuvelopwaarts. Leora zag dat ze naar East Mountain liepen, het natuurreservaat van de stad. Terwijl ze naast Bill Landsmann voortliep, bekeek ze alles afzonderlijk, alsof elk tafereel dat zich voor haar ogen ontvouwde losstond van het vorige: de pas ontloken, nog zachte blaadjes boven haar hoofd; de paar afgevallen, nog frisse bladeren onder haar voeten; de kleine, vuile, doorweekte kinderwant die aan de kant van de weg lag. Bill Landsmann, die naar de grond had gekeken, zag die want op de grond ook – ze zag zijn ogen ernaartoe schieten – en Leora vroeg zich af of hij hetzelfde voelde als zij, een zekere droefenis die te diep en gevoelig was om ook maar te benoemen. Maar Bill Landsmann bleef niet stilstaan bij de want. In plaats daarvan keek hij plotseling op en in de verte, alsof hij hun bestemming van een afstand kon zien. En samen liepen ze verder.

'De plek waar we heen gaan,' zei hij, zijn keel schrapend, 'herinnert me aan het joodse kerkhof in Praag. Ben je daar geweest?'

Kerkhof? Gingen ze naar een kerkhof? 'In Praag? Ja, ik ben er vorige zomer met mijn ouders geweest,' antwoordde Leora stijfjes. 'Het was mooi. Gaan we naar een kerkhof?'

'Ja, heel mooi,' zei Bill Landsmann peinzend. Hij luisterde nogal selectief. Misschien, dacht Leora, was hij met zijn gedachten toch bij die want. 'In Praag, in de Middeleeuwen, mochten de joden hun doden alleen begraven op een klein stuk grond bij de rivier. Dus bestaat het kerkhof…'

'Dat weet ik,' onderbrak Leora hem. 'Ik…'

'…alleen uit dat kleine stuk grond. Maar ze hebben dat kleine stuk grond zeshonderd jaar moeten gebruiken, dus begroeven ze hun doden boven op elkaar en zetten de grafstenen daar allemaal bovenop.'

'Dat weet ik. Ik ben…'

'Zelfs nu nog ligt dat kerkhof in Praag vierenhalve meter boven straatniveau doordat iedereen op dat kleine kerkhof werd begraven. Ze wisten toch voor iedereen een plaatsje te vinden.'

'Dat weet ik.'

'O, je bent er geweest?'

Bill Landsmann bleef over het kerkhof in Praag praten, maar Leora luisterde niet meer. In plaats daarvan begon ze na te denken over die verloren want, over de andere want en waar die zou kunnen zijn, over het kind dat hem verloren had, over de vraag of alle verloren wanten van de hele wereld op de een of andere manier, in een soort ander leven, herenigd zouden worden met hun eigenaren en met hun wederhelften, zodat er geen treurige, eenzame kinderwanten meer in de straten zouden liggen.

En samen liepen ze verder, Leora en Bill Landsmann.

'Het lijkt op het joodse kerkhof in Praag doordat het ook hoger ligt, begrijp je,' zei Bill Landsmann.

Ze waren op een plek dicht bij de top van East Mountain gekomen, nadat ze, voor haar gevoel, lange tijd langs een kleine stroom hadden gelopen – een stroom die Leora nu herkende van de serie over de wateren van Babylon tijdens de eerste diavoorstelling van Bill Landsmann. Nu waren ze op een kleine open plek in het bos, die ongeveer de grootte had van zijn woonkamer. Leora keek om zich heen. Afgaande op Bill Landsmanns reiservaringen leek deze bestemming op zijn minst teleurstellend. Er was niets anders dan een grasveldje, doortrokken van plassen, en een kleine bank. Leora stond op het punt zich om te draaien en te vragen waarom hij haar daar mee naartoe had genomen, toen ze een rechthoekig eiland van donkerbruine steen tussen de plassen aan haar voeten zag, met een inscriptie:

NADAV
5660-5707

stond er in het Hebreeuws aan de bovenkant. Daaronder stond in het Engels:

NADAV LANDSMANN
1899-1946

Leora wierp een blik op Bill Landsmann die, voor één keer volledig geconcentreerd, omlaag keek naar de steen. 'Mijn vader,' zei hij. 'Hij is hier begraven.'

Een enorme plas, bijna in de vorm van het graf, bedekte het grootste deel van de plek onder de steen. *Full fathom five thy father lies*, dacht Leora. *Of his bones are coral made.* Ze tuurde in de plas en zag Bill Landsmanns bril en witte haar erin terug, onderbroken door een vallend blad. Bill Landsmann was diep in gedachten, wat Leora irritant vond. Het leek haar nauwelijks opmerkenswaardig dat Bill Landsmanns vader dood was.

Bill Landsmann ging op de bank zitten en Leora ging zonder iets te zeggen naast hem zitten. Op zoek naar iets om te doen gedurende die stilte, staarde ze naar de Hebreeuwse naam op de steen. Nadav. Het zag er kaal en leeg uit, en toen drong het tot Leora door dat de naam onvolledig was. Op grafstenen wordt de Hebreeuwse naam gewoonlijk samen met de naam van de vader vermeld, zoals in 'Nadav, zoon van x'. Maar hier was kennelijk geen x. Toen keek Leora naar de Engelse data op het graf van Nadav Landsmann en probeerde de rekensom te maken. 1899-1946. Dan was hij… zevenenvijftig geweest? Nee, zevenenveertig. Het leek een jonge leeftijd om te sterven. Maar als Nadav Landsmann nog in leven was geweest, dacht Leora, was hij opmerkelijk oud geweest, als een van die verschrompelde vrouwen uit Centraal-Azië op de dia's van Bill Landsmann. Hij was tenslotte Naomi's overgrootvader. Leora keek een poosje naar de bladeren in het water voordat ze iets durfde te zeggen. En toen ze sprak, klonk haar stem vreemd, in elk geval in haar eigen oren.

'Waarom ligt hij hier begraven?' vroeg Leora. 'Er is hier toch geen begraafplaats in de buurt?'

Ze was een beetje nieuwsgierig, maar het was grotendeels om iets te zeggen en niet in dat schuldige zwijgen te verdrinken. Dat was haar laatste vergissing met betrekking tot Bill Landsmann: het mijden van een schuldig zwijgen. Want toen Bill Landsmann sprak, zei hij: 'Iemand die zelfmoord heeft gepleegd, mag niet op een joods kerkhof worden begraven, zelfs niet als hij joods is. Dat is de joodse wet.'

Nu zweeg Leora echt, het soort bodemloos zwijgen dat alleen voortkomt uit de angst vragen te stellen. Maar terwijl ze zich voelde wegzakken in die zee van stilte, dieper dan de vijftig jaar tussen hen, flapte ze er plotseling vier woorden uit: 'Wat is er gebeurd?'

Bill Landsmann haalde zijn schouders op zonder haar aan te kijken. Na voor haar gevoel een eeuwigheid, zei hij: 'Misschien moeten we maar zeggen dat hij niet van reizen hield.' Hij keek haar nog steeds niet aan. 'Ik dacht het op een dag aan Naomi te vertellen. Mijn zoon heeft Naomi naar hem genoemd, ook al wilde ik dat niet. Maar ik heb Naomi nooit over hem verteld. Ik dacht dat jij misschien…' En toen, hoewel Leora het aanvankelijk nauwelijks merkte, begon Bill Landsmann te huilen – geluidloos, starend naar de grond, zijn ogen dichtgeknepen, zo hevig schokkend dat zijn smalle, gebogen rug ervan schudde.

Leora zag hoe hij zijn gezicht in de kraag van zijn jas probeerde te verbergen. En toen, plotseling en bevend, zag ze Bill Landsmann en zichzelf weer als van een afstand: een jong meisje in een zwarte jas, zittend op een bank, een witharige man in een donker jasje, naast haar gezeten, die met zijn ellebogen op zijn knieën, zijn hoofd in zijn handen, omlaag staart, in het niets. De steen was vanuit deze hoek niet te zien, alleen de glinstering van de plas tussen gevallen frisse bladeren en sprieten geelgroen gras. Boven de twee mensen op de bank was een dak van frisse bladeren, hoog boven hen, en de blauwe lucht etste er een teer patroon tussen. De man trilde, het meisje ging ongemakkelijk verzitten, de wind blies een losse graspriet op de jas van het meisje, en in Leora's onstoffelijke waarneming hurkte ze neer, omlijstte ze de compositie en legde ze die knipperend met haar ogen voor altijd vast op de diafilm van haar netvlies.

'Soms vraag ik me af of hij echt dood is,' zei Bill Landsmann. 'Hij is niet echt begraven, niet op een begraafplaats, ja? Dus is hij misschien nog ergens in leven. Ik geloof dat je dat soort dingen nooit echt weet.' Hij trilde. 'Het spijt me, het spijt me heel erg,' zei hij, nog steeds bevend en met zijn hand over zijn neus wrijvend. Leora zei geen woord.

'Hier is je jas,' zei hij terwijl hij plotseling opstond van de bank, en toen hij stond had Leora het gevoel dat hij een soort wankel evenwicht in haar had verstoord. Achter de bank was een bosje braamstruiken. Op het bosje lag een jas, gevouwen en netjes tussen de doorns geplaatst. Leora besefte onmiddellijk dat het haar jas niet was. Toen ze hem in haar handen nam en omdraaide, herkende ze hem. Hij was van Naomi geweest.

Ze keek op naar Bill Landsmann en probeerde de woorden te vinden voor een vraag, maar hij bracht haar met een handgebaar tot zwijgen. 'Neem hem. Hij is van jou.'

Leora nam de jas in haar ene hand en Bill Landsmanns hand in de andere. En toen stuurde hij haar naar huis.

Een paar dagen later ging Bill Landsmann terug naar het graf van zijn vader. Leora wist dit doordat ze een artikel zag in de plaatselijke krant met de kop BEJAARDE SLAPEND AANGETROFFEN IN DE EAST MOUNTAIN RESERVATION. Als leerling van de hoogste klas van de middelbare school was het uiteraard iets wat haar interesseerde, maar ze merkte niet op dat het artikel op de bejaardenpagina stond.

De bejaarde William Landsmann, wonend aan Algonquin Drive, werd donderdagochtend vroeg bij Columbus Rock in East Mountain Reservation slapend op de grond aangetroffen door Peter Downing, een politieman die in het gebied patrouilleerde.

Toen agent Downing hem ontdekte, lag de heer Landsmann met zijn gezicht omlaag bij Babble Brook, een riviertje dat door de oostelijke kant van het reservaat stroomt. Omdat hij geen vergunning kon laten zien, werd de heer Landsmann ondervraagd door agent Downing en gevraagd een ademtest te doen. De heer Landsmann had geen alcohol in zijn bloed, maar kon niet tot tevredenheid verklaren waarom hij in het reservaat had geslapen. Hij kreeg een boete in overeenstemming met de gemeentelijke verordening.

'Toen ik hem vroeg wat hij daar deed, zei hij dat hij op doorreis was,' zei agent Downing. 'Ik vond dat niet zo overtuigend, aangezien hij op de grond lag, maar had niet echt reden om hem niet te geloven.'

Mary Beth Parker, beheerder van de East Mountain Reservation, meldt dat het reservaat in het verleden wel problemen met landloperij heeft gehad, maar dat dit een zeer ongewone zaak was. 'Meestal zijn het wat kinderen, of iemand die dronken is, of een dakloze die op de een of andere manier van het gebaande pad is geraakt, bij wijze van spreken,' zei ze. 'Maar dit was een oudere heer, die helemaal niet dronken was en een huis heeft.'

Bezoekers moeten een vergunning hebben om in het reservaat te kamperen.

Als Leora 's avonds door haar stad rijdt, kijkt ze soms bij mensen binnen, niet omdat ze iets interessants verwacht te zien, maar omdat ze gewoon wil kijken. De huizen staan naast elkaar opgesteld als ingepakte glazen kisten, hun koperen nummers in reliëf op de zijkant, als op Bill Landsmanns dozen met diacarrousels, hun witomlijste ramen gloeiend als dia's voor een warm, gouden licht. Terwijl ze voorbijrijdt, probeert ze naar zoveel mogelijk van die kleine panelen te kijken. Meestal ziet ze alleen gordijnen of het latwerk van Venetiaanse jaloezieën. ('Hier zijn de oorspronkelijke Venetiaanse blinden, zie je, in Venetië. Deze foto is van het joodse getto in Venetië, het eerste getto in de wereldgeschiedenis.') Maar soms, als ze precies op het juiste moment voorbijrijdt, zijn de ramen volledig naakt en kan ze door het glas naar de ingelijste schilderijen aan de muren kijken en zich afvragen of er iemand thuis is. Zo nu en dan wordt haar vraag beantwoord en ziet ze door een wit omlijst raam een gezin aan tafel zitten of een oude man met een kleinkind spelen of een vader en zoon op een bank, misschien naar de televisie kijkend of ruziënd.

En soms, maar dan heel soms, als de gordijnen open zijn, ziet Leora een vrouw zitten, alleen, in een huis dat ooit vol mensen was. Zoals ze daar zit, alleen, eenzaam, als een weduwe, wachtend tot iemand thuiskomt.

2

In de Vallei van de Afgedankte Namen

Als dingen geleidelijk aan gebeuren, kan zelfs het toeristenoog dat foto's klikt in de hersenen ze niet vastleggen. En zo was Leora, verscheidene jaren later, de laatste die merkte dat de kat groter werd.

De kat was, bij gebrek aan een betere term, een scheidingsgeschenk, iets om haar gezelschap te houden tijdens de, zo werd verondersteld, lange, eenzame avonden na Jason. En de kat had dat wellicht gedaan als de relatie tussen Leora en Jason een gewone tienerromance was geweest, als Leora al tot zoiets in staat was geweest – dat wil zeggen als Leora een gewoon meisje zou zijn, dat gewone dingen overkwam, als ze het type meisje zou zijn dat lacht en huilt en haar hart uitstort bij haar vriendinnen. Maar Leora had geen vriendinnen. En bovendien had Jason, tegen de tijd dat hij haar de kat gaf, een grote, grijze welp van een kat met vreemd naar binnen gekrulde oren, net zo goed op de bodem van de oceaan kunnen vallen, als een duiker die in het diepe springt en vergeet genoeg zuurstof mee te nemen voor de terugtocht.

In het begin leek Jason natuurlijk het type jongen dat een gewoon meisje had moeten vinden, het type meisje dat met haar vriendinnen om hem lacht en huilt. Hij was lang en goed gebouwd, had blauwe ogen en een zonnige glimlach, zag er goed uit op een neutrale, traditionele manier, en had met dat uiterlijk alle trekken van een man die zich normaal niet aangetrokken zou hebben gevoeld tot een vrouw als Leora, die meer hersenen dan schoonheid bezat. Jason was wat gewone tieners zouden noemen een 'leuke gozer' – geen 'geweldige gozer' maar een 'leuke gozer' – gewoon een van de voetballers van het universiteitsteam was Jason, en nog steeds met zijn collega-Argonouten op zoek naar een meisje in een gulden vlies. Of gewoon op zoek naar iets, eigenlijk, want

Naomi had daar een theorie over gehad. Jonge mensen, zei ze een keer tegen Leora, zijn als blinde klonten klei, vormloos, en in dat vormloze ligt een oneindig aantal mogelijkheden. Sommigen nemen dat natte potentieel in hun handen en maken vormen die nooit eerder zijn gezien. Anderen, duizelend van het aantal mogelijkheden, gieten zichzelf gewoon in een mal. Weer anderen zijn bang voor ook maar het kleinste deukje en blijven ongenadig kneden uit angst voor het moment waarop ze onvermijdelijk zullen uitharden.

Indertijd was Leora verrukt van deze briljante manier om naar jezelf te kijken, nog kneedbaar, onaf. Maar meer dan dat was Leora verrukt van Naomi zelf, dat meisje van nog geen zeventien, dat ondanks haar leeftijd, of misschien juist daardoor, leek te praten als een goddelijke stem die uit een storm komt. Later, zoals voor bijna alles gold wat Naomi ooit had gezegd, leek deze theorie op de een of andere manier van vooruitziende aard, alsof Naomi had geweten dat ze altijd onaf zou blijven, voor altijd vochtig en kneedbaar, gevormd en veranderd door de lichtste aanraking van Leora's geheugen. Maar na Jason moest Leora Naomi's theorie herzien. Sommige mensen, die eerder zo voorzichtig waren gevormd, voegde Leora eraan toe, worden plotseling tot iets nieuws geperst – of doen dat zelf – en werpen zichzelf met geweld in de oven om zich voor altijd te harden. En Leora wist dat het niet aan haar was om over die keuze een oordeel te vellen.

Jason en Leora waren technisch gezien nog tieners toen ze elkaar ontmoetten, in de rij voor computerreparaties op de universiteit – beiden zo lang mogelijk negentien in een tijd waarin Leora zich nog verpletterd voelde door haar verjaardagen omdat ze niet wist of ze ze verdiende. Wat ze aanvankelijk aantrekkelijk aan hem vond, was zijn plotselinge verlegenheid toen ze hem een simpele vraag stelde: 'Waar kom je vandaan?'

Jason haakte zijn duimen in de riemlussen van zijn spijkerbroek en verplaatste zijn gewicht van de ene voet op de andere, terwijl zijn voetbaloverwinningsgrijns van zijn gezicht zakte en zijn ogen een beetje naar rechts schoten. Het is een oude truc, zo'n snelle oogbeweging, die blik opzij, alsof er plotseling iemand ten tonele is verschenen die veel interessanter is dan de vragensteller. Leora herkende het. En toen hij de naam noemde van de stad in New Jersey waar hij vandaan kwam, wist ze waarom hij het had gedaan. Voor veel mensen is de vraag 'Waar kom je vandaan?' een manier om een praatje aan te knopen, een gordijn weggetrokken van een verlicht raam. Leora's kamergenootje kon mensen uren vermaken met verhalen over de ranch in Wyoming waar ze vandaan kwam, net als haar klasgenootje dat uit het centrum van Barcelona kwam, en haar bovenbuurvrouw uit een provinciestadje in Vermont. Maar voor mensen als Jason en Leora, inwoners van een niet-officiële joodse staat, was de vraag 'Waar kom je vandaan?' een doodlopende weg. Ze kwamen nergens echt vandaan. Of nergens vandaan.

Maar Leora, die naar zijn wegkijkende ogen keek, verraste hem. 'Ik weet waar dat is,' zei ze.

Jason maakte een ongeduldige schouderbeweging. 'Ik zou niet weten waarom jij ervan zou hebben gehoord,' mompelde hij terwijl zijn ogen weer wegkeken.

Leora vertrok geen spier. 'Behalve dat ik daar woon, of in het volgende stadje.'

Jasons ogen schoten terug. 'Echt? Waar?'

Ze noemde de naam van haar straat en begon te beschrijven waar het was, terwijl ze verlegen van de ene voet op de andere wipte, net als Jason had gedaan. Maar deze keer waren Jasons voeten stevig op de grond geplant terwijl hij uitriep: 'Ik weet precies waar dat is! Dat is mijn straat!'

Binnen een paar seconden beseften ze dat ze maar zo'n drie blokken van elkaar verwijderd woonden, in een straat waaraan niet meer dan twintig huizen stonden. Maar die twintig huizen stonden langs de gemeentegrens, waardoor Leora en Jason uit verschillende stadjes kwamen, met verschillende schoolsystemen, verschillende levens. Leora keek hem met half dichtgeknepen ogen aan in een poging te beslissen of hij er bekend uitzag, of ze zijn gezicht herkende als dat van een van de skateboardende jongens uit de buurt. Maar ze herkende hem niet.

'Ben je ooit naar de East Mountain Zoo geweest?' vroeg Jason.

Het was niet bepaald wat Leora verwacht had dat hij zou zeggen, en misschien had dat een vroege aanwijzing moeten zijn dat niets naar verwachting zou zijn. Maar Leora miste die aanwijzing. De East Mountain Zoo was een populaire plek voor kinderen in hun omgeving, en Leora vroeg zich af of hij haar misschien daarvan had herkend. Maar ze was daar minstens tien jaar niet geweest. 'Ja natuurlijk, toen ik klein was. Hoezo?'

Jason glimlachte. 'Mijn vader is de directeur.'

'Echt?'

Jason grijnsde nog trotser, maar Leora was niet van plan hem te vleien, zelfs niet per ongeluk. Volkomen serieus vroeg ze: 'Betekent dat dat hij degene is die met een enorme bezem door de kooien loopt?'

Jason deed zijn best niet boos te worden. 'Nee, het betekent dat hij degene is die de dieren voor de dierentuin aanschaft.'

'Maar waar komen de dieren vandaan?' vroeg Leora. Deze vraag leek op de een of andere manier meer mogelijkheden te bieden dan de vraag naar Jasons woonplaats.

'Van dierenhandelaren,' zei Jason. Hij schuifelde weer verlegen heen en weer, maar deze keer om een andere reden. 'Hé, de volgende keer dat je thuis bent,' bood hij aan, alsof hij bang was voor het antwoord, 'zou je dan met mij naar de East Mountain Zoo willen?'

Tot Leora's eigen verbazing ging ze op het aanbod in.

Leora vond Jason leuk, maar pas tijdens een gesprek dat ze veel later voerden, kwam het bij haar op van hem te houden. Ze zaten aan een tafel in een cafetaria op een dag vroeg in maart, een van die vreselijke dagen waarop de lente zo dichtbij lijkt dat je haar bijna kunt proeven, maar vuile sneeuw en bittere wind de hele week terugtrekken naar de winter waar hij uit is gekomen. Als gewoonlijk had Jason zijn lunchblad voorzien van vijf volle glazen onnatuurlijk groene Gatorade, dat, zei hij, de voetbaltrainer aan het hele team had voorgeschreven, hoewel het voetbalseizoen allang voorbij was. Leora zat tegenover hem, en de gloeiende, doorschijnende glazen vormden een soort barricade tussen hen tot hij er een oppakte, leegde en het lege glas als een bres in de groene vestingmuur terugzette in de rij. Terwijl hij de fluorescerende vloeistof door zijn keel goot, stelde Leora hem een vraag, een nog vervelender vraag dan 'Waar kom je vandaan?'

'Wat doe je deze zomer?'

Jasons ogen, die gericht waren op de Gatorade, schoten omhoog naar de hare terwijl hij het lege glas met een klap terugzette op het blad. 'O, ik heb al een vakantiebaantje,' zei hij.

'Bofkont! Wat is het?'

Jason pakte het tweede glas Gatorade op en bestudeerde het alsof het de antwoorden op de belangrijkste levensvragen bevatte. 'Ik heb iets wat ik elke zomer doe. Je lacht me waarschijnlijk uit, maar ik moet je uitleggen waarom ik het doe.'

'Oké,' antwoordde ze.

Jason nam een slokje van de Gatorade. 'Het is vrijwilligerswerk.'

'Nou, dat is gaaf toch?' vroeg Leora, voornamelijk om hem aan het praten te houden.

'Nou, eerlijk gezicht is dat baantje helemaal niet gaaf.'

Leora kreeg een kleur, alsof ze net een grap over moederdag had gemaakt tegen iemand wiens moeder dood was. Ze had jaren geen vriend of vriendin gehad, wat dat betreft kwam Jason nog het dichtst in de buurt, maar soms gaf hij haar nog steeds een opgelaten gevoel, alsof ze een vreemde was die hem nauwelijks kende. Ze probeerde zich te verdedigen. 'Maar ik ken heel veel mensen die vrijwilligerswerk doen. Ze vinden het allemaal geweldig.'

'Natuurlijk vinden ze het geweldig,' papegaaide Jason terwijl hij het papieren servet neerlegde dat hij in stukjes zat te scheuren. 'Ze doen niets anders dan de hele dag met kinderen spelen.' Hij pakte het tweede glas Gatorade weer op en leegde het.

Leora keek hoe de Gatorade uit het glas stroomde en vroeg zich af of het zijn galachtige kleur zou behouden als het eenmaal in Jasons maag zat. 'Wat bedoel je?' vroeg ze.

'Als je erover nadenkt... Vrijwel elk vrijwilligersprogramma hier is op kinderen gericht.'

Ze dacht er even over na. Het was waar. Er waren inderdaad veel leerprogramma's. En naschoolse activiteiten. En antidrugsprojecten. En grote-broer/grote-zuscombinaties. En spelgroepen. En leesklassen. Zelfs toneelstukken over veilig vrijen. Ze pijnigde haar hersenen om een vrijwilligersactiviteit te vinden voor mensen van de campus, die niet op kinderen was gericht. Behalve de soepkeuken kon ze niets bedenken.

Jason keek naar haar en glimlachte toen triomfantelijk. 'Zie je wel, alles wat ze doen is voor kinderen. En als het niet voor kinderen is, is het zoiets als een opvanghuis voor daklozen, waar ze mensen meer tijdelijk dan echt helpen. Maar wat gebeurt er eigenlijk voor, bijvoorbeeld, bejaarden?'

'Bejaarden?' Leora zag Bill Landsmanns woonkamer voor zich.

Maar Bill Landsmanns woonkamer was niet wat Jason bedoelde. 'Ik bedoel oude mensen in verzorgingstehuizen,' vervolgde Jason. 'Niemand wil in een verzorgingstehuis werken, snap je, want ze hebben het gevoel dat het uitzichtloos is. Met kinderen kunnen ze in elk geval het gevoel hebben dat ze die helpen volwassenen te worden die hun hulp niet meer nodig hebben. Maar niemand is geïnteresseerd in oude mensen. Of eigenlijk is het niet dat ze niet geïnteresseerd zijn. Het is meer dat ze bang zijn.'

'Bang, waarvoor?' vroeg Leora.

'Ben je ooit in een verzorgingstehuis geweest?'

'Natuurlijk.'

'Nou, hoe vond je dat?'

Leora dacht aan haar oudtante Rose, die meer dan twintig jaar had zitten wegkwijnen in een verzorgingstehuis. Rose viel dagelijks Leora's ouders lastig per telefoon om ze te herinneren aan haar grote plannen om elk moment dood te gaan – een dreigement dat ze nog niet had uitgevoerd ondanks de dood, in de tussentijd, van drie familieleden die haar hadden geërfd voordat Leora's ouders dat deden. Als Leora en haar ouders bij haar op bezoek gingen, gebeurde het regelmatig dat Rose het voedsel, de tijdschriften of andere geschenken die ze hadden meegebracht met veel misbaar op de vloer gooide, tierend dat iedereen – het personeel, de artsen, de vrouw aan de andere kant van de gang, Leora's ouders, de nieuwste presentator van een praatprogramma op de tv – samenzweerden om haar te vermoorden. (Tijdens een van die bezoeken kwam het bij Leora op dat deze bewering in feite Rose' manier was om zichzelf te vleien door zich ervan te overtuigen dat ze de moeite waard was om vermoord te worden.) De gangen in het verzorgingstehuis, die naar urine stonken, stonden vol met rolstoelen die bezet werden door bleke, magere, kwijlende mannen en vrouwen, wachtend op de dood. Leora wierp een blik op de felgroene glazen Gatorade en voelde zich een beetje misselijk. 'Ik zou er niet langer willen zitten dan absoluut noodzakelijk zou zijn,' gaf ze toe.

'Zo denkt iedereen erover,' zei Jason terwijl hij Gatorade nummer drie oppakte. 'En het moeilijkste is ook niet dat die mensen zo dicht bij de dood zijn. Want als je naar de intensive care van een ziekenhuis gaat, zou je dat gevoel niet hebben. Het zou eng zijn, maar het heeft ook iets dramatisch. Je kunt de patiënten daar bezoeken en bij jezelf denken: o god, die jongen van vijfentwintig met kanker zou ik kunnen zijn, dus was mijn bezoek Betekenisvol want ik heb iets Belangrijks geleerd.'

Ze huiverde, maar Jason merkte het niet. Hij zweeg even om zijn derde glas Gatorade te nuttigen en zei toen: 'Een verzorgingstehuis heeft niets dramatisch. Je hebt daar niet met een speling van het lot te maken of zo. Alleen met dat afschuwelijk… normale. Het akelige is niet dat die mensen doodgaan, maar dat ze alleen zijn. Hun man of vrouw en hun vrienden zijn dood. Hun kinderen hebben het druk met hun eigen dingen. Ze hebben mensen die voor ze zorgen, die ze hun eten en medicijnen en zo brengen, maar ze hebben niemand die om ze geeft. Ik wil om ze geven.'

Leora ging verbijsterd achterover zitten. Op de een of andere manier had ze verwacht dat deze kleine toespraak zou eindigen zoals meestal gebeurde bij mensen van hun leeftijd, dat wil zeggen dat Jason zou aankondigen dat 'iemand' er iets aan moest doen en dat hij daarom een vakantiebaantje had gevonden waarbij hij enveloppen moest vullen voor de Amerikaanse Vereniging van Gepensioneerden. Maar echt werken in een verzorgingstehuis? Ze stamelde: 'Je houdt me voor de gek.'

Jason schudde zijn hoofd, keek naar het vierde glas Gatorade voordat hij het oppakte en de inhoud bijna zonder te slikken door zijn keel goot. 'Nee. Dat is wat ik elke zomer doe. Ik werk als vrijwilliger in het Beth Israel Verzorgingstehuis. Mijn ouders denken dat ik gek ben. Ik zeg dat het me helpt om medicijnen te gaan studeren, maar de reden waarom ik medicijnen wil gaan studeren is dat ik wat vaardigheden wil verwerven en in de toekomst betaald wil worden voor dit soort werk. Het gaat gewoon om oude mensen.' Jason gebruikte een deel van het verscheurde servet om zijn groene snor weg te vegen en draaide de rest tot kleine rolletjes.

'Jeetje, Jason, je bent echt een *mensch*.'

Jason keek niet-begrijpend op van zijn blad. 'Wat is een mensch?'

Leora glimlachte. 'Je bedoelt dat je al die jaren in een joods verzorgingstehuis hebt gewerkt zonder een beetje Jiddisch op te pikken?'

Jasons vingers dwaalden wriemelend terug naar het gescheurde servet. 'Nou ja, mijn familie is joods, maar niet fanatiek, en… ik bedoel, we gaan niet naar de synagoge of zo, dus…'

'*Mensch* betekent mens, letterlijk, maar het wordt gebruikt voor een echt goed mens. Iemand die de wereld door zijn handelen laat zien wat het betekent om echt een mens te zijn.'

'En dat ben ik?' vroeg Jason. Gatorade nummer vijf bij de hand. Naar binnen geslurpt. Weg.

Leora grinnikte naar hem. 'Dat denk ik, ja.'

Jason snoof. 'Nee, ik ben geen mensch. Ik houd gewoon van oude mensen.'

'En je hoeft niet naar de wc na al die Gatorade?'

'Nee.'

Toen wist ze dat ze verliefd was.

Toen ze eenmaal op de hoogte was van Jasons interesse in 'oude mensen' dacht Leora er vaak over om hem over Bill Landsmann te vertellen, die, wat hij verder ook mocht zijn, in elk geval tot de 'oude mensen' behoorde, hoewel ze betwijfelde of een van de oude mensen in zijn verzorgingstehuis recentelijk door Birobidzhan was getrokken. Maar als ze Jason over Bill Landsmann zou vertellen, zou ze hem ook over Naomi moeten vertellen, wat iets anders was dat Leora vaak overwoog. Het kwam bij Leora op dat Jason misschien zelfs over Naomi had gehoord, via een van de stukken in de plaatselijke krant misschien, of van een vriend die aanwezig was geweest bij de herdenkingsdienst, waar, herinnerde Leora zich, mensen die Naomi amper hadden gekend maar doorwauwelden over de vreselijke tragedie, het afgebroken leven, zo veel talent, zo veelbelovend – net als ze de laatste keer hadden gedaan toen een leerling van school was gestorven. Maar uiteindelijk besloot ze het niet aan Jason te vertellen. Praten over Naomi zou betekenen dat ze hem meesleepte naar een vreemd, nieuw land, en ze wist niet zeker of hij die reis zou overleven. Dat was niet de enige reden waarom ze niet over Naomi kon praten. Naomi, nu tot in alle eeuwigheid zestien, had vaak met jongens geflirt en jongens geplaagd, en er waren jongens geweest die haar op afstand hadden aanbeden, en zij had dat geweten. Maar ze had ze geen van allen ooit leuk genoeg gevonden om ze haar hart aan te bieden, of ook maar haar pink. Het gevolg was dat Naomi met elke eerste ervaring met Jason – hun eerste kus, hun eerste lange kus, hun eerste liefkozingen boven de kleding, hun eerste liefkozingen onder de kleding, elke verdere stap op hun gezamenlijke weg – verder weg raakte in Leora's herinnering, steeds meer ging lijken op een klein kind in de verte, reikend naar een gevallen handschoen op straat. Pas toen Jason haar begon over te halen, onder druk zette, op de nek zat, in het nauw dreef, wenste Leora dat ze Naomi niet achter zich had gelaten. Toen de lange, angstaanjagende nacht kwam waarin Leora gevangen onder Jasons uitgeputte, slappe lichaam lag en dacht dat ze zou gaan huilen, had ze dat misschien gedaan als Naomi nog had geleefd. Maar omdat Naomi niet meer leefde, zette Leora het allemaal uit haar hoofd en probeerde naast Jason in slaap te vallen, zich van hem afwendend terwijl ze nachtmerries verjoeg en naar een vierkant maanlicht op het plafond boven het raam staarde dat haar deed denken aan een leeg raampje uit een van Bill Landsmanns diacarrousels. Het was de week voor Pascha. De week daarna, thuis tijdens de paasvakantie, ging ze met Jason naar de East Mountain Zoo.

De East Mountain Zoo stelde als dierentuin niet veel voor. Geen olifanten, bijvoorbeeld, en Leora was daar blij om – Jasons vader besefte in elk geval dat er in New Jersey geen plaats was voor olifanten. Ook geen giraffen of nijlpaarden of walvissen. Maar de dierentuin had een respectabel vogelhuis, een behoorlijke waterafdeling met diverse soorten otters en zeehonden en een grote kinderboerderij met genoeg schapen en geiten voor een bijbels offer. (Elk gezin in Leora's stad had wel een foto op de piano staan van een kind op ongeveer vijfjarige leeftijd dat een geit uit de East Mountain Zoo aait.) Er waren zelfs twee kleine bergleeuwen daar – 'ocelotten' volgens het bordje op de kooi – die gapend hun saaie dagen doorkwamen terwijl ze zich uitstrekten in de schaduw van hun door glas omsloten fiberglazen bos. Terwijl Leora hand in hand met Jason door de East Mountain Zoo liep, had ze het gevoel dat zij beiden deel van de dierentuin uitmaakten als jonge dieren waarvan de volwassen vorm nog niet duidelijk was, welpen die nog niet waren uitgegroeid tot leeuwen, jonge vogels nog in het ei en wachtend om uit te komen. Wat voor dieren zouden ze blijken te zijn?

Het was een prachtige dag, een bijna onnatuurlijk schitterende lentedag in de East Mountain Zoo, het soort dag waarop blote armen voor het eerst verschijnen uit hun in lange mouwen doorgebrachte winterslaap. Leora en Jason keken naar de zeehondenshow. Mugsy en Mango, twee buitengewone zeeleeuwen, zeilden, tot voorspelbare verrukking van de toeschouwers, in volmaakte formatie door de lucht, en de verschijning van Sammy, de 'gewone zeehond', die, als alle gewone zeehonden – in tegenstelling tot zeeleeuwen – een dikke, ronde rolmops van een beest was en weinig meer kon dan zwemmen en zichzelf op een rots hijsen, wekte het gebruikelijke gelach op toen de verzorger hem uit het water wist te krijgen om hem te plagen en alle dingen te laten zien die Sammy niet kon. Maar Sammy de Zeehond droeg het als een nederige martelaar, negeerde het publiek toen hij naar de demonstratierots waggelde en accepteerde soms zelfs de sardines niet die hem als vergoeding werden toegeworpen. Sammy wist wie hij was, dacht Leora, en ze volgde hem met haar ogen door de glazen wanden van het bassin toen hij in het water dook, zwevend, met een gratie die zeeleeuwen onder het oppervlak nooit zouden hebben.

Ongeveer halverwege de show merkte Leora dat Jason geen enkele aandacht besteedde aan Mugsy en Mango, en zelfs niet aan Sammy onder de waterlijn. Ook staarde hij niet naar zijn voeten of in de verte, zoals het geval had kunnen zijn als hij alleen maar met zijn gedachten ergens anders was. Leora wierp een blik om zich heen en besefte waar hij naar keek. Met uitzondering van hen tweeën en zo'n tien andere mensen, waren alle aanwezigen bij de zeehondenshow die middag chassidische joden.

Ze zagen er verschillend uit, natuurlijk, en de menigte had niets weg van de zee van zwarte hoeden die soms te zien is in films of nieuwsuitzendingen over bepaalde buurten in Jeruzalem of Brooklyn. Maar dat kwam door de vrouwen en kinderen, die de zwartehoedenzee opdeelden in een overvloed aan meren, elk omringd door zijn oeverbezit van echtgenote en kroost. De vrouwen verborgen hun haar onder hoofddoeken of hoeden, of hadden dik, glanzend, steil haar, vaak met ingewikkelde pony's – pruiken, besefte Leora. Ze hadden bloesjes met lange mouwen aan, ondanks de zon, en lange rokken die bijna op hun gymschoenen of sandalen hingen. Maar Leora keek gefascineerd naar de kinderen. Afgaande op het aantal kinderen dat rondrende en schreeuwde en op het glas voor Sammy's vermoeide gezicht bonkte, schatte ze dat de verhouding tussen echtpaar en kinderen ongeveer één op vijf was. Ieder van de vrouwen – vermoeide, versleten, uitgeputte vrouwen, hoewel velen van hen niet veel ouder konden zijn dan Leora zelf, had de handvatten vast van minstens één wandelwagen, vaker nog van een tweezitter in tweelingstijl, en soms zelfs een gigantische wagen met plaats voor vier of vijf kinderen. De moeders schreeuwden tegen hun kinderen, zoals moeders in de East Mountain Zoo altijd deden. Maar de namen die ze schreeuwden waren anders.

'Shloymie, kom hier!'

'Mendie, laat Shloymie met rust!'

'Gitl, als je niet meteen ophoudt met Freydl plagen, gaan we nooit meer naar de dierentuin!'

Een paar moeders schreeuwden zo nu en dan zelfs in het Jiddisch tegen hun kinderen. Onder het mom een vereiste vreemde taal te studeren, had Leora in haar eerste studiejaar Jiddisch erbij gedaan; ze had het gevoel dat er iets groters meespeelde in haar keuze, iets wat terug te voeren was op de reis die ze met haar ouders door Europa had gemaakt, of misschien op de woonkamer van Bill Landsman, hoewel ze vermeden had al te veel na te denken over wat dat iets zou kunnen zijn. Het Jiddisch dat ze gestudeerd had, was Europees Jiddisch, academisch Jiddisch, het Jiddisch dat joodse schrijvers ooit gebruikten om zich te bevrijden van het religieuze van het Hebreeuws om zo te bewijzen dat ze moderne mannen waren. Maar het Jiddisch van deze moeders was de taal van ultra-orthodoxe Amerikaanse joden, een versmelting van dialecten die ze gebruikten om geen Engels te hoeven spreken en het heilige Hebreeuws alleen voor gewijde dingen te bewaren. Leora kon hen niet verstaan. Maar ze nam aan dat ze iets zeiden in de trant van 'Yankl, als je nog één keer in dat zeehondenbassin probeert te klimmen, mag je van geluk spreken als je met allebei je benen thuiskomt.'

Maar Jason stond naar ze te staren alsof niet de vliegende zeeleeuwen maar de chassidische joden de voorstelling vormden. Leora begon in zijn hand te knijpen om zijn aandacht te trekken, maar zelfs toen draaide hij zich slechts één op de drie of vier keer om. Pas toen Mugsy en Mango hun laatste wentelingen door de lucht hadden gemaakt – tot vreugde van de toeschouwers die, vroeg Leora zich af, misschien zichzelf hadden herkend in die dieren uit het water – trok Jason Leora op een gegeven moment opzij, terwijl de gezinnen zich verspreidden naar de andere bezienswaardigheden, met een ademloos: 'Zag je dat?'

'Zag ik wat?' vroeg Leora, die deed alsof ze het niet begreep.

'Toe nou,' snoof Jason. 'Wou je me vertellen dat jij niet hebt gemerkt dat de East Mountain Zoo vandaag kennelijk naar Brooklyn is verhuisd?'

Leora zuchtte. In de loop van hun relatie was ze een soort leer-meester van Jason geworden als reactie op zijn incidentele vragen over het jodendom, een functie die ze nu niet direct prettig vond. Maar ze had een antwoord. Vandaag, vertelde ze hem, was een van de middelste dagen van Pascha, een periode waarin de jood-se scholen vakantie hadden. Dus hadden de ouders het misschien een mooie dag gevonden om naar de dierentuin te gaan.

'O, oké,' zei Jason terwijl hij achteruit stapte. 'Nou ja, ik ben blij dat het niet een soort permanente, massale joodse invasie in de die-rentuin is.'

Leora verstijfde en liet zijn hand los. 'Wat ben je, een soort anti-semiet?'

Jason sloeg zijn ogen ten hemel. 'Ja... ik ben een zelfhatende jood. Of misschien meer een jodenhatende zelf, aangezien ik me-zelf nu niet direct haat, alleen andere joden.'

Hij wendde zich van haar af en Leora keek naar hem. 'Ik bedoel alleen dat je je echt ongemakkelijk lijkt voelen in de buurt van godsdienstige joden, dat is alles,' zei ze zwakjes.

Jason leunde tegen het zeehondenbassin en blies over het opper-vlak. Een muur van groenachtig water vol luchtbelletjes en stukjes sardine drukte tegen het glas. Kleine watergolfjes haastten zich van hem weg, deinsden terug voor zijn adem. Even kwam het bij Leo-ra op dat Jason, als hij hard genoeg blies, de helft van het water in het bassin weg kon blazen en zo een lege ruimte kon scheppen waarin hij naar binnen kon stappen, hoog en droog. Maar toen stak Sammy zijn kop uit de ondoorzichtige groene golven en doorbrak Jasons rimpelingen met zijn eigen concentrische cirkels op het wa-teroppervlak, herinnerde hij haar eraan dat het bassin veel dieper was dan het leek.

Sammy's verdwijning in de diepte leek voor Jason aanleiding weer iets te zeggen. 'Ik denk dat ik gewoon niet weet wat ik van ze moet vinden,' zei hij op een toon die berustend klonk. 'Ik bedoel, ik zie een van die kerels met zijn hoed en zijn mooie lange baard in de bus en ik weet dat ik bij mezelf moet denken: ja, je bent mijn broeder, we hebben samen op de berg Sinaï gestaan. Of zoiets.

Maar zo werkt het niet. In plaats daarvan denk ik alleen: waarom kleed je je als een amish?'

Leora opende haar mond om aan haar joodse-lerarestoespraak te beginnen, over de chassidische kleding en hoe die afgeleid is van de stijl van de Poolse zeventiende-eeuwse adel, over de kleding die bescheidenheid moet uitdrukken, wat de lange rok en mouwen verklaart, maar Jason was in de greep van ongeduld. 'En waarom,' vroeg hij, terwijl zijn stem ineens tot een schor gemurmel rees, 'geven ze mij het gevoel dat ik, aangezien ik joods ben en zij joods zijn, geen superjood ben zoals zij, dat alles wat ik in mijn leven doe volkomen verkeerd is?'

Leora keek hem even aan, en achter zijn schichtige blauwe ogen meende ze een ogenblik de vochtige klei te kunnen zien van de persoon die Jason was, die geduwd en gebeukt en gerekt werd tot ze bijna in tweeën scheurde. Ze nam zijn handen in de hare. 'Jason, je hebt je vitale organen, waaronder je hart en je hersenen, aan een joods verzorgingstehuis gedoneerd. Geloof me, je doet niets verkeerd.'

Jasons schichtige ogen kwamen tot rust en keken in de hare alsof ze in zuiverend water doken. En toen kuste hij haar zo lang dat de chassidische joden hun best moesten doen om niet naar hen te staren.

Meestal wordt de klei van het leven van een jong iemand langzaam, geleidelijk gekneed, door de persoon zelf en door anderen, tot er een vorm uit ontstaat, en pas jaren later, lang nadat de klei hard is geworden, kun je teruggaan en op het gladde oppervlak naar de vingerafdrukken zoeken van degenen die langgeleden de vorm hebben helpen ontwikkelen. Maar soms, vaak per ongeluk, ontstaat er een deuk die zo diep is, in klei die net begint te drogen, dat geen kneden hem ooit nog kan wegwerken. Iets dergelijks overkwam Jason een paar maanden later op een zomerse namiddag, en Leora wist het toen ze hem in de East Mountain Zoo zag, toen ze voor die dag klaar waren met hun vakantiebaantje.

Toen ze hem bij de ingang van de dierentuin ontmoette, wist

Leora dat er iets mis was. Die zomer, toen ze elkaar elke dag in de heiige, zomerse namiddag ontmoetten, hadden ze een routine ontwikkeld, een dagelijkse discussie over de dieren die ze het eerst zouden bezoeken. Varkens of stekelvarkens? Maar deze keer kondigde Jason aan, zonder ook maar de tijd te nemen om te glimlachen: 'Laten we naar de ocelotten gaan kijken,' en hij haastte zich onmiddellijk de dierentuin in. Ze moest rennen om hem in te halen.

Leora deed alsof ze niet merkte dat er iets was veranderd. Ze volgde Jason door de dierentuin, die nu als een soort thuis voor hen voelde, tot ze bij de ocelotten kwamen, die er pas een jaar waren, had Jason haar verteld. De dieren waren geleend van een grotere dierentuin in New York. Jason ging aan de andere kant van het ocelottenverblijf op een bank zitten en staarde in de verte. Leora ging naast hem zitten, maar Jason negeerde haar. Ze hadden de ocelotten eerder bezocht, maar de dieren, volgens het bordje nachtdieren, waren bijna altijd in slaap geweest. Maar deze keer was een van de ocelotten net onder de schaduwgevende beplanting vandaan gekomen. Leora zag hoe het dier uit het struikgewas verscheen en door het hoge gras van het verblijf begon te lopen. De vacht was prachtig, donkergeel en grijs en glanzend van witte vlekken, als luipaardvlekken, op de sierlijke rug. De ocelot liep, de ene voet voor de andere zettend in een soort muzikale harmonie, door het dierenverblijf en nestelde zich op een boomstam, de voorpoten eerst, waarna hij zijn hele, harige lichaam uitstrekte in de zon, zijn ogen gericht op een punt in de verte. Hij zag er zo vredig en vriendelijk uit, zoals hij daar lag, zo in volmaakte harmonie met de wereld, dat ze bijna wenste dat ze over de glazen afscheiding kon klimmen, naar hem toe kon lopen en zich over hem heen kon buigen om zijn zijdeachtige, sierlijke rug te strelen. Maar toen hief de ocelot plotseling zijn kop op, kneep zijn ogen dicht, bracht zijn kop achterover en liet zijn kaak zakken in een angstaanjagende geeuw, waarbij zijn lange hoektanden zichtbaar werden, die glinsterden in het zonlicht.

Jason leek het niet te merken. Hij boog zich voorover, liet zijn ellebogen op zijn knieën rusten en staarde naar het verklarende bordje alsof zijn probleem iets te maken had met de 'Groei en ontwikkeling van de bedreigde Zuid-Amerikaanse ocelot'. Leora bracht voorzichtig haar hand naar de zijne, maar er ging enige tijd voorbij voordat hij hem pakte. Even later richtte hij zijn blik op de grond. 'Herinner je je meneer Rosenthal, die ik op mijn werk altijd bezocht?' vroeg hij. 'Hij is vandaag overleden.'

Leora kreeg het ineens heel warm, maar ze zei niets.

Jason snoof. 'Ik weet dat je denkt dat dat te verwachten valt, want het is tenslotte een verzorgingstehuis en zo.'

'Nee, dat denk ik niet,' zei Leora. Dat was een leugen, want het was precies wat ze dacht. Oude mensen maakten niet veel indruk op haar. Ineens zag ze zichzelf op die bank in East Mountain Reservation naast Bill Landsmann zitten, boven zijn dode vader. Zelfmoordenaars, herinnerde ze zich, mogen niet op een joodse begraafplaats worden begraven. Dat is de joodse wet.

Jason snoof weer. Hij had de gewoonte te snuiven als datgene wat hij dacht dat een ander dacht hem niet beviel. Alle andere leden van het voetbalteam deden hetzelfde. 'Maar dat houdt me niet echt bezig,' zei hij. 'Wat me echt bezighoudt is een verhaal dat die man me ongeveer een maand geleden heeft verteld.'

'Welk verhaal?' vroeg Leora. Eerlijk gezegd was ze alleen maar opgelucht dat ze iets anders hadden om over te praten dan een dode man in het verzorgingstehuis. Maar dat was haar vergissing.

Meneer Rosenthal, legde Jason uit, was een erg oude man, zelfs voor een verzorgingstehuis, hoewel niemand scheen te weten hoe oud hij precies was. Ook meneer Rosenthal zelf was geen erg betrouwbare bron voor dat soort informatie, want meneer Rosenthal had ze, zoals Jason het formuleerde, 'niet meer helemaal op een rijtje'. Hij kon nog logische gedachten onder woorden brengen, maar tegen de tijd dat Jason hem begon te bezoeken, had hij er moeite mee mensen te herkennen, zelfs mensen die hij dagelijks zag. Op een dag, ongeveer een maand geleden, liep Jason zijn kamer binnen zoals hij elke dag deed, ging zitten en zei hallo. Maar in plaats van Jasons groet te beantwoorden, zoals hij altijd deed, keek meneer

Rosenthal Jason aan alsof iemand een knop in zijn hoofd had omgedraaid. Hij hees zich rechtop in zijn bed, glimlachte breed en zei met zijn zware Jiddische accent: 'Goedemorgen, Marcus! Waarom ben je zo lang niet op bezoek geweest?'

Het duurde even, maar Jason besefte al snel dat meneer Rosenthal dacht dat hij zijn kleinzoon was, of misschien zelfs zijn achterkleinzoon, een jongeman die Marcus heette en volgens de verpleegsters van de afdeling nooit meer op bezoek was geweest sinds hij drie jaar eerder een vreselijke, gillende ruzie met meneer Rosenthal had gehad. Waarover kon niemand zich herinneren. Maar meneer Rosenthal leek dat nu te zijn vergeten. Hoe vaak Jason hem ook op zijn vergissing probeerde te wijzen, volgens meneer Rosenthal was hij Marcus en meneer Rosenthal was verschrikkelijk blij hem te zien. Na een poosje begon Jason mee te spelen.

'Zo, Marcus, hoe gaat het tegenwoordig met je?' vroeg meneer Rosenthal. 'Doe je nog steeds aan al die sporten en spelen?' De echte Marcus was kennelijk net zo atletisch als Jason. Omdat Jason geen zin had om naar de activiteiten van de echte Marcus te raden, antwoordde hij dat hij nog steeds voetbalde en zelfs tot assistent-aanvoerder voor het volgende seizoen was benoemd.

Jason had gedacht dat zoiets meneer Rosenthal plezier zou doen. De meeste mensen in het verzorgingstehuis, had Jason gemerkt, hoorden graag iets van hun nageslacht waarover ze konden opscheppen. Maar meneer Rosenthal verraste hem. In plaats van te grijnzen en hem te feliciteren, zat meneer Rosenthal ineens recht overeind van woede, greep Jason met zijn bevende, magere hand bij zijn arm en weigerde hem los te laten. Zijn glimlach was verdwenen. 'Marcus, luister naar me,' zei hij op dwingende toon. 'Ik wil dat je diepzeeduiker wordt.'

Jason zat daar, niet verbijsterd. In zijn jaren in het verzorgingstehuis had hij heel wat dingen gezien, en de beste manier om ermee om te gaan, wist hij, was het gewoon te nemen voor wat het was. 'Natuurlijk, ik zal erover nadenken,' zei Jason terwijl hij meneer Rosenthals andere hand zachtjes en vriendelijk in de zijne nam.

Maar meneer Rosenthal was niet geïnteresseerd in zachtjes en vriendelijk. 'Luister naar me, Marcus,' zei hij, bijna woest fluisterend. Hij hield Jasons arm nu als in een bankschroef. Gek, dacht Leora, terwijl ze naar het verhaal luisterde, dat zowel baby's als oude mensen zulke ongelooflijk sterke handen hebben. Op de rand van het leven is iedereen bang om los te laten. 'Diepzeeduikers halen dingen terug van de oceaanbodem, nietwaar?'

Op het horen van meneer Rosenthals vraag keek Jason hem verbijsterd aan en knikte, hoewel zijn kennis van duiken alleen gebaseerd was op een televisiefilm die hij ooit over Jacques Cousteau had gezien.

'Vergeet al die voetbalonzin dan,' fluisterde meneer Rosenthal furieus, 'want dát wil ik dat je wordt. Diepzeeduiker.'

Hun gesprek stokte. Jason had zich opgelaten gevoeld, vertelde hij Leora, iets wat hem normaal niet overkwam met de oude mensen. Meestal liep hij gewoon hun kamer binnen en praatte met hen, urenlang. De meesten snakten zo naar een praatje dat ze ongeveer over alles konden praten, dagen achtereen, leek het. Anderen wilden niet praten, maar wel naar Jason luisteren, of gewoon zwijgend bij elkaar zitten. Het gebeurde echter zelden dat iemand als meneer Rosenthal, die graag praatte, ineens ophield. Om hem aan te sporen door te gaan, vroeg Jason hem: waarom diepzeeduiken? Hij verwachtte dat dat hele gedoe over diepzeeduiken een soort waandenkbeeld zou blijken te zijn, iets wat meneer Rosenthal steeds vaker overkwam. Maar tot Jasons verbazing gaf meneer Rosenthal antwoord.

Meneer Rosenthal vertelde 'Marcus' dat hij naar Amerika was gekomen toen hij precies van Marcus' leeftijd was – wat Jason uiteraard niets zei, want hij had geen idee hoe oud de echte Marcus was, laat staan hoe oud meneer Rosenthal dacht dat de echte Marcus was, maar Jason was eenentwintig, dus begon hij Marcus en meneer Rosenthal toen hij naar Amerika kwam als een stel eenentwintigjarigen te zien die wel wat van hem weg hadden. Toen begon meneer Rosenthal eindeloos over de reis naar Amerika te praten: hoe je met valse papieren twee grenzen moest passeren alleen al om in Bremen te komen, een stad in Duitsland waar het schip naar Engeland lag, en dat schip bracht je dan naar Liverpool, waar je aan boord ging van een ander schip, deze keer naar Amerika, en over hoe afschuwelijk het was als tussendekspassagier, hoe jij en alle andere joden met honderden bijeengepakt zaten, als pakketten op elkaar gestapeld, en hoe het schip maar bleef rollen en iedereen bleef overgeven en dat er geen ventilatie was en je twee weken lang in de stank van poep en braaksel zat en je geen drie stappen kon zetten zonder over een schreeuwend kind te struikelen.

Na twee weken in dat hol, bereikte meneer Rosenthal eindelijk het Beloofde Land en hij en alle andere joden kropen op het schip uit hun tussendekse hel om de haven van New York te zien, de plek van hun dromen. Ze verzamelden zich aan de zijkant van het dek terwijl het schip recht langs het Vrijheidsbeeld binnenvoer, en meneer Rosenthal was net zo onder de indruk als alle anderen. Maar toen zag meneer Rosenthal dat de andere joden aan dek niet alleen naar het Vrijheidsbeeld keken. In plaats daarvan drongen ze naar de rand van het dek alsof ze naar iets in het water keken. Meneer Rosenthal wist naar voren te komen en zag toen waarom iedereen aan de reling stond. Ze gooiden hun *tefillien* overboord. Want die waren iets uit de Oude Wereld en hier in de Nieuwe Wereld hadden ze die niet meer nodig.

'En daarom wil ik dat je diepzeeduiker wordt,' zei meneer Rosenthal tegen Jason. 'Ik wil dat je naar de bodem van de New Yorkse haven duikt en al die weggegooide tefillien aan land brengt.' Toen zakte hij in elkaar op het bed in het verzorgingstehuis.

Jason belde om een verpleegster, maar toen ze kwam, bleek zijn alarmsignaal voor niets te zijn geweest: meneer Rosenthal was gewoon in slaap gevallen. Jason vertrok en ging later terug en probeerde meneer Rosenthal weer aan het praten te krijgen. Maar meneer Rosenthal, die gewoonlijk zeer geanimeerd was, weigerde ook maar een woord te zeggen. De volgende dag ging Jason weer naar de kamer van meneer Rosenthal en ontdekte dat hij verdwenen was. Toen hij naar hem informeerde, hoorde hij dat meneer Rosenthal de vorige avond een zware beroerte had gehad en nu in coma aan de beademing lag. Jason had niet meer aan het verhaal gedacht, tot vandaag, toen meneer Rosenthal, op onbekende leeftijd, het tijdelijke voor het eeuwige had verwisseld.

Leora keek geboeid naar Jason. 'Dat is een ongelooflijk verhaal,' stamelde ze. Toen wendde ze haar blik af, gegeneerd omdat ze niets anders kon bedenken om te zeggen. Even zag ze Naomi's herdenkingsdienst voor zich, met al die belachelijke toespraken. Een vreselijke tragedie, een verschrikkelijk moment. Zo veel talent, zo veelbelovend. Een ongelooflijk verhaal, bespotte ze zichzelf. Wat een zinloze opmerking.

Jason leunde achterover op de bank en keek eindelijk op van zijn nerveus bewegende vingers. Zoals hij daar zat, stiller dan ze hem ooit had meegemaakt, had hij er voor Leora nooit mooier uitgezien. Ze wist dat het niet het goede moment was, maar ze wilde hem kussen.

'Er is één ding dat ik niet begrepen heb,' zei hij, met een zweem van aarzeling in zijn stem, en ze wachtte op wat hij ging zeggen. 'Het is misschien een domme vraag, maar wat zijn tefillien?'

Leora, de lerares joods, wist niet of ze wel of niet om hem moest lachen. Hoe had hij de clou van het verhaal kunnen missen? Maar ze hield van hem en was geduldig. 'Weet je wat de *shema* is?' vroeg ze.

'Natuurlijk,' snoof hij, 'dat gebed over dat God één is.'

Opgelucht dat er één ding minder hoefde te worden uitgelegd, vertelde Leora hem dat de shema zegt dat je God moet liefhebben in alles wat je doet, en dat je die woorden als een teken om je arm moet binden en een herinnering tussen je ogen moet laten zijn. Tefillien zijn gebedsriemen: twee kleine zwarte doosjes, bevestigd aan een leren riem, vertelde ze hem, en elk van die doosjes bevat die woorden uit de geloofsbelijdenis, geschreven op perkament. Tijdens het gebed binden de joodse mannen deze doosjes op hun lichaam, een op de arm en de andere op het voorhoofd, tussen de ogen. Haar vader had ze, zei ze. Hij had ze een jaar lang dagelijks aangelegd nadat haar grootvader was gestorven.

Jason was stomverbaasd. 'Je váder? Echt? Overdag beursanalist, 's avonds armbinder?'

'Nou, ze worden alleen 's morgens gedragen,' mompelde Leora, zich verzettend tegen wat een storm van vragen kon worden. Ze wilde hem nog steeds kussen. 'En, ga je doen wat hij je gezegd heeft?'

'Wat?' vroeg Jason.

'Je weet wel, diepzeeduiker worden en de tefillien redden.'

Jason, kennelijk hersteld van zijn melancholie, liet zijn helderblauwe ogen bijna tot achter in zijn hoofd rollen terwijl hij opstond en haar hand pakte. 'Leuk hoor,' zei hij. 'Laten we weer naar de zeehondenshow gaan kijken.'

Achter in de groep toeschouwers voor de zeehondenshow, kreeg ze haar kans hem te kussen.

Toen het studiejaar weer begon, gingen Leora en Jason hun afzonderlijke wegen: zij ging naar het kantoor van de universiteitskrant en hij naar het voetbalveld. Leora was bij de krant gegaan op aanraden van haar ouders – haar ouders letten natuurlijk voortdurend op haar studieresultaten om zich ervan te verzekeren dat ze normaal was, wat ze niet was – en ze had gemerkt dat het bij haar paste. Ze hield van het ritme, de bedrijvigheid, de noodzaak een ruimte met nieuws te vullen terwijl dat nieuws er niet altijd was. Jaren geleden, toen Leora nog zelden sprak, had haar moeder vaak geprobeerd haar aan het praten te krijgen. Als Leora dan zei dat ze niets te zeggen had, antwoordde haar moeder: 'Dat lijkt anderen niet van praten te weerhouden.' Bij de krant was Leora iets toegewezen wat ze elke dag moest zeggen, waardoor ze niets hoefde te zeggen wat ze echt meende. Het was een prettige regeling in Leora's ogen. En het werkte ook buiten de krant. Als mensen vroegen wat ze op de universiteit deed, gaf de krant haar iets om te zeggen, iets om te zijn, zonder te hoeven nadenken over wie ze was. Ze werkte bij de krant.

Voetbal had voor Jason gemakkelijk kunnen zijn wat de krant voor Leora was – een etiket, echt of niet. Maar doordat Jason een gewone, normale jongen was, geloofde hij er echt in – hij zag het etiket voor zichzelf aan. Tijdens het seizoen bracht hij elke dag zo veel uur op het veld door dat hij zichzelf nauwelijks anders kon voorstellen. En andere mensen geloofden ook in het etiket en versterkten het, moedigden het aan. Als iemand zijn naam noemde op de campus, werd die bijna altijd gevolgd door de woorden: 'Je kent Jason toch… die lange vent van het voetbalteam?' Jason was voetbal. Maar in september van Leora's en Jasons laatste jaar kwam aan dat alles een einde toen Jason, terwijl hij om zijn as draaide om een pass te nemen, per ongeluk met zijn voet in een door een dier gegraven gat terechtkwam en een pees scheurde en drie verschillende botten in zijn voet en been brak. Jasons voetbalcarrière was voorbij. En hetzelfde gold voor Jason zoals iedereen hem kende, en voor Jason zelf.

Aanvankelijk deed Jason alsof er niets was gebeurd, of in elk geval niets belangrijks. Hij was nog bijna elke dag hinkend op het voetbalveld te vinden om het team na de training te ontmoeten. De meeste avonden at hij nog steeds met zijn teamgenoten, en hij nam Leora mee, en Leora merkte dat hij bijna gestimuleerd leek door hun grapjes over zijn been, door de manier waarop ze hem op zijn schouder klopten en 'Mankepoot' noemden.

Maar normale eenentwintigjaren vergeten gemakkelijk; gedachten en zelfs mensen glippen uit hun hoofd als dingen die van het dek van een zeeschip vallen. Het duurde niet lang voordat zijn teamgenoten de Mankepoot begonnen te vergeten. In het team, zo hoorde hij tot zijn verbazing, was hij vrijwel onmiddellijk vervangen als assistent-aanvoerder; zijn vaardigheden waren snel vervangen, zijn talenten vergeten. Hij was altijd al uitwisselbaar geweest. En hij werd ook op andere manieren vergeten. Soms kwam Jason bij de teamtafel in de cafetaria en trof die leeg aan: niemand had hem verteld over een langere training die dag, of een bezoek aan een restaurant wegens de verjaardag van een teamlid. Andere keren hinkte hij na de training naar de kleedkamer, om vervolgens te merken dat hij de gesprekken van de teamleden nog nauwelijks kon volgen. Hoe kon hij met hen mee lachen over de stommeling die tijdens een uitwedstrijd zo'n gemakkelijk doelpunt had gemist, of meedoen aan de roddel over de eerstejaars die hij nooit had ontmoet? Zelfs buiten het veld, wanneer hij met zijn teamgenoten aan hun lange cafetariatafel zat, waren er steeds meer grappen die hij niet snapte, verwijzingen naar mensen die hij nooit had ontmoet of naar feestjes waarvoor ze hem vergeten hadden uit te nodigen. Jason begon het gevoel te krijgen dat hij niet bestond. Dat hij nooit had bestaan.

Jason veranderde. Zijn lichaam begon te hangen, zijn spieren begonnen te verleppen en los te laten in zijn ledematen als vochtige brokken klei die van een slappe armatuur gleden. Aanvankelijk schreef Leora het toe aan zijn been, aan gebrek aan beweging. Maar toen zag ze dat zijn gezicht ook begon uit te zakken. Zijn kaken hingen vaker omlaag – hij staarde een ogenblik voor zich uit en al snel viel zijn mond dan open alsof niets die nog dichthield. Zijn ogen zakten dieper in zijn gezicht. Zelfs zijn haarlijn begon zich terug te trekken, beetje bij beetje. En toen hij wegzonk in de diepten, riep hij om hulp en werd gered.

Op een avond en het is vaak avond wanneer deze dingen gebeuren, die tijd tussen duidelijk het ene moment en duidelijk het andere, waarin mensen soms vast komen te zitten – toen Leora niet met hem kon gaan eten, ging Jason naar het joodse studentencentrum op de campus, nam aan een willekeurige tafel plaats en ontmoette iemand die Moyshie heette. Leora kende Moyshie vaag. Hij woonde een paar verdiepingen onder haar in het studentenhuis, op een verdieping die laag genoeg was om nooit met de lift te hoeven gaan, want Moyshie wilde op de joodse sabbat geen elektriciteit gebruiken. Jason en Moyshie mochten elkaar, tot verrassing van zowel de een als de ander. Door een mysterieus toeval van het lot – als je gelooft dat zulke dingen toeval zijn, want Leora was daar niet meer zo zeker van – wist Moyshie ongelooflijk veel over voetbal. Hij had zichzelf tot een ware wandelende encyclopedie van voetbalstatistieken van de verschillende internationale teams gemaakt, en keek jaarlijks met vurig enthousiasme naar de wereldkampioenschappen. Het duurde niet lang voordat Jason Moyshies vrienden kende: Avi, Ari, Shmulie, Yossie. Zij werden Jasons nieuwe voetbalteam. En dat betekende dat hij moest gaan trainen.

Jason begon Leora te vergezellen naar het joodse studentencentrum, waar ze op vrijdagavond altijd de maaltijden had gebruikt terwijl hij met zijn teamgenoten at. In het begin was Leora verrukt, verbijsterd dat ze op de vrijdagavonden geen verlaten vrouw meer was, het feit dat ze een vriend had niet meer hoefde te verbergen en geen vragen meer hoefde te beantwoorden die haar in verlegenheid brachten, over waar hij was als hij niet bij haar was. Maar toen begon Moyshie op de zaterdagmiddagen afspraken met Jason te maken om hem te begeleiden met behulp van een vertaalde talmoed. En niet lang daarna, door Moyshies begeleiding, wilde Jason op de vrijdagavonden geen gehuurde videofilms meer met Leora kijken.

Dat was belangrijk. Bij Leora thuis, in New Jersey, twintig huizen verwijderd van Jasons ouders, was de maaltijd op vrijdagavond altijd speciaal, ter ere van de sabbat. Ze staken kaarsen aan, spraken zegeningen uit, zongen gebeden over wijn en brood, zaten uren samen aan tafel waarbij ze liederen zongen om de dag te eren, en spraken na de maaltijd het dankgebed uit, alles in het Hebreeuws – precies zoals in de oude joodse volksverhalen, alleen met airconditioning en minder cholesterol. En die avonden gaven Leora altijd hetzelfde gevoel als de volksverhalen. Op vrijdagavond keerden de ramen van het huis van Leora's ouders zich binnenstebuiten, zodat je, als je naar buiten probeerde te kijken, niets anders zag dan donkere weerspiegelingen van het kaarslicht in de zachte schemer van de kamer, alsof er buiten nooit iets had bestaan, alsof niets langzaam veranderde zoals normaal het geval was.

Maar een ander element dat de vrijdagavonden bij Leora thuis zo speciaal maakte, het deel dat niet in die oude joodse volksverhalen voorkomt, was de wekelijkse huurfilm. Het is niet eenvoudig uit te leggen, want er is geen metafoor voor – geen God die de wereld had geschapen en toen achterover ging zitten om naar een videofilm te kijken, geen sabbatkoningin die uit de zonsondergang kwam rijden om de laatste Hollywood-productie af te leveren. En het verhaal dat je geacht werd op de joodse sabbat te lezen, komt niet in een film voor – het is het wekelijkse deel uit de thora dat

Leora elke zaterdagochtend met haar ouders in de synagoge hoorde. Maar omdat het gezin, ter ere van de sabbat, op vrijdagavond nooit uitging, en omdat Leora's broer weigerde ook maar iets te lezen wat niet noodzakelijk was om zijn diploma te halen (wat er in feite op neerkwam dat hij niets las) en omdat Leora's ouders van films hielden, en aangezien dat is wat mensen op vrijdagavond doen in kleine huizen in kleine stadjes in New Jersey, stonden Leora, haar broer en haar ouders, na het dankgebed te hebben uitgesproken, van tafel op, ruimden af, gingen naar de woonkamer en keken naar een gehuurde videofilm.

Ze keken op vrijdagavond niet naar actiefilms, of naar romantische films of moordfilms. (Die huurden ze ook vaak genoeg, maar die keken ze op zondagavonden. En op zaterdagavonden gingen ze naar de megabioscoop om er nog wat meer te zien.) Nee, de vrijdagavonden waren gereserveerd voor Belangrijke Films: films waarvan ze, volgens Leora's ouders, iets zouden leren over de Mens. (Leora's moeder hield zich hevig bezig met de Mens.) Zo kon een seizoen van vrijdagavonden bijvoorbeeld de volgende films omvatten: *Gandhi, Spartacus, Exodus, A Man for All Seasons, Chariots of Fire, Doctor Zhivago, Casablanca, Ben-Hur, The Last Emperor, Out of Africa* en minstens drie films met Charlton Heston. (Niet *The Ten Commandments*, die bewaarden ze voor Pascha.) Voor Leora was dat de avond van de sabbat: bidden, eten, zingen en epische films. Soms eindigden deze gewijde avonden in rampzalige heiligschennis, zoals het kostuum dat Leora's broer minstens vijf keer voor halloween had gedragen: een kaal-hoofdmuts, een bril met kleine, ronde glazen, een witte lendendoek, een houten staf en een Indiaas accent waarmee hij zei: 'Hallo, ik ben Mahatma... O god, ik ben neergeschoten!' voordat hij dood neerviel. Maar meestal eindigden de vrijdagavonden met het terugspoelen van de video en een recapitulatie van het heilige. De verhalen hadden iets liefs, zelfs in de sentimeelste films, iets ernstigs, iets eerlijks. Je ging naar bed en droomde erover, hoewel je de echte betekenis misschien pas jaren later begreep – dat wil zeggen, of de film die ernst en eerlijkheid had, of jij – en dat niet-weten beroerde je, vervulde je van een gevoel van verwachting. Leora had die gewoonte meegebracht naar de universiteit, en zelfs als Jason op vrijdagavond met zijn teamgenoten at, kwam hij haar halverwege tegemoet door samen met haar naar de gehuurde film te kijken. Maar nadat hij zich had aangesloten bij zijn nieuwe team, hield Jason daarmee op. In plaats daarvan bleef hij uren in Moyshies kamer beneden hangen, en sleepte Leora met zich mee, om tot in de vroege uurtjes over sport te praten, net als hij met het oude team had gedaan. Alleen was de vrijdagavond Leora's gewijde avond met Jason geweest, haar avond zonder het team. Nu ging het team maar niet weg.

De winter ging voorbij, en de lente, die zich met elke voorbijgaande dag verwijdde als de pupil van een oog, liet steeds meer licht binnen. De uitreiking van het diploma naderde. Leora had een baan gevonden bij een tijdschrift in New York, was van plan thuis te gaan wonen en heen en weer te reizen naar de stad tot ze genoeg geld had gespaard om op zichzelf te gaan wonen, maar Jason had zijn studie medicijnen uitgesteld om een jaar naar de rabbijnacademie in Israël te gaan. Geen verrassing, inmiddels. Halverwege de winter was Jason begonnen een keppeltje te dragen. Hij at niet meer in de cafetaria en stopte in plaats daarvan zijn kleine studentenkoelkast vol met speciaal koosjer voedsel. Hij maakte opmerkingen tegen Leora als ze naar het joods studentencentrum kwam in een rok die boven haar knieën hing. En het duurde niet lang voordat Jason, in elk geval in het openbaar, ophield haar hand vast te houden.

Gedurende dat jaar had Leora een ingelijste foto van hen tweeën op haar bureau staan. Op de foto stonden ze in de East Mountain Zoo, zijn arm om haar nek en schouder, op zijn hoofd een baseballpet, die in het heldere zonlicht een schaduw over zijn gezicht wierp. Ze stonden voor de kinderboerderij, en jonge geiten snuffelden ter hoogte van hun knieën tussen de tralies door in de hoop op een hapje. Jasons mond stond een beetje open, en Leora wist dat dat kwam doordat hij geschreeuwd had tegen degene die de foto maakte: een jonge vrouw, herinnerde Leora zich, een moeder, met een kind dat naast haar liep en een baby in een wagentje, een vrouw met slap bruin haar en wallen onder haar ogen, die in een waas door de dierentuin leek te lopen, op afwezige toon de vragen van het oudste kind beantwoordde en met één blik tegelijk om zich heen keek, alsof ze een vluchteling uit een ander leven was en niet precies wist hoe ze daar, in de East Mountain Zoo, terecht was gekomen. Ze had Jasons camera met dezelfde afwezige houding aangenomen, het kind negerend dat aan haar jasje trok, en hij had geschreeuwd dat ze haar vinger van de lens moest halen. Het was geen erg goede foto. Maar in de schaduwen tussen de tralies van de kinderboerderij, onder de neuzen van de geitjes, in Jasons half geopende mond en in haar eigen glimlach met half gesloten ogen, voelde Leora een verlangen. Het was alsof de foto jaren geleden was gemaakt, van mensen die sinds die tijd oud waren geworden.

Op een avond, een warme avond dat voorjaar, niet lang voordat ze afstudeerden, had Jason op Leora's deur geklopt. Toen ze hem binnenliet, lag er op zijn gezicht, onder het keppeltje dat naar zijn voorhoofd leek te glijden, een gepijnigde uitdrukking. Leora keek naar de foto op haar bureau, waarop Jasons gezicht half overschaduwd werd door de baseballpet. Ze kon bijna niet geloven hoe anders een mens eruit kon zien alleen door de keuze van een hoofddeksel. De mensen op de foto leken vreemden voor haar, een jong stel dat ze amper kende – gewoon een jongen en een meisje, glimlachend in een dierentuin, die haar gevraagd hadden een foto van hen te maken.

Jason nam de moeite niet te gaan zitten. Staande voor de deur, die hij achter zich had dichtgedaan, zei hij: 'Ik denk dat we moeten praten.'

Leora stond op, met knikkende knieën, en probeerde haar stem te beheersen. 'In dat geval kunnen we de rest van het gesprek overslaan,' zei ze tegen hem, 'want ik ben eenentwintig en ik weet dat iemand die zegt "we moeten praten" in feite zegt dat hij een eind aan de relatie wil maken. Dus laten we gewoon afscheid nemen, dan hebben we het gehad, oké?'

Jason reageerde geschrokken, maar hij wist niets anders te doen dan zich aan het script houden dat hij had voorbereid. Dus ging hij door met de show. 'Ik wil niet dat je je hierdoor gekwetst voelt of gaat denken dat het aan jou ligt of zo. Ik vind je geweldig en ik houd echt van je. Ik heb me alleen gerealiseerd dat je niet de vrouw bent die mijn echtgenote zal worden.'

Leora deed een stap achteruit en hield haar adem in. Ze wilde naar hem uithalen, hem vastgrijpen, op zijn borst beuken, tegen hem schreeuwen dat het zo niet hoorde te gaan. Mannen werden geacht je af te wijzen, natuurlijk, maar ze werden niet geacht het onderwerp huwelijk aan te roeren. Ze werden geacht niets van dat onderwerp te weten, zich amper bewust te zijn van het bestaan ervan, en jij werd geacht ze er op subtiele wijze op te wijzen – door brochures over diamanten in de ondergoedla te leggen, bijvoorbeeld – tot ze de hint ten slotte snapten. En al die dingen werden niet geacht te gebeuren voordat je minstens achtentwintig was. Mannen werden niet geacht je op je eenentwintigste af te wijzen omdat ze beseften dat je hun vrouw niet zou worden.

Ze stond recht voor hem en voelde dat haar lippen begonnen te trillen. Maar ze perste ze op elkaar en slikte voordat ze sprak. 'Omdat ik je vrouw niet word,' zei ze effen.

'Inderdaad,' antwoordde Jason, opgelucht dat hij het verder niet hoefde uit te leggen, en bijna enthousiast. Zijn keppeltje gleed langzaam naar voren over zijn hoofd, merkte Leora, en ze vroeg zich af hoe lang het zou duren voor zijn keppeltje en zijn haarlijn elkaar ten slotte zouden ontmoeten. 'Dus ik denk dat we niet meer met elkaar moeten omgaan.'

Toen schreeuwde Leora. 'Nou, je zit verdomme wel vol verrassingen, hè?' Jason staarde haar verbijsterd aan. Ze ging door. 'Wat is er verdomme met je gebeurd, Jason? Wanneer heb je me ooit gevraagd of ik je vrouw wilde zijn? Wanneer kon het je ooit wat schelen of ik je vrouw wilde zijn? Vind je niet dat je het met me had kunnen bespreken, als je daaraan dacht? God, wat een stommeling ben ik. Ik dacht dat je mijn vriendje was. Ik heb me niet gerealiseerd dat ik een relatie had met de Lubavitcher rabbi.'

Het is mogelijk dat Jason antwoordde, maar Leora hoorde hem

niet. Ze vroeg hem weg te gaan, en dat deed hij. Als Leora een normaal meisje was geweest, had ze misschien haar vriendinnen gebeld en uren en uren om Jason gehuild. In plaats daarvan vocht ze tegen haar tranen en wachtte ze, tot ze er zeker van was dat hij het gebouw had verlaten. Toen ging ze zelf naar buiten en liep en liep, zonder te weten waar en zonder dat het haar echt iets uitmaakte. Haar voeten, goed getraind in de laatste paar weken toen ze voor haar tentamens moest studeren, brachten haar naar de universiteitsbibliotheek. Ze opende de deur en liep naar binnen. Aan verscheidene tafels en bureaus hingen studenten met een baseballpet op hun hoofd: de paar pechvogels die nog tentamens moesten doen. Ze liep naar de zaal met naslagwerken, begon in langzame cirkels langs de wanden te lopen en las de titels op de ruggen. Op deze manier door de zaal lopen en de talen van kast naar kast zien veranderen, had iets van een reis om de wereld. Wat haar het meest opviel, waren de encyclopedieën: hele encyclopedieën voor hele landen en godsdiensten en culturen waar ze zelfs nog nooit aan had gedacht, in elk geval niet sinds de middelbare school. Ineens zag ze een serie die haar bekend voorkwam. Ze stond stil bij de kast, koos een paar zware banden van de planken, droeg ze in een kolossale stapel naar een van de tafels en ging zitten.

De tafels waren lang en vlak, gemaakt van zwaar, massief hout, en als ze eraan zat kreeg Leora altijd het gevoel dat wat ze ook deed ineens heel belangrijk was, alsof ze een middeleeuwse geleerde was die in de dagen vóór de drukpers een boek kopieerde. Ze dacht aan de laatste keer dat ze een reis om de wereld had gemaakt, opende de gedrukte boeken die ze van de plank had gehaald en begon in de *Encyclopaedia Judaica* alle trefwoorden te lezen over de uitdrijving van de joden uit Spanje in 1492, het jaar waarin Columbus Amerika had ontdekt, terwijl ze de gedachte aan hoe graag ze met Naomi zou willen praten, uit haar hoofd probeerde te zetten.

Maanden later was Leora de laatste die merkte dat de kat groter werd. Jason had haar de kat gegeven, die ze Sammy had genoemd naar de 'gewone zeehond' in de East Mountain Zoo. Aan het eind van de zomer, na hun afstuderen, was hij bij haar langsgekomen in New Jersey, als voor een laatste afscheid voordat hij naar Israël vertrok. Toen had Sammy de afmetingen van een vrij grote kat gehad, en Leora was ervan uitgegaan dat hij al een paar maanden oud was. Maar naarmate de weken en maanden voorbijgingen en hij maar bleef groeien, begon Leora te vermoeden dat hij in het begin echt pasgeboren was geweest en gewoon een verdomd grote kat was. Aanvankelijk merkte ze niets bijzonders op. Sammy mocht dan een indrukwekkende eetlust hebben, hij was gewoon een jonge kat en moest nog groeien. Leora's ouders deden in het begin hun uiterste best om niets te zeggen omdat ze haar niet aan Jason wilden herinneren, en hun zwijgen hield haar in onwetendheid. Maar na enkele maanden begonnen zelfs zij voorzichtig opmerkingen te maken over Sammy's afmetingen.

'Vind je niet dat Sammy een beetje groot wordt voor een normale kat?' vroeg haar vader toen haar moeder en hij op een zondagavond de krant zaten te lezen.

'Nee, hij is gewoon aan het groeien,' antwoordde Leora een beetje vinnig terwijl ze opkeek van haar boek. Ze keek weer omlaag en bracht het boek dichter bij haar gezicht. 'Waarschijnlijk is hij nu wel volgroeid.'

'Maar dat dachten we een maand geleden ook al,' zei haar moeder. 'Ik weet niet veel van katten, maar ik weet wel dat een kat niet zo groot als een hond hoort te zijn.'

'Hij is niet zo groot als een hond. Hij is zo groot als een kat.'

'Je mag geloven wat je wilt. Ik zeg alleen dat dit niet normaal is,' zei haar moeder. 'Moet je hem zien. Hij komt ongeveer tot de salontafel.' Sammy liep langs de salontafel, en hoewel Leora, die over de rand van haar boek tuurde, het niet wilde toegeven, was het een beetje alarmerend om zijn gevlekte vacht ter hoogte van, of hoger dan, het tafelblad te zien bewegen. Maar al snel liet hij zich op de vloer zakken, zodat het onmogelijk was te zien hoe groot hij was. En de twijfels bleven bestaan.

Nadat hij op het nieuws iets had gezien over de Amerikaanse Vereniging van Gepensioneerden begon Leora's zestienjarige broer

Sammy de 'Grijze Panter' te noemen.

'Ik zie dat de Grijze Panter zijn eten weer heeft opgeschrokt,' zei hij dan grijnzend.

'Jij eet ook zo, dus ik zou maar niks zeggen.'

'Binnenkort moet je dat ding hele karkassen te eten geven. Wil je dat ik naar de slager ga en een hele koe haal?'

'Katten eten geen rundvlees, alleen vis en kip,' vuurde Leora terug zonder de moeite te nemen uit haar boek op te kijken. Dat klopte natuurlijk niet, maar ze zag geen enkele reden om haar broer ook maar ergens gelijk in te geven.

'Ik wed dat de Grijze Panter een koe in vijftien seconden tot op het bot heeft afgekloven als hij dat wil.'

'Hou op.' Leora kreeg er genoeg van om thuis te wonen.

Maar al snel begon ze zich af te vragen of ze geen gelijk hadden. In januari at de Grijze Panter zoveel, dat Leora hem nauwelijks nog van voldoende voedsel kon voorzien – niet vanwege de prijs, maar omdat ze geen tijd had om dagelijks naar de supermarkt te gaan. Ze moest in het groot gaan inkopen. Dus begon ze aan een reis naar het beloofde land van de levensmiddelen, het prijsparadijs waar samengepakte massa's die geen slechte adem wilden heen gingen om hun kasten vol te stouwen met mondspoelmiddel, waar het armzalige afval van de krioelende kust een levenslange voorraad vuilniszakken kon kopen, waar de door de stormen geteisterden hun barbecues konden vervangen die in de orkanen van het seizoen verloren was gegaan, en waar reusachtige fluorescerende lampen hoog en glanzend naast de gouden deur stonden. Ze kocht een lidmaatschapskaart van Costco.

Costco's moeten nooit gesitueerd zijn in een stadscentrum, of in piepkleine 'stadjes'. Nee, Costco's zijn de mijlpalen van grote Amerikaanse uitvindingen als volgebouwde snelwegen in de voorsteden, de plaatselijke winkelpromenades waar alles zo gigantisch is dat de winkels een naam hebben die op 'co' of 'plex' of 'Max' of 'City' eindigt: OfficeMax, Petco, Funplex, Cineplex, Computer City, Party City, Appliance City, als de verloren stad Atlantis wachtend op de gelukkige ontdekkingsreiziger in consumentenland die per ongeluk op de verborgen rijkdommen stuit.

Je hebt een lidmaatschapskaart nodig om met je enorme winkelwagen door Costco's deuren in garagestijl te komen, nadat je je auto te midden van een brigade van minibusjes hebt achtergelaten. Als je eenmaal in Costco bent – en het lijkt bijna onterecht om 'in' Costco te zeggen, want de winkel lijkt op een vliegtuighangar en 'in' betekent op zijn minst een kubieke kilometer – torenen de schappen met koopwaar minstens tien meter boven je uit en vormen grotachtige ravijnen van barbecues, grasmaaiers, overhemden, tandpasta, vlees, diepvriesproducten, enorme taarten, enorme koekjes, enorme vruchten, enorme dossierkasten, zeventiendelige serviezen, inpakpapier, bloempotten, schrijfpapier, chips, beddengoed, ledikanten, diamanten ringen, griepspuiten, computers, sokken, keyboards, wasmachines, brillen, medicijnen, tuinmeubelen, snoeprepen, tien meter brede trampolines. Maar op ooghoogte ligt de ultieme Amerikaanse wondertuin van gezinnen, hun enorme winkelwagens hoog opgestapeld met kinderen: keurige gezinnen die over stapels groenten heen tegen elkaar fluisteren, opgedirkte joodse gezinnen die met hun handtassen over karrenvrachten caloriearme frisdrank zwaaien, het uitschot van de trailerparken met hun zwaaiende rattenstaarten achter karren vol vissticks, chassidische gezinnen zwetend onder hun lange mouwen, zwarte gezinnen met kinderen met vlechtjes, Aziatische gezinnen met minuscule ouders die met enorme ligstoelen slepen, Indiase gezinnen waarvan de moeders in sari's gewikkeld zijn, Italiaanse gezinnen met dochters met wijd uitstaande pony's, Latijns-Amerikaanse gezinnen met zoons met oorringen die barbecues achter zich aan trekken – allemaal per ongeluk botsautootje spelend terwijl ze in eindeloze cirkels ronddraaien, in de rij staan voor gratis monsters, hun winkelwagens volladen als pioniers van de Oregon Trail die hun huifkarren bevoorraden als voorbereiding op hun tocht naar het Wilde Westen, de ouders opkijkend naar de torenende plafonds van o zo lage prijzen, verbijsterd en voor altijd in de ban van dit oord dat ze Amerika noemen.

Op een avond in april dwaalde Leora met een paar enorme zakken Catco Multimax Foodplex door dit wonderland toen ze bij het matsepad kwam. Links van haar, oprijzend voor haar ogen, stond een twee meter hoog kasteel dat geheel was opgebouwd uit reusachtige groene en oranje dozen met Manischewitz-matses. Ze bedacht dat het snel Pascha zou zijn. Misschien moest ze een paar dozen matses voor haar moeder kopen. Maar toen Leora haar met kattenvoer beladen vorkheftruck van een kar tot stilstand probeerde te krijgen, gleed deze door zijn gewicht verder en knalde tegen de matsetoren. Een paar dozen matses tuimelden van de toren in de kar van een chassidische man en vrouw die intussen onder de regen van matsedozen in een frontale botsing tegen de hare was geknald.

'Het spijt me verschrikkelijk,' zei Leora, hoewel ze in zichzelf glimlachte om de symmetrie, om het idee dat de matses in de kar waren gevallen van mensen die ze misschien ook echt wilden hebben. Nonchalance voorwendend, begon ze de dozen onmiddellijk uit hun kar te halen en hief bewust haar hoofd niet op voor het geval de man en de vrouw het zouden interpreteren als een kleinering. Toen ze zich oprichtte om de dozen terug te zetten op de matsetoren, wierp ze een korte blik op de man en zag verbaasd dat hij naar haar stond te staren. Ineens liet ze de matses vallen. Het was Jason.

'Hallo, Leora,' zei hij met een glimlach. 'Hoe is het met je?'

Hij was magerder geworden, zag ze. Zijn nek, eens stevig en gespierd, was dunner nu en een veel lossere schakel tussen zijn hoofd en zijn lichaam geworden, als een jonge, krachtige tak van een licht gekromde boom. Tussen de zijpanden van zijn zwarte cape leek zijn in wit overhemd gestoken maag smal en uitgemergeld; zijn donkere riem zat op het laatste gaatje om zijn zwarte broek op te houden. Zijn handen waren mager en bleek. En zijn gezicht was bijna helemaal bedekt door een snor, een baard en slaaplokken, waarvan de haren lang en borstelig waren van jaren scheren. Maar er was iets in hem teruggekeerd dat Leora niet meer had gezien sinds hij anderhalf jaar eerder zijn been had gebroken. Zonder het gewicht van zijn oude spieren leek hij op de een of andere manier lichter, minder belast; zijn schouders waren rechter en zijn hoofd meer opgeheven. En met zijn zwarte hoed en donkere pak zag hij eruit alsof hij verkleed was, alsof hij elk moment de baard van zijn gezicht kon trekken om de stralende glimlach van de voetbaloverwinnaar te laten zien.

De vrouw die naast hem stond, droeg een lange rok tot op haar enkels en een bloesje met lange mouwen en een hoge kraag; haar haar was volledig bedekt door een strak zittende hoed. Er was echter iets wat haar onderscheidde van de vrouwen die Leora in de East Mountain Zoo had gezien, maar ze kon er niet precies de vinger op leggen. Ze wierp opnieuw een blik op de kleding van de vrouw, op zoek naar een verschil. Maar al snel zag ze dat het niet de kleding was die deze vrouw onderscheidde van de vrouwen in de dierentuin. Het was haar gezicht. In tegenstelling tot die andere vrouwen zag ze er niet gespannen, versleten of uitgeput uit. Ze zag er alleen jong uit.

'Hallo,' stamelde Leora.

'Het is geweldig om je weer te zien.' Jason grijnsde naar haar en gebaarde toen naar de vrouw. 'Ik geloof dat je Rivka nog niet hebt ontmoet, mijn echtgenote.'

Leora's mond zakte heel even open. De herinnering flitste door haar hoofd aan de enige andere keer dat ze Jason dat woord had horen gebruiken: 'Ik realiseer me dat je niet de vrouw bent die mijn echtgenote zal worden.' Ze had alle spieren van haar gezicht nodig om een glimlach te forceren. 'Jeetje, gefeliciteerd! Wanneer zijn jullie getrouwd?'

'Twee maanden geleden,' antwoordde Rivka. Ze had een lage, volwassen klinkende stem, wat Leora stiekem teleurstelde. Een normaal Amerikaans accent. 'We zijn in Jeruzalem getrouwd. We zijn pas een paar weken geleden teruggekomen naar de States.'

Leora vond het altijd vreselijk als mensen Amerika 'de States' noemden. Alsof het hele land een soort ad-hocverzameling van willekeurige eenheden was die toevallig naast elkaar lagen, een stel losse verhalen in een drukke straat. Hoe kon Rivka, dacht Leora, die duidelijk hier was opgegroeid, hier in Costco staan en doen alsof ze het niet begreep? Amerika was geen druk, bochtig, duizend jaar oud straatje met vijftig verschillende winkels die allemaal hun eigen, ongepasteuriseerde geitenkaas verkochten. Nee, Amerika was Groot, Nieuw, Dag en Nacht Open, Kosteneffectief, Koop in het Groot, Groot, Groot! Amerika was Alleen voor Leden, Iedereen Kan Lid Worden, Amerika was het Land van de Vrijheid en de Dapperen! Wat moest dat voorstellen, die flauwekul van terugkomen naar 'de States'?

'Wat spannend!' zei Leora. Toen wendde ze zich tot Jason en zei: 'En waar ben je mee bezig tegenwoordig... behalve met getrouwd zijn, bedoel ik?' Ze lachte geforceerd om haar eigen grapje en probeerde zichzelf ervan te overtuigen dat ze het bedoeld had als grapje.

Maar Jason glimlachte niet eens. 'Ik werk in Forty-seventh Street in New York,' zei hij in zijn baard. 'Rivka's vader heeft daar een diamantbedrijf.'

'O. Nou, dat is iets nieuws,' antwoordde Leora. En ze had al haar zelfbeheersing nodig om niet te zeggen wat ze dolgraag wilde zeggen: hoe zit het met je studie medicijnen? Hoe zit het met de oude mensen? Hoe zit het met... Jason?

Rivka draaide zich plotseling naar hem toe en trok aan zijn mouw. 'Kom op, Yehuda, we moeten gaan.'

'Oké,' zei hij. 'Het was leuk je te zien,' zei hij tegen Leora, met het soort glimlach dat hij gewoonlijk gereserveerd had voor vreemden in het verzorgingstehuis. 'Doe de groeten aan je ouders.' En toen trok Rivka hem mee en leidde hem langs de stille wateren van Poland Spring.

Yehuda?

Toen Leora nog heel klein was, lang voordat ze een van de Landsmanns had leren kennen, waren haar moeder en zij een keer bezig een kast in huis schoon te maken, toen haar moeder een vergeeld, kreukelig vel papier vond op de bodem van een doos die gevuld was met oude kinderkleding. Het was een verhaal dat haar moeder geschreven had in 1953, toen ze in de eerste klas zat, een stuk tekst waarin ze waarschijnlijk bepaalde woorden had moeten gebruiken. Maar Leora was toentertijd helemaal niet geïnteresseerd in de inhoud, en zelfs niet in de vreemde, bruin wordende inkt afkomstig van een kroontjespen (kan iemand zich nu voorstellen dat mensen zo schreven op school, toen nog?). Nee, wat Leora interesseerde was de naam in de hoek van het vel papier.

'Dat verhaal is niet van jou,' zei ze tegen haar moeder op de toon van een wijsneus van zeven.

Haar moeder keek verbaasd op, wat Leora heimelijk prachtig vond. 'Wat bedoel je?' vroeg ze.

'Ik bedoel dat het niet van jou is,' antwoordde Leora. 'Het is van iemand die Ellen heet, net als jij, maar de achternaam is anders. Dus is het van een ander meisje, dat ook Ellen heet, maar niet van jou.' Leora glimlachte triomfantelijk.

Haar moeder keek naar Leora, boog zich een beetje naar achteren en deed haar ogen wijd open, zoals ze altijd deed wanneer ze Leora iets ging vertellen wat ze moest weten. 'Ah,' zei ze, 'tja, het lijkt misschien dat ik dat niet ben, maar ik ben het wel. Dat was vroeger mijn achternaam, maar ik heb die naam veranderd toen papa en ik gingen trouwen. De meeste vrouwen veranderen van achternaam als ze gaan trouwen.'

'Echt?'

'Ja.'

Als Leora een ander soort kind was geweest, een kind dat op eerlijkheid was gericht, had ze wellicht alle voor de hand liggende vragen gesteld. Bijvoorbeeld: waarom heeft papa niet ook zijn naam veranderd, of waarom heeft papa zijn naam niet veranderd in plaats van dat zij de hare veranderde, of waarom moest er eigenlijk van naam veranderd worden? Maar dat interesseerde Leora niet. Ze was geen kind dat op eerlijkheid was gericht, en ze vond het zelden erg als anderen haar speelgoed gebruikten. Ze was een kind dat op behoud was gericht, het type kind dat haar ouders nooit toestaat ook maar iets van haar weg te gooien, hoe nutteloos of lelijk ook. Voor Leora hadden de dingen hun eigen, kleine leven, hadden ze een doel, en ze kon het niet verdragen iets weg te gooien. Oud speelgoed, jaren niet aangeraakt, verzamelde stof in haar slaapkamer.

Dus stelde ze een vraag die haar moeder beslist niet had verwacht: 'Als jij die naam niet meer gebruikt, wie gebruikt hem dan wel?'

Haar moeder dacht even na. 'Niemand, denk ik,' zei ze, Leora's blik ontwijkend. 'Mijn zusters hadden die naam, maar die zijn nu getrouwd. En opa en oma hadden die naam hun hele leven. Maar je hebt gelijk, niemand gebruikt hem nog. Als opa broers had gehad, zouden die hem gebruikt hebben, maar hij had alleen zusters, geen broers.'

'Wat is er dan met die naam gebeurd?'

'Nou, dat klinkt als een goed idee voor een verhaal, denk je niet?' zei haar moeder. Dat zei ze altijd als Leora haar vragen stelde die ze niet kon of wilde beantwoorden. Toen, met een uiterst afwezige blik: 'Laten we verdergaan met opruimen.'

Leora schreef het verhaal natuurlijk nooit. Maar ze dacht er nog dagen aan wanneer ze in bed lag en de slaap probeerde te vatten. Wat was er met al die namen gebeurd? Misschien was er ergens een plaats waar alle ongebruikte namen werden verzameld, een reusachtige, uitgedroogde woestijnvallei waar de namen verschrompeld en levenloos op de bodem lagen.

In de loop der jaren ontmoette Leora meer getrouwde vrouwen, meer immigranten, ging ze naar meer musea. Langzaam verzamelden zich in de Vallei van de Afgedankte Namen honderden, zelfs duizenden namen meer: Rogarshevsky, afgedankt ten gunste van Rosenthal, Rosenthal, afgedankt ten gunste van Ross. Ross, weggedaan voor Steinberg (huwelijk), Steinberg van de hand gedaan voor O'Brien (een tweede huwelijk). Liu, afgedankt ten gunste van Lou. Anand Gupta voor Andrew Gordon. Natalya voor Natalie. Wilhelm voor Bill. Jesus voor Jeff. Al die namen, afgedankt, alleen geschreven, niet gesproken, als de naam in de hoek van haar moeders tekst, op de bodem van de vallei als onaangeraakte beenderen. 'Kom op, Yehuda,' had Rivka gezegd. Leora wist dat Yehuda een uitgedroogde naam was, een naam die Jason op de bodem van die vallei had gevonden en die hij door hem uit te spreken weer tot leven wilde wekken. Maar ze dacht aan alle ansichtkaarten die hij haar had geschreven, op een stapel onder in haar kast, en de opstellen over ouderenzorg die hij voor zijn studie medicijnen naar verschillende universiteiten had gestuurd, opgeborgen in een of ander kantoor, omlaag dwarrelend in die vallei met zijn handtekening erop.

Thuisgekomen keek Leora weer naar de kat. Sammy was inmiddels ongeveer negentig centimeter lang, had grote, ronde oren en tanden die bleven groeien. Ze ging op de bank zitten en begon door haar tijdschrift te bladeren, wat, had ze ontdekt, een van de saaiste dingen is die je kunt doen als je bij dat tijdschrift werkt, want je hebt alles al gelezen voordat het uitkomt. Sammy klom met één enkele beweging van zijn verontrustend lange poten op de bank naast Leora, maar dat leek intussen normaal. Hij ging op het kussen naast dat van haar liggen, en hij zag er zo vredig en zacht uit dat ze het niet kon laten hem over zijn rug met de kleine witte vlekken te aaien. Toen ze hem aanraakte, hief hij zijn hoofd een stukje op, opende zijn bek en gaapte, waardoor hij zijn reusachtige hoektanden toonde, die glinsterden in het licht van de namiddag. Toen herkende ze hem. Sammy was een ocelot.

Toen Leora haar ocelot de volgende dag naar de East Mountain Zoo bracht, was het personeel dolblij. De ocelot, vertelden ze haar, was een bedreigde soort; over de hele wereld leefden nog zo'n duizend exemplaren. Hun aantal was vooral teruggelopen door stroperij, hoewel veel ocelotten illegaal waren gevangen om als huisdier te worden verkocht. Toen Leora haar vermoeden uitsprak over de manier waarop een van deze zeldzame dieren bij haar terecht was gekomen, werd haar verteld dat Jasons vader niet meer in de East Mountain Zoo werkte en dat hij in feite al meer dan een jaar weg was. Niemand kon verklaren hoe Jason aan het dier was gekomen. En Leora, met haar toeristenogen die dingen alleen op bepaalde momenten konden zien, kon het ook niet verklaren.

3

Barbaren aan de poorten

Voor haar dood had Naomi Bill Landsmann naar zo veel holocaustfilms meegesleept dat hij precies begreep hoe ze in elkaar zaten. Zijn zoon en schoondochter wisten wel beter dan zulke dingen met hem te doen. Maar Naomi, vergeeflijk naïef, scheen echt
te denken dat die films zouden helpen om hem beter te leren kennen, beter dan ze hem kon leren kennen door middel van zijn dia-
voorstellingen – alsof iets in een van die films hem ertoe zou inspi-
reren een of ander vergeten beeld voor haar te beschrijven, iets uit
zijn 'verleden'. Toen Naomi stierf, kende hij al die films uit zijn
hoofd.

Die films begonnen altijd met een muziekdoos. Dat was omdat
muziekdozen in dezelfde categorie vielen als orgeldraaiers, clowns,
draaimolens en stoomorgels: al die geforceerd gelukkige, vaag Europese dingen die kinderen geacht worden mooi te vinden, maar
die in feite alleen bestaan om volwassenen medelijden te laten hebben met kinderen die geen andere keuze hebben dan doodgaan of
opgroeien. En deze holocaustfilms, merkte Bill Landsmann, begonnen altijd met een kind, een kleine jongen meestal – blond en
aanbiddelijk uiteraard, en over het algemeen gespeeld door een
Europese kindacteur met de naam Lukasz.

Aan het begin van de film zie je de jongen in het prachtige huis
van zijn ouders: een mooi appartement met eiken lambrisering, ingericht met kant, donkere fluwelen gordijnen en Royal Copenhagen-servies, om maar te zwijgen van de obligate zilveren menora
op de schoorsteenmantel, waar de kerstkousen zouden hebben gehangen, om de niet-joodse bioscoopganger te bewijzen dat die
mensen net als andere mensen zijn, behalve dat ze echt van kaarsen houden.

Terwijl de camera door het appartement draait, komt de kleine jongen Lukasz – 'David' in het script – met carrouselwaardige verrukking van links het toneel opdraven. Hij staat even stil, en kijkt om zich heen of iemand hem heeft opgemerkt, klimt dan op een dieprode Victoriaanse damesstoel, en laat zijn armen over de rug hangen, een klein zilveren sleuteltje in zijn rechterhand, om bij de muziekdoos op de tafel erachter te kunnen. De camera zoemt in als zijn aanbiddelijke vingertjes de sleutel in het slot omdraaien en de muziekdoos openen. Dan, noot voor noot, komt de muziek uit de doos: een zachte melodie, langzaam en volmaakt ritmisch, waarvan elk getokkeld, klokvormig druppeltje geluid in keurige volgorde het oor van de toeschouwer bereikt. Het maakt in feite niet uit welk deuntje het is. (De aanwijzingen in het script, stelt Bill Landsmann zich voor, suggereren een 'oud joods wijsje', maar dankzij een slordige medewerker op de audioafdeling is het het deuntje van 'Edelweiss' geworden. Bill Landsmann vermoedt dat de regisseur hier heel boos over was, maar het er uiteindelijk maar bij heeft gelaten door dringender problemen in verband met Lukasz' contract.)

De camera draait nu langzaam en volgt het tempo van de vertragende muziek. Ten slotte rust hij weer op de handen van de jongen, die hij in de rijkdommen van de doos laat duiken (en hier, denkt Bill Landsmann, moet de regisseur geaarzeld hebben – niet te veel goud, moet hij tegen de mensen van de rekwisieten hebben gezegd, want er bestaat een bepaald idee over joden en goud, begrijpen jullie, dus kalm aan met goud): kinderrijkdommen in de vorm van prullen en speelgoedjes. Het verrukte gezicht van de jongen is te zien in de spiegel van de muziekdoos, achter het beeldje van de draaiende ballerina, en hij neemt, met een tederheid die alleen voorkomt bij kinderen die in films geslachtofferd worden, elk van zijn schatten om de beurt in zijn handen: een bedelarmband met kleine, zilveren zeilbootjes, een medaillon met een sepia foto van een vrouw erin, een ketting met een davidster eraan (alsof je daar nog aan zou twijfelen) en, tot slot, een schitterende diamanten ring. De jongen neemt de ring gefascineerd in zijn kleine vingers.

Hij knielt neer op de zitting van de stoel waarin hij stond en speelt dat hij de ballerina, die blijft draaien terwijl de muziek doorgaat, een huwelijksaanzoek doet. Plotseling wordt de jongen, in zijn geknielde houding, uit de stoel getild. Gelukkig blijkt de dader zijn moeder te zijn, die hem omhoog zwaait in een armvol gelach en kussen. (In het donkere theater voelde Bill Landsmann op dat moment Naomi's ogen op zijn profiel rusten; ze keek of hij ineenkromp of huilde. Hij negeerde haar.)

Waar het, uiteraard, om gaat, is dat dit prachtige appartement gedoemd is ten prooi te vallen aan vernietiging – dat maakt het zo prachtig. Een paar scènes verder trappen de slechteriken de prachtige deur in, gooien het Royal Copenhagen-servies kapot, stelen de diamanten ring van de moeder, gooien de muziekdoos op de vloer (de muziek stopt abrupt) en nemen de moeder van de jongen met zich mee terwijl de jongen het hele tafereel van onder een bed gadeslaat. Later blijkt dat er ook nog papieren in de muziekdoos zaten, toelatingsdocumenten en vervalste identiteitsbewijzen, die zijn moeder in een geheime la had bewaard en die de jongen en zijn vader gebruiken om te ontsnappen. Aan het eind van de film, vele jaren later, komt de jongen terug als een oude man, opent de muziekdoos en vindt het medaillon met de foto van zijn moeder erin. Tegen de tijd dat de aftiteling begon, was Naomi in tranen.

Onder het mom van een schoolproject had Naomi Bill Landsmann een keer 'geïnterviewd', en hij had haar alle stompzinnige details uit zijn leven verteld. Geboren in Wenen, geen broers of zusjes. Vertrok met zijn vader uit Wenen naar Amsterdam en vertrok uit Amsterdam naar New York. Zijn moeder bleef achter in een ziekenhuis en is blijkbaar gestorven. Er was niets in zijn verhaal wat de Amerikaanse bioscoopganger zou boeien, geen getatoeëerde getallen op iemands arm. Maar het echte verhaal, de echte film van Bill Landsmanns leven, zou Naomi – meer dan zij of wie dan ook zich had kunnen voorstellen – hebben teleurgesteld, en Leora ook, en iedereen die Naomi kende. En dat was de reden waarom hij mensen in plaats daarvan niets anders dan dia's toonde.

Een nieuwe versie. De hoofdrol zal niet worden gespeeld door een schattig jongetje van zeven, maar door een onderontwikkelde, asociale jongen van twaalf – hijzelf dus – met zieke gedachten over meisjes en een archipel van puistjes bij zijn linkermondhoek. De rol van de slechterik zal worden gespeeld door een jood, bijzonderheden volgen. Vergeet de set, geen weelderige appartementen; bouw in plaats daarvan een set van twee vrijwel lege kamers, met niets anders erin dan een bureau, een kleine tafel, twee stoelen en een paar matrassen op de vloer. En herschrijf het script zo, dat datgene wat verloren ging ook echt verloren is gegaan – niet de stadsappartementen, niet de muziekdozen, niet het Royal Copenhagen-servies, niet al die dingen die enkele tientallen jaren later zonder veel moeite, in een ander land, vervangen kunnen worden, maar een taal, een literatuur, een vastgehouden hand, een volledige wereld waarin geleefd en geademd werd naar Gods evenbeeld. Dat is de film die Naomi nooit heeft gezien, want Bill Landsmann heeft hem haar nooit laten zien.

Aan het begin van deze denkbeeldige film is Wilhelm Landsmann – Bill Landsmann in de ondertitels – zojuist aangekomen in Amsterdam. Een schipbreukeling, als je wilt, of, nauwkeuriger, een landbreukeling. Natuurlijk betekent 'zojuist' niet veel op dat moment. Hoe lang is de 'schipbreuk' geleden? Een paar maanden? Een paar jaar? Het doet er nauwelijks toe. Hij zal zich altijd voelen alsof hij zojuist is aangekomen. Wilhelm is 'zojuist' Willem geworden, de tweede van drie namen – de derde is Bill – die hij in een tijdsbestek van minder dan vijf jaar zal gebruiken.

Zijn Nederlands is hopeloos. 'Zijn' Nederlands. Een Europese wijze van spreken, concludeert hij jaren later, die talen als iets van jezelf opeist, alsof iedereen een klein stukje Duits of Frans of Nederlands bezit, of een groot stuk, en alsof sommige talen meer te bieden hebben dan andere. Op school pikt hij langzaam wat Nederlands op, maar het Nederlands op zijn beurt pikt hem niet op – hij kan alle beledigingen die kinderen tegen hem fluisteren verstaan, maar hij zegt niets terug. Duits is van hem, of was dat tenminste. Maar nu spreekt hij geen Duits meer, en als gevolg van het feit dat 'zijn' Nederlands niet echt van hem is, spreekt hij niets. In plaats daarvan dwaalt hij door de stad Amsterdam, sluipt zwijgend door haar straten en wenst dat hij op de een of andere manier kon weglopen en naar huis gaan.

Alles in Amsterdam doet Willem denken aan een rattenval. Bochtige straatjes met scheve huizen die bij elke hoek doodlopen. Je loopt naar huis uit school, een verschrikkelijk oord – hoewel het een montessorischool is en dus een Uitstekende School – waar elk klaslokaal boven op het andere is gestapeld en waar ze de nieuwe leerling meteen nadat hij gekomen is en ondanks de filosofie van 'open klassen' achter in het lokaal plaatsen. (Willem bleef niet op die school. Van school getrapt door Montessori moest hij naar de joodse school, en op de nieuwe school werd Duits spreken niet alleen ontmoedigd, maar was het verboden. Door een of andere gril van het lot werd hij echter ook daar achter in de klas gezet. Iemand moet altijd achter in de klas zitten.)

De school is benauwd, zoals alles in Amsterdam, maar zo erg dat Willem zich wel eens afvraagt of het in feite geen ruimteverspilling is om er kinderen in te zetten; de benedenverdieping is altijd vol, maar omdat kinderen klein zijn, denkt Willem, hadden ze elke verdieping van het gebouw in tweeën kunnen delen in plaats van één meter tachtig aan lege lucht boven de hoofden van de kinderen te hebben, en aldus het vloeroppervlak van het gebouw te verdubbelen. Misschien zou het voor een paar leraren wat minder handig zijn, maar wat maakte dat uit? Dat zijn de dingen waar Willem de hele dag over nadenkt op school terwijl hij naar het plafond staart en zijn best doet om verder geen Nederlands te leren, zelfs niet per ongeluk. Maar goed, de extra lucht in de klas maakt niet ongedaan dat Willem elke dag in de klas tussen zijn lessenaar en de achtermuur geklemd zit en van weerszijden door jongens wordt gepest – Peter en Jan heten ze – die van het open schoolmodel gebruikmaken om elke keer dat de leraar zich omdraait naar hem te spugen.

Maar ja, de hele stad heeft iets van een belachelijk labyrint, ontworpen door een wrede psycholoog die afwacht, die je gadeslaat, die je test om te zien of je misschien de verkeerde kant opgaat en een elektrische schok krijgt. Elke dag kom je uit school en loop je langs de grachten, waar de grote platbodems – die genoegen scheppen in hun platheid in deze rechtop gaande, verticale stad – idiote grijnslachen naar je lijken te grijnzen, net als de jongens op school. De boten bevinden zich tenslotte op de juiste plaats, terwijl Amsterdam zelf, een stad die gebouwd is op zeventiende-eeuwse stenen palen, voortdurend verder wegzakt in zee, waar ze thuis-hoort, en de boten lijken dat te weten terwijl ze vrolijk hun weg naar de Noordzee tjoeken. Intussen zit jij vast op het land, opge-sloten in de smalle straten, waarvan sommige ommuurd worden door scheve huizen en andere aan één kant uitkomen op de koude grachten met wreed grijnzende boten, terwijl ze allemaal druk zijn van zwarte fietsen, bereden door oude dames in lange, slonzige rokken die als gekken hun fietsbellen laten rinkelen. Amsterdam hoort toe aan deze slonzige vrouwen en je blijft maar voor ze opzij springen.

Maar als je de fietsen hebt ontweken, moet je je weg nog zien te vinden door de piepkleine straten, waarvan de hoeken, lantaarnpa-len en gebouwen zo nu en dan het stadswapen dragen – een wapen in de vorm van een insigne met drie eenvoudige letters in een ver-ticale kolom: xxx. Op de montessorischool, voordat hij eraf werd gestuurd, had Willem geleerd dat de drie x'en stonden voor de drie beproevingen van Amsterdam: overstroming, brand en de pest. Terwijl hij in cirkels door de stad dwaalt, op zoek naar een uitweg, kijken die x'en hem overal dreigend aan alsof ze willen zeggen: hier niet, nu niet, nooit niet – en als je probeert stil te staan krijg je een knietje in je kruis.

En als de straten nog niet genoeg zijn om je een rat in het nauw te voelen, is er altijd nog thuis. Willem woont in een grachten-pand, een van die verstikte stadshuizen die naar lucht happend aan het water staan. Alle grachtenhuizen zijn ongeveer vier verdiepin-gen hoog, maar zelden meer dan negen meter breed, en de zijmu-ren wrijven langs elkaar terwijl ze, naar voren en achteren leunend als slecht getrainde soldaten die uit de rij hangen, steeds dieper wegzinken in de zachte, valse grond van de stad. De huizen zijn vanbinnen zo klein dat ze allemaal een reusachtige haak uit de fraai bewerkte gevels hebben steken. Deze haken zijn bedoeld voor katrollen, die gebruikt worden om meubels die niet via de smalle trappen kunnen door het raam naar binnen te hijsen.

Deze haken stoten naar de dichte blauwe lucht, tijdens het meest benauwende moment van de dag. Het is niet precies zonsondergang, vooral niet in de wintermaanden, maar het moment vlak na zonsondergang, het moment waarop de dag voor altijd is verdwenen, een paar gescheurde bladeren en hier en daar wat spijt achterlatend. De lucht verspreidt zich als waterige blauwe inkt achter de huizen, maar het is niet de lucht die Willem verstikt. Het zijn de lampen. Op dat moment lichten in de bakstenen muren ramen op als diaraampjes, gloedvolle wit ingelijste voorstellingen met miniatuurmensen erin, of gele vierkanten vervaagd door nonchalant dichtgetrokken schermen. Elk raam is zijn eigen afzonderlijke 'zo had het kunnen zijn', een plek waar hij had kunnen wonen, met iemand die hij had kunnen kennen, een tafereel dat hij op de een of andere manier heeft gemist. In plaats daarvan loopt hij naar huis door de blauwe inkt, een verdwaalde koopman op de nog niet in kaart gebrachte open zee.

En dan, bij de deur van de woning zelf, wordt de test een echte uitdaging, net als een test met een rat, die het ene pad voor kaas en het andere voor een elektrische schok kiest. De keuze om wel of niet naar binnen te gaan, om aan de deur te luisteren of zich er een of andere anonieme, kreunende vrouw achter bevindt en, als die er is, te wachten om de hoek van de verstikkende gang, soms urenlang, tot je het geklikklak van schoenen en het gelach – en het parfum ruikt dat helemaal niet ruikt zoals je moeder rook, je moeder die, herinner je je, alleen naar koffie rook, of soms naar vers brood, maar nooit naar parfum – via de voordeur van het huis hoort verdwijnen. Op een keer, toen Willem net in Amsterdam was, liep hij de woning binnen en trof zijn vader met een jonge vrouw op de matras op de vloer aan, nog gekleed, en hij liep door de kamer naar de kleine slaapkamer aan de andere kant. Voor dit vergrijp weigerde zijn vader hem een week lang eten te geven. Van toen af aan maakte Willem er een gewoonte van om op de smerige, scheve vloer in de gang te gaan zitten, luisterend en wachtend, en verscheurd door een hevig verlangen om zoveel mogelijk af te luisteren en de golf van misselijkheid als hij dat deed. Slechts één keer in de talloze uren op de gang hoorde hij zijn naam noemen. De deur van zijn slaapkamer moest opengelaten zijn, besefte Willem, en de vrouw vroeg zijn vader, in het Nederlands, of zijn zoon bij hem woonde. Willems vader lachte en antwoordde dat Willem naar een kostschool in Zwitserland was gestuurd. Willem wenste dat het waar was. Maar de deuren waren inmiddels bijna allemaal gesloten. De wereld begon een donkere, groezelige vestibule te worden en Willem kon niets anders doen dan daar gaan zitten en wachten.

Willems vader, Nadav Landsmann, had een oorlogsneurose. Hij had zelfs een kopie van een brief van een legerarts waarin stond dat hij psychische schade had opgelopen aan het front, een brief die hij uit een soort ziekelijke weigering hem weg te gooien in een la had gestopt, hoewel hij zijn uiterste best had gedaan om te zorgen dat niemand er ooit over hoorde, zelfs zijn vrouw niet.

Maar het feit dat hij de brief bewaarde had iets met zijn ziekte te maken. Toen Wilhelm acht of negen was – toen hij nog Wilhelm heette, zelfs toen een ouderwetse naam – ontdekte hij op een dag de sleutel van de afgesloten la in zijn vaders bureau. Nadat hij zich er op zijn tenen van had verzekerd dat er geen volwassene in de buurt was, sloop Wilhelm zijn vaders studeerkamer in hun oude appartement in Wenen binnen. Hij klom op een stoel om beter bij de la te kunnen, een oude, houten bureaulade waarop krassen zaten, alsof iemand geprobeerd had hem open te krijgen. Met een vurigheid die hij kon proeven, stopte Wilhelm de sleutel in het sleutelgat, draaide hem met een langzame, ingehouden vervoering om en was stomverbaasd en verrukt toen de la, gapend en prachtig, openbarstte. Papieren, grotendeels, maar ah, geheime papieren! Dat waren geen schoolopstellen! Brieven op officieel briefpapier, sommige van plaatsen met onleesbaar lange namen. Lange series getallen, ingewikkelder dan een web van in de knoop zittende schoenveters, met retouradressen in Zwitserland. Telegrammen, geschreven in onsamenhangende, afgebroken zinnen. En lange, met bruine inkt geschreven brieven in het Hebreeuws – Jiddisch, wist Wilhelm – in een beverig handschrift. Wilhelm liet zijn handen in de stapel schatten zakken en trok er willekeurig een uit. Een juweeltje: een krakend, vergelend vel papier, getypt en met briefhoofd en een reusachtig zegel van het Oostenrijks-Hongaarse rijk, een afschrikwekkende, beveerde adelaar met zijn klauwen vol speren. Wilhelm genoot van dat beeld alsof het een portret van zijn moeder was en prentte elk detail in zijn geheugen. Maar snel, zodat hij naar de tekst kon gaan. En hij las:

> Onze diagnose van soldaat Nadav Landsmanns psychische toestand is dat soldaat Landsmann lijdt aan een geestelijk trauma van het type dat onder de ruime term 'oorlogsneurose' valt. Het effect hiervan op de patiënten varieert. Sommigen zullen hun leven lang in het ziekenhuis moeten verblijven, anderen ervaren weinig nadeligs in hun gewone leven. In het geval van soldaat Landsmann kan de ziekte onder andere de volgende symptomen geven: voortdurend nerveus gedrag grenzend aan paranoia, plotselinge of heftige woedeaanvallen, obsessief of dwangmatig neurotisch gedrag, het onderdrukken van een normale emotionele respons. Verdere analyse zal nodig zijn om de mate en aard van soldaat Landsmanns stoornis vast te stellen.

Wilhelm Landsmann was gezegend met een fotografisch geheugen en prentte alle grote woorden snel in zijn hoofd als een spion die een geheime code opslaat, om ze later in het woordenboek op te zoeken. Gespannen tot op het bot las hij verder: 'Aanbevolen behandeling kan de symptomen vererg...'

Plotseling daalde een reusachtige hand uit de hemel neer die de brief in de la gooide en de la dichtsmeet. Maar de toverlade wilde niet helemaal dicht doordat Wilhelms vingers er, per ongeluk, tussen zaten. En toen de hand merkte waarom de la niet helemaal sloot, was nog een keer dichtsmijten niet genoeg – de hand smeet hem opnieuw dicht, en opnieuw, en opnieuw, en opnieuw als kanonvuur, sneller en sneller, harder en harder, Wilhelms kleine vingers bewust vastklemmend, ze steeds opnieuw vermorzelend tot ze als dieren die op een haartje na aan een val ontsnappen uit de la sprongen.

De oorlogsneurose was de gemakkelijke manier om te verklaren waarom Nadav Landsmann op een avond het hele Royal Copenhagen-servies van Wilhelms moeder kapot smeet toen hij van zijn werk was gekomen en het eten dat ze hem voorzette hem niet beviel, of waarom hij een van Wilhelms schoolopstellen verscheurde – het opstel over ontdekkingsreizigers in de Nieuwe Wereld – omdat Wilhelm zijn schoenen op de vloer had laten staan, of waarom het hem nog steeds lukte bijna elke vrouw die hij ontmoette er met weinig meer dan een glimlach en een vleiende opmerking van te overtuigen dat hij het enige was wat ze nodig had om haar leven compleet te maken – en waarom hij hen, van tijd tot tijd, compleet maakte. Maar alleen onzelfzuchtige mensen houden hun ziekten voor zichzelf. Anderen geven ze door. En zo kwam Wilhelms moeder in een psychiatrische inrichting terecht en boven aan de lijst van verdoemden.

Zoals veel mensen die het niet verdienen, had Nadav het bijzonder goed gedaan in het leven, in elk geval op papier. Hij was een knappe man met een Clark Gable-snorretje en waarlijk betoverende ogen: helderblauw, hoewel ze iets scherps hadden waaraan je je bijna kon snijden. Ogen met macht. Na de oorlog, en na een paar lange jaren van voorbereidende studie, was hij erin geslaagd op de universiteit van Wenen te komen, waar hij moderne geschiedenis studeerde, en na de universiteit begon hij een succesvol bedrijf in dure kasjmier truien. Veel later won hij, om het nog een graadje erger te maken, de Weense loterij. De kranten, die nog geen propagandamachines waren maar zich wel in die richting bewogen, verkondigden zijn overwinning in grote koppen op de binnenpagina's: RIJKE JOOD PAKT WEENS GELD. Nadav was voor deze artikelen niet geïnterviewd, maar iemand die hem gekend had op de universiteit stond in het impressum van een van de kranten en had deze interessante invalshoek op het gebruikelijke verhaal over een hoofdprijswinnaar bedacht. Het was nog vroeg. Niemand had voorkomen dat Nadav de loterij zou winnen. Maar toen hij de koppen zag besefte hij dat hij het Weense geld beter buiten Wenen kon brengen, dus opende hij op advies van een vriend in de branche een vestiging in Amsterdam. Geïnspireerd door een prachtige vrouw uit die stad, op wie hij op slag verliefd was geworden, had hij wat Nederlands gestudeerd op de universiteit. (Ze ging terug naar Holland, trouwde met een minister en hij heeft haar nooit meer gezien. Maar ze had hem wat Nederlands nagelaten.) Toch bleef hij nog, ook nadat hij op een ochtend in Wenen op zijn werk kwam en de ramen van de grootste winkel ingegooid vond.

'Barbaren aan de poorten,' mompelde Nadav tijdens het eten die avond. 'Eens kijken hoe lang we ze kunnen tegenhouden.' Hij had kort tevoren weer een boek over zijn laatste obsessie gelezen: de val van het Romeinse Rijk.

'Wat zijn barbaren?' vroeg Wilhelm in een moment van buitengewone dapperheid. Hij had zijn vader het woord eerder horen gebruiken, dat kon hij zich absoluut herinneren, maar wanneer? Waar? Hij had zijn vraag nog niet gesteld of hij kreeg er al spijt van. Waarom had hij niet gewacht en het opgezocht in het woordenboek?

'Mensen als jij, idioot, die zo weinig weten dat hun woordenschat niet eens beschrijvingen van henzelf bevat,' snauwde Nadav.

Uit gewoonte keek Wilhelm naar zijn moeder in de hoop op redding, maar ze zat naar haar eten te staren en er afwezig in te roeren, alsof ze alleen aan tafel zat. Binnen een jaar zou ze vertrekken, maar ze had net zo goed al weg kunnen zijn. Wilhelm imiteerde haar bewegingen, verborg zich voor zijn vaders gezicht. Zijn vader duwde zijn bord weg en liep de kamer uit, en zijn moeder stond zonder een woord te zeggen op en begon de tafel af te ruimen alsof er niets was gebeurd. Zo ging het altijd.

Later pakte Wilhelm het woordenboek. Het woordenboek – een enorme band, geen kinderboek, met duizenden en duizenden woorden erin – was absoluut zijn favoriete boek. Hij hield van lezen, over bijna alles, hoewel de meeste boeken die hij wilde lezen nog te moeilijk voor hem waren. Maar het woordenboek! Hij kon er uren in zitten bladeren, de definities lezen, de etymologieën, de voorbeeldzinnen die elk woord op een hoeksteen van een gigantisch taalsysteem deden lijken. Alles erin was noodzakelijk, maar niets was uitgesloten. Een volmaakte economie. Op jonge leeftijd was Wilhelm ervan overtuigd dat elk bekend feit over de wereld in het woordenboek was opgenomen. Waarom zou je mensen vragen stellen als alles daar te vinden was?

Wilhelm opende het woordenboek voorzichtig en nam de tijd met het omslaan van de pagina's. De helft van de pret lag tenslotte in de woorden die onderweg naar de bestemming werden ontdekt, de stenen die opgeschopt werden op het pad en de diamantmijnen eronder blootgaven. Omdat het woord 'barbaar' onder de 'B' te vinden was, ging hij naar het begin en wierp een blik op de eerste regels van het voorwoord voordat hij zich op de woorden zelf stortte. 'Taal,' stond er,

vormt de meest wezenlijke band van een volk. Toch ligt de kern van een taal niet in een woordenboek als dit, maar veeleer in de levende stem. Door middel van de gemeenschappelijke woorden die ze dagelijks spreken en horen, erkennen de mensen van een natie voortdurend de levens en doelen die zij delen, hun gemeenschappelijke bestemming.

Idioten, dacht Wilhelm toen hij de tekst had ontcijferd, onderwijl stoppend bij pagina's achterin. Ze houden niet eens van hun eigen boek. Op naar de woorden dus. Hij kwam langs een foto van een man die accordeon speelde, zijn ogen dichtgeknepen als om zijn eigen muziek beter te horen. In hetzelfde segment vond hij een andere foto, deze keer van een ratachtig dier met vreemde, lange duimen, de voor- en achterpoten in alle richtingen uitgespreid alsof ze door een vrachtwagen waren geplet. '*Acrobatus pygmaeus*'. De definitie van *Acrobatus pygmaeus*, opgenomen onder de Latijnse naam, was: 'Een soort buideldier, gevonden in Austraal-Azië, dat met behulp van zijn falanxen vliegt.' Dit betekende uiteraard dat

Wilhelm bij *falanx* moest zoeken, waarbij hij een omweg via *penis* maakte, wat teleurstellend was: 'Het mannelijk geslachtsorgaan; bij zoogdieren ook het orgaan waardoor de urine wordt uitgescheiden.' *Falanx*, ondertussen, had iets met vingers te maken. Starend naar zijn eigen vingers vroeg hij zich af of er ook mensen op de wereld waren die hun vingers konden gebruiken om te vliegen, net als de *Acrobatus pygmaeus*. Zou dat niet mooi zijn? Genoeg over vliegen. Hij ging snel terug naar het begin van het boek, deze keer rechtstreeks naar

Barbaar

Geen foto. Wilhelm was meteen lichtelijk teleurgesteld, want hij had half gehoopt een foto te vinden van iemand die op hemzelf leek. Als gevolg van deze afknapper vond hij de lange reeks afleidingen en grammaticale details die erop volgden maar saai. Hij las verder:

1. Etymologisch, een vreemdeling; iemand wiens taal en gebruiken verschillen van die van de spreker.

Interessant, maar niet verhelderend, dacht Wilhelm met de beperkingen van zijn buitengewoon nauwgezette schooljongenshersenen. De mensen die de ramen hadden ingegooid waren tenslotte Oostenrijkers en Wilhelm was ook een Oostenrijker. En zij en zijn vader en hij spraken allemaal Duits. Tot nu toe was Wilhelm geen barbaar.

2. Historisch, a: iemand die geen Griek is; b: iemand die buiten het Romeinse Rijk en zijn beschaving leeft; c: iemand van buiten de christelijke beschaving.

Hier werd het vager. Wilhelm ging de lijst langs. Hij was inderdaad geen Griek, dus dat maakte hem tot een barbaar volgens 2a. Maar zijn vader was ook geen Griek, dus wie was hij om andere mensen barbaren te noemen terwijl hij er zelf een was? Dat kon niet kloppen. En wat 2b betreft, nou, op school hadden ze over de Romeinen geleerd, die lang geleden in Italië woonden. Dus leefde Wilhelm beslist buiten het Romeinse Rijk, maar dat gold ook voor de mensen die de ramen hadden ingegooid. Maar opnieuw gold dat ook voor zijn vader. Misschien was zijn vader toch een barbaar. Definitie 2c maakte Wilhelms keel een ogenblik hol van walging. Deze maakte hem een barbaar, dat was zeker. Maar als het hem tot een barbaar maakte, maakte het ook zijn vader tot een barbaar. En het maakte de mensen die de ramen hadden ingegooid helemaal niet tot barbaren. Dus – en nu zetten Wilhelms hersenen alles op rijtje – als hij een barbaar was, en de rameningooiers barbaren waren, maar zijn vader géén barbaar was, kon definitie 2c niet zijn wat zijn vader bedoelde. Dus was Wilhelm nog steeds geen barbaar. Wilhelm vermoedde dat er iets niet helemaal klopte in zijn redenering, maar hij ging door.

3. Een grof, wild, onbeschaafd iemand.

Wilhelm zuchtte. Het woordenboek omvatte echt alles. Maar gelukkig stond er nog iets onder de definities:

Opm. Het Griekse woord had oorspronkelijk betrekking op de taal, en het is mogelijk dat het woord zelf slechts een klanknabootsende aanduiding vertegenwoordigt.

Dus was het woord echt bedoeld om zo dwaas te klinken als het deed? 'Bar-baar, bar-baar,' herhaalde Wilhelm voor zichzelf terwijl hij het woordenboek dichtdeed, en die woorden brabbelend ging hij naar bed.

De barbaren waren niet lang op afstand te houden. Al snel vluchtte Nadav naar Amsterdam. Hij liet Wilhelms moeder in de inrichting achter en was daardoor gedwongen Wilhelm mee te nemen. Heimelijk droomde Nadav ervan die jonge Nederlandse vrouw opnieuw te ontmoeten, haar verlaten te vinden door haar man, rondplassend in het water van een gracht en smekend om gered te worden, zodat hij erin zou kunnen duiken en haar aan land zou kunnen brengen. Hij zou haar nooit vinden, maar hij bleef naar haar zoeken in het gezicht van elke vrouw die hij in de straten van Amsterdam tegenkwam, terwijl zijn zoon een eind weg brabbelde op school omdat hij geen Nederlands kon of wilde spreken. En dat brengt ons bij de betreffende dag. Start de film.

Het is zaterdagmiddag en Willems vader is niet thuis. Waarschijnlijk zal hij echter, zoals gewoonlijk, snel thuiskomen om de middag in gezelschap van weer een andere vrouw door te brengen. Willem zorgt altijd dat hij weg is voor het vermoedelijke tijdstip van hun komst. Maar op dit moment is het huis van hem. Zoals gewoonlijk zit Willem aan de kleine tafel in zijn vaders slaapkamer een tekstboek te ontcijferen met zijn woordenboek Duits-Nederlands naast zich. Maar biologie wordt saai, en Willem heeft al een stuk overgeslagen om naar de delen over de menselijke voortplanting te gaan. Heimelijk hoopt hij op een les over dat onderwerp, en hij begint te fantaseren over een live demonstratie in de klas. In beslag genomen door zijn fantasieën, maar belemmerd door de kans elk moment zijn vaders sleutel in het slot te horen omdraaien, zit Willem aan de tafel en staart dromerig voor zich uit. Maar dan ziet hij aan de andere kant van de kamer iets wat anders lijkt te zijn dan normaal. Hij kijkt onderzoekend om zich heen in de bijna lege kamer en ziet onmiddellijk wat er mis is. De geheime la van zijn vaders bureau – een ander dan het bureau dat hij heeft achtergelaten in Wenen, een kleiner, smeriger bureau, maar wel met een geheime la – staat open.

Willem wacht een ogenblik, luistert nauwkeurig in de stilte. Er is niemand in de gang, daar is hij zeker van. Er zorgvuldig voor wakend geluid te maken, duwt Willem zich weg van de tafel, staat op, loopt op zijn tenen door de kamer en trekt behendig de la verder open. Het is bijna te mooi om waar te zijn. Daar, boven op de stapel, ligt de brief met de diagnose van soldaat Landsmann. Willem heeft hem sinds ze uit Wenen zijn vertrokken niet meer gezien, maar hij hoeft hem nauwelijks opnieuw te lezen. Hij kent hem min of meer uit zijn hoofd.

De verleiding is te groot. Willem haalt de brief eruit, legt hem midden op het lege bureau en doet de la dicht. Dan, precies wetend wat hij doet, loopt hij terug naar de tafel, pakt zijn biologieboek, trekt zich terug in zijn kleine slaapkamer en sluit de deur achter zich.

Nog geen halfuur later hoort hij zijn vader binnenkomen, enthousiast pratend tegen een lachende vrouw, die met een geklik-klak van hakken dat Willems hart doet overslaan de woning binnenstapt. Willem hoort de deur dichtgaan en de echo's van speelse kussen terwijl zijn vader haar verder de kamer in trekt. Dan staan ze allebei stil.

'Wat is dit?' hoort hij haar giechelend in het Nederlands zeggen. 'Schrijft iemand je liefdesbrieven? Je weet dat ik Duits kan lezen, hè?' Willem staat op en leunt tegen zijn kleine raam, nog steeds met zijn biologieboek in zijn handen. Hij zou graag naar de deur lopen om alles beter te kunnen horen, maar hij is bang geluid te maken. Hij hoort zijn vader in actie komen, op het bureau afstormen en met een lach en een grapje de brief uit haar handen pakken, maar de woorden klinken alsof ze uit elkaar vallen in zijn mond. Willem glimlacht. Het is bijna alsof, denkt Willem met plezier, zijn vader vergeten is hoe hij Nederlands moet praten.

'Ik herinner me net,' zegt de vrouw, veel te hard, 'dat ik vanmiddag een afspraak heb. Het spijt me, maar ik moet echt gaan.'

Willem vader protesteert hakkelend, maar hij lijkt de juiste woorden niet te kunnen vinden. Al snel gaan zijn protesten over in smeken, dan in schreeuwen, maar er is niets, niets wat hij kan doen. De deur van de woning gaat piepend open, en dan met een klap dicht.

Er is een ogenblik van stilte, zwaarder dan de klap van een knuppel tegen een muur, en Willems hart bonst zo luid dat hij zich afvraagt of het buiten te horen is. Dan klikt de deur van Willems kamer open.

Willem blijft staan zoals hij stond, met zijn rug naar het kleine raam, starend naar zijn boek. Het is stil in de woning. Willem voelt de woedende blik van zijn vader op zich gericht, maar hij kijkt niet naar hem op. Zijn vader wacht. Willem slaat nog steeds zijn ogen niet op. Dan, zonder enige waarschuwing, knalt er iets tegen Willems borst dat hem op de grond doet belanden en daarna het raam breekt. Willem ligt languit op de vloer, zijn armen en benen gespreid als de vingers van een vliegende falanx, en hij hoort zichzelf piepend lucht naar binnen zuigen. Als hij, zijn puistige wang tegen de vloerplanken gedrukt, te midden van de regen van glasscherven zijn ogen opent, ziet hij zijn woordenboek op de vloer naast zich liggen, bedolven onder glas. Zijn vader heeft het woordenboek naar hem toe gegooid.

Voordat Willem ook maar op adem is gekomen, grijpt zijn vader hem bij zijn hemd, hijst hem van de vloer, sleurt hem de deur uit en de gang door, en gooit hem letterlijk het huis uit, waarna hij hem de stoep af schopt, de deur dichtgooit en deze op slot doet.

En zo treffen we onze held, Wilhelm alias Willem, aan: zonder jas, ijskoud, uit huis gegooid en op de stoep tegen een lantaarnpaal gesmeten die net zijn kruis heeft gemist. Na een paar minuten kruipt hij de stoep op en bonst zwakjes op de deur. Geen antwoord.

Willem haat Amsterdam uit principe, maar er is ook iets zachtaardigs aan. De stad is een labyrint, maar het is in elk geval een labyrint met kleine, interessante dingen. Bakkerijen, vooral. En chocoladewinkels. En snoepwinkels. Op dit moment wordt hij echter alleen maar misselijk bij de gedachte aan eten. Hij wil met dingen smijten, ramen ingooien – niet dat hij het lef heeft om dat ook echt te doen. Hij komt langzaam overeind en begint te lopen. Hij passeert een zijstraat, dan een andere. En weer een andere. En nog twaalf of dertien zijstraten. Hij gaat een hoek om, dan weer een hoek, dan nog een paar, en hij loopt nog verder, dagen, lijkt het, en schiet dan gehaast langs een gracht. En plotseling, alsof het uit de diepte van de zee oprijst, verschijnt er een reusachtig gebouw voor hem. Zoals alle goede inwoners van Amsterdam herkent hij het meteen. Het Rijksmuseum.

Het Rijksmuseum, vertelde zijn leraar op de montessorischool de klas een keer, is het oudste museum van Europa. Het Louvre en andere musea mogen dan in oudere gebouwen gevestigd zijn, maar die gebouwen zijn oorspronkelijk gebouwd als paleizen of treinstations. Het Rijksmuseum is als eerste gebouw echt gebouwd om een openbaar museum te huisvesten. 'In andere landen was kunst gereserveerd voor de rijken, voor de adel en het koningshuis, en zo is het lange tijd gebleven,' vertelde de leraar terwijl hij zich naar de klas wendde en Willem even respijt gaf van de spuugproppen. 'Maar hier in Nederland hebben we eerder dan ergens anders beseft dat de schone en decoratieve kunsten niet voorbehouden moesten zijn aan de hogere standen. Het zijn onze nationale schatten en dat betekent dat iedereen in het land deze schatten van ons koninkrijk kan delen, en jullie dus ook.'

Willem staat voor het reusachtige bouwwerk en heft zijn hoofd op tot zijn achterhoofd zijn nek raakt. De muren zijn van baksteen, bewerkt en gebeeldhouwd, en overal versierd met glazen boogramen en roosvensters. Het ziet eruit als een gotische kathedraal of een hoog oprijzend paleis of een geweldig treinstation. Gek, hoe treinstations soms op kathedralen of paleizen lijken, peinst Willem, terwijl er geen mensen in wonen – als tempels gewijd aan de kunst van op doorreis zijn. Willem is diep onder de indruk van de schoonheid van het gebouw. Zijn voeten brengen hem dichter bij de grote toegangspoorten, trekken hem stap voor afwezige stap naar zijn grootsheid. En dan stoot hij zijn schenen tegen een geïmproviseerd sandwichbord net buiten de museumpoorten. Hij is van schrik weer bij de les, stapt achteruit en leest het met de hand beschilderde bord, dat waarschijnlijk niet eens officieel is en mogelijk die dag neergezet door onruststokers:

WELKOM IN HET RIJKSMUSEUM
Verboden voor honden en joden

Onze held blijft roerloos staan, starend naar het bord, een barbaar aan de poorten. Maar hij staat daar niet lang. Verlegen twaalfjarigen – vooral onderontwikkelde twaalfjarige jongens, het soort twaalfjarigen dat oudere mensen vaak aanzien voor tienjarigen, en terecht – weten altijd dat ze niet stil moeten blijven staan om naar iets te kijken, want iemand in de buurt zal merken dat je ernaar kijkt en het gebruiken om je bespotten. Dat gebeurt in elk geval met meisjes. Niet dat Willem over het vermogen beschikt om met meisjes te praten. Dat zou moeilijk zijn geweest in het Duits. Als hij Nederlands probeert te spreken, gunnen zelfs de joodse meisjes op zijn nieuwe school hem geen tweede blik. Ze laten hun rokjes zwaaien, slaan recht voor zijn ogen hun benen over elkaar en zetten ze dan weer naast elkaar, bijna met opzet. Als een langzame kwelling. Eén meisje, Jopie, heeft hem de laatste tijd speciaal gekweld. Glanzend blond haar, stralende groene ogen, volmaakte handen en de aanzet van een bolling onder haar bloesje. Ze is niet joods, maar haar vader wel, en zo is ze op Willems school terechtgekomen. Laat op de avond droomt hij van haar: dat ze ineens een hoek om komt, hem meetrekt naar een steeg en zich voor zijn ogen uitkleedt. Intussen bekogelen de jongens op de joodse school hem nog steeds met spuug wanneer hij maar in haar buurt durft te komen. Overdag opent hij zijn mond in haar aanwezigheid en merkt dat die gevuld is met zwaar perkament: de woorden die hij wil spreken staan geschreven op rollen onder zijn tong, in een vergeten taal.

Willem loopt nonchalant weg van het museum en terug naar de gracht, terwijl hij steelse blikken werpt op de mensen op straat en probeert te doen alsof hij alleen maar een nieuwsgierige bezoeker is, een toerist misschien, die slechts wilde weten hoe dat schitterende gebouw heet. Dat deel over honden was ook interessant voor hem. Maar dat deel over joden? Natuurlijk niet. Wanneer hij zich in zijn poging tot nonchalance omdraait, komt hij bijna onder een fiets. De oude vrouw op de fiets, gekleed in een paisley rok, als een bibliothecaresse, draait haar hoofd om als een heks om in het Nederlands kwaadaardige banvloeken over hem uit te roepen. Hij richt zijn ogen op de straat voor hem en waagt zich naar de waterkant om in de gracht te turen. Het is een stralende dag, zo'n soort dag die zo helder is dat het bijna beledigend is om over de kou te klagen, maar hij tintelt van de kou. Een wrede dag. Zijn spiegelbeeld kijkt naar hem terug: zijn linkerwang gloeit rood van het schuren over de vloerplanken en zijn oren steken woest onder zijn warrige bruine haar uit. Oren, had hij in zijn biologieboek gelezen, zijn een van de slechts twee lichaamsdelen die je hele leven lang blijven groeien. Het andere lichaamsdeel, helaas, is de neus. Joods zijn was een dubbele vloek. Hij onderzoekt zijn gezicht, meer met zijn blote vingertoppen dan in het spiegelbeeld, dat, merkt hij met genoegen op, niet scherp genoeg is om de eilandketen van puistjes langs zijn mond weer te geven. Nog geen gezichtsbeharing, hoewel hij als hij in het water van de gracht kijkt een zweem van een schaduw op zijn bovenlip meent te zien, tot een eend spattend in het water landt en zijn spiegelbeeld verdwijnt.

Hij ziet zijn vaders donkere snor voor zich en wrijft over zijn bovenlip, en plotseling proeft hij iets bitters. Maar dan herinnert hij zich iets wat hij in zijn spiegelbeeld zag voordat de eend landde. Hij wacht tot de rimpelingen in het water wegtrekken en tuurt weer omlaag naar zichzelf. In het water van de gracht ziet hij eruit als een donkere jongeman, zonder hoed en jas. Maar deze jongeman lijkt veel gewoner dan Willem zich de laatste paar maanden heeft gevoeld, lijkt veel meer op elke andere jongeman in de straten om hem heen. Het duurt even voor hij beseft hoe dat komt. Zonder zijn jas draagt hij zijn gele ster niet.

Het beeld van zijn sterloze ik betovert hem. Het is alsof zijn spiegelbeeld, dat na de eend in de gracht is gesprongen, vernieuwd uit het reinigende water is opgedoken. Gezuiverd en gezalfd rijst hij op en onderzoekt zichzelf opnieuw in de gracht. Hij ziet er ineens ouder uit, langer, knapper. De mensen op de fiets achter hem lijken hun hoofd in bewondering naar hem om te draaien, te glimlachen en Hollandse groeten te zingen, in elk geval in de wereld die weerspiegeld wordt op de huid van de gracht. Hij is een volwassen Amsterdamse man geworden, een heer van de stad. Hij draait zich om naar de straat, glimlachend met een zelfverzekerdheid die grenst aan arrogantie. De stad is van hem!

Aan de overkant van de straat rijst de monoliet zelf op, het Rijksmuseum. Willem weet wat hij moet doen. Met grote passen loopt hij recht de straat over zonder ook maar de moeite te nemen om op voortsnellende fietsen te letten. Laat ze maar terugdeinzen voor hem! In een oogwenk staat deze heer bij het bord naast de gouden poort.

WELKOM IN HET RIJKSMUSEUM. Willem leest de woorden opnieuw en hoort ze alsof ze uitgesproken worden door zijn oude leraar op de montessorischool, die hij zich voorstelt bij de museumpoort, hem grijnzend de hand schuddend. 'Welkom in het Rijksmuseum, mijn beste Willem! Je nationale schatten wachten op je!' Willem trekt de zware museumdeur open als een bisschop die zijn eigen kathedraal binnengaat. Een vlaag warme lucht waait hem in het gezicht en blaast de dunne trui en het overhemd rond zijn magere schouders op tot golvende, vorstelijke gewaden terwijl hij de deur achter zich sluit.

Willem staat in de rij om het museum binnen te gaan, perfecte houding, opgeheven hoofd. Hij heeft dringende zaken te doen; zijn nationale schatten wachten op hem. Het enige probleem, beseft hij ineens gegeneerd, is dat zijn portemonnee en zijn gele ster elkaar vergezellen: de ene op de voorkant van zijn jas, de andere in zijn linker jaszak. Hij heeft geen entreegeld. Met trillende handen voelt hij in zijn broekzakken. Geen munt te vinden.

Beetje bij beetje beweegt de rij zich naar voren, en nu zijn de mensen direct voor hem bij de kaartjesbalie aangekomen. Voor hem staat een grote groep, een gezin, een echtpaar van in de dertig: een vader die al kaal wordt en een moeder met zulk blond haar dat het bijna wit is, beiden vrij lang. Met gefronst voorhoofd leunen ze uitgeput tegen de balie terwijl hun – hoeveel? Willem telt ze – zes kinderen achter hen jengelen, spelen en elkaar treiteren. De jongste is ongeveer drie, een klein, blond meisje met dikke beentjes die als deegrollen tussen haar rode schortje en haar afzakkende witte kousjes bollen, en de oudste, een jongen met donker haar en een bril, die de arm van een van de jongere jongens heen en weer zwengelt, ongeveer elf. Een meisje van ongeveer vijf verstopt zich tussen haar moeders benen en gluurt van onder haar rok. Ineens heeft Willem een idee.

'Twee volwassenen en zes kinderen,' dreunt de uitgeputte vader op. Willem beweegt zich voorzichtig dichter naar de betreffende kinderen toe, die het veel te druk hebben met elkaar slaan om hem op te merken. Het kleine meisje heeft zich nu volledig onder haar moeders rok verstopt.

Willem wacht, met ingehouden adem, terwijl de kaartjesverkoper zich over de balie buigt, zijn bril laat zakken en met zijn vinger naar elk kind wijst alsof hij op de toetsen van een onzichtbare typemachine tikt. 'Een, twee, drie, vier, vijf, zes,' telt hij, en hij overhandigt de kaartjes aan de vader. De ouders slaken een zucht van verlichting wanneer de man achter de balie zich naar voren buigt om het fluwelen koord te openen en hen door te laten. En Willem, door de kaartjesverkoper meegeteld als hun stomme vierde zoon, glipt achter hen aan naar binnen.

Willem weet niet wat hij van het Rijksmuseum moet verwachten. Aanvankelijk is hij uiterst teleurgesteld. Terwijl hij door het eindeloze labyrint van zalen dwaalt, lijkt het museum eerst niet zo anders dan de musea die hij met zijn school in Wenen heeft bezocht. Veel schilderijen van Jezus, vooral. Jezus als baby, die eruitziet als een gerimpelde, haarloze oude man gekrompen tot babyformaat. Jezus als jonge man, met schitterende stralen die uit zijn hoofd komen terwijl mensen zich om hem heen verzamelen. Maar, uiteraard, vooral Jezus stervend aan het kruis, kreunend en bebloed, uitgejouwd door een lelijke mensenmassa en gekroond met de letters 'INRI' – een Latijnse afkorting voor, herinnert Willem zich ergens te hebben gelezen, 'Jezus van Nazareth, Koning der Joden'. Willem loopt snel langs deze schilderijen. Dan gaat hij een hoek om en komt in een, voor zijn gevoel, labyrint van duizenden zalen, gevuld met uitsluitend schilderijen van fruit. Verbazingwekkend, peinst hij, op hoeveel manieren je fruit in een schaal kunt schikken.

Maar terwijl de zalen vol fruit zich voortzetten, merkt Willem dat ze langzaam geïnfiltreerd worden door schilderijen van fruit noch Jezus. Portretten, grotendeels. Niet veel naakten, tot Willems teleurstelling. De portretten tonen mensen die in donkere kamers zitten, en hun gezichten lijken bijna te gloeien, alsof ze niet van buitenaf worden belicht maar van binnenuit. Willem kijkt een ogenblik geboeid naar een klein schilderij van een oude man, die in een leeg, beschaduwd landschap zit en zijn fijne hoofd met witte baard in zijn hand drukt. De titel van het schilderij is in het Nederlands geschreven: 'bla bla bla Jeremia bla bla bla'. Willem heeft geen zin om die lange titel te ontcijferen. De oude man ziet eruit alsof hem iets tragisch is overkomen, maar wat? Misschien zijn zijn ouders doodgegaan, denkt Willem, maar dan verwerpt hij dat idee. De man is tenslotte oud, te oud om nog om zijn ouders te treuren. Maar hij is duidelijk ergens door van streek. Waardoor?

Het schilderij brengt Willem van zijn stuk. Hij scheurt zich ervan los en gaat naar een andere zaal, die weer vol hangt met die vanbinnen oplichtende portretten van mensen in donkere kamers, van wie de meesten een boek of een ganzenveer vasthouden. Er is bijna altijd een vorm van schrijven in te zien. Er is een schilderij van een jonge vrouw die zwanger lijkt te zijn; ze houdt een brief in haar hand en lijkt ongerust. Of meer dan ongerust. Ontredderd, is het meer. Willem heeft medelijden met haar. Maar het is een troostend soort droefenis, alsof je iemand omarmt die gevallen is of een vreemde in het ziekenhuis bezoekt. Haar probleem, niet het zijne.

Talloze met fruit behangen zalen later, komt Willem bij een zaal met een bord naast de ingang. Argwanend nu voor alle borden, werpt hij er een vluchtige blik op, maar die blik is genoeg om hem stil te laten staan.

POPPENHUIZEN

'*Poppenhuizen?*' Een verrukkelijk woord. Willem proeft het op zijn tong, laat het oplossen in zijn keel als gesponnen suiker. *Poppenhuizen.*

Aanvankelijk aarzelt Willem. Poppenhuizen zijn voor meisjes, denkt hij. Waarom zouden die in een museum staan? Speelgoed van de oude adel misschien. Er is een lange, verklarende tekst in het Nederlands, maar Willem mist de energie om een poging te doen deze te lezen – hij begrijpt alleen de vage datering in cijfers: '17de tot 18de eeuw'. In elk geval, denkt hij, zijn de poppenhuizen duidelijk geclassificeerd als nationale schatten. Willem maakt een snelle berekening. Als een van zijn klasgenoten toevallig voorbij zou komen en hem in de zaal met poppenhuizen zou zien, zou hij er voor altijd mee gepest worden. Maar dan beseft hij iets anders. In deze kluis van nationale schatten heeft hij een ideale schuilplaats gevonden voor de kinderen van zijn nieuwe school, als dat bord echt klopt. *Verboden voor honden en joden.* Hoewel, dat bord is waarschijnlijk niet eens officieel. Niettemin loopt Willem naar binnen.

De poppenhuizen zijn geen echte poppenhuizen, tot Willems vage teleurstelling. Hij verwachtte miniatuurhuizen, geslonken bakstenen, minieme raampjes waardoor hij naar binnen zou kunnen kijken. In plaats daarvan ziet hij in vitrines elegante kabinetten, elk ongeveer een meter hoog, met glanzende, gespikkelde houten deuren die open staan achter de ramen van de vitrine. De kabinetten zijn verdeeld in vierkante vakjes, een volmaakt raster.

Maar in deze kubusvormige ruimten bevinden zich buitengewoon mooie miniatuurkamers. Salons, slaapkamers, keukens, voorraadkamers, muziekkamers, kinderkamers maken elk kabinet tot een volmaakte replica van het interieur van een elegant, ouderwets grachtenhuis. Hier is bijvoorbeeld een zitkamer. De ramen aan de achterzijde van het kabinet zijn behangen met prachtige fluwelen gordijntjes, aan weerszijden teruggetrokken met kleine, gevlochten, goudkleurige koorden. Tussen de ramen is een haard, een marmeren schoorsteenmantel en dan boekenkasten, gevuld met rijen minieme, in leer gebonden boeken. Zouden er echte woorden in staan? Van Willems kant van het glas is dat niet te zien. De piepkleine eettafel in de eetkamer is gedekt voor een groots diner. Elke plaats is gedekt met teer wit met blauw porselein, compleet met borden, soepkommen, wijnglazen en minuscule koffiekopjes. Het bestek is van zilver en op het uiteinde van elk stuk eetgerei is een monogram gegraveerd. Zilveren fruitschalen, precies als de schalen op de portretten in het museum en de randen gegraveerd met initialen en data, staan midden op de tafel. Op de schoorsteenmantel staan zilveren kandelaars. Met ivoor ingelegde bijzettafeltjes staan als schildwachten in de hoeken met kleine sieradendoosjes erop. Boven wachten hemelbedden met prachtige geschikte kussens op iemands miniatuurdromen.

Willem drukt zijn neus tegen het glas tot hij bijna het gevoel heeft in een van die kamers te wonen. Ineens wenst hij dat hij kon krimpen, krimpen, krimpen tot hij het juiste formaat had om in een van de met fluweel beklede stoelen te passen. Dan kon hij in een van de huizen naar binnen stappen en overal doorheen rennen: op alle pluchen banken gaan zitten, met een zilveren vork van het blauw-witte servies eten, bij de open haard zitten en, ongestoord, alle kleine boekjes uit de kleine kast lezen. Of op geheime plaatsen naar sleutels zoeken, en dan de talloze geheime laden in het huis openen. Plotseling ziet Willem iets bewegen in de kamer en hij huivert van schrik. Maar even later beseft hij dat het zijn eigen ogen waren die bewogen – zijn gezicht weerspiegeld in de spiegel met vergulde lijst boven de open haard.

Het echte probleem met Willems plan om zichzelf te laten krimpen en zo in de kleine kamers te passen, is uiteraard dat ze al bezet zijn. Alle huizen worden bevolkt door poppetjes, gekleed in vreemde kostuums, alsof ze naar een gemaskerd bal gaan. Maar dan begrijpt Willem dat de poppen een paar eeuwen achterlopen. De mannen dragen zwarte, vierkantige hoeden en schoenen met grote metalen gespen erop, donker genoeg om in de stoffering op te gaan, met uitzondering van hun gesteven witte kragen. De vrouwen dragen kleine mutsjes over hun haar en grote jurken met kanten lijfjes.

Maar er zijn niet genoeg poppen. In elk huis lijken niet meer dan enkele poppen te zijn, hoogstens vier of vijf misschien, terwijl de slaapkamers er meer kunnen herbergen en de eettafels voor veel meer zijn gedekt. Er moeten meer mensen in die huizen wonen, denkt Willem, die gewoon op reis zijn. Het gaat tenslotte om de zeventiende en achttiende eeuw, en dat betekent dat de Nederlanders plaatsen hadden om heen te gaan. Willem denkt aan de kooplieden uit de huizen, die op hun schepen vertrekken – waarnaartoe?

Naar Indië natuurlijk, op reis voor de Verenigde Oost-Indische Compagnie, of naar Indonesië of naar de Stille Zuidzee – Nederlands Oost-Indië, hadden ze op school geleerd – of naar Nederlands Guyana in Zuid-Amerika of naar Curaçao of Sint-Maarten in de Caribische Zee, allemaal behorend tot de wereld van het grote Nederlandse handelsrijk. (In het verleden veroverde iedereen de wereld voor vijftien minuten.) Willem stelt zich een reusachtig schip voor dat met bollende zeilen bij een ver tropisch eiland aanlegt en begroet wordt door naakte inboorlingen in kano's van uitgeholde boomstammen. Een ogenblik ziet hij de vrouwen voor zich, met bloemenslingers boven hun volledig naakte borsten, en hij geniet van de gedachte. Het is alsof hij daar is en ze aanraakt. En India – hier roept Willem zelfs de geur op, en zijn oogleden zakken terwijl hij diep de geur van wierook opsnuift, die uit een soort exotische pijp komt en donkere vrouwen – ook met ontblote borsten, mijmert hij – offers aan hun goden brengen. Willem stelt zich een schipbreuk op een Indiase kust voor en de arme westerse kooplieden, duizenden kilometers van huis, verloren in een land dat ze nooit van plan waren te ontdekken. Het is gemakkelijk om je dat tafereel bij daglicht voor te stellen, denkt Willem. Maar stel dat zo'n schipbreuk 's nachts plaatsvond? Stel dat ze aangespoeld waren op een geheimzinnige kust onder een zwart fluwelen raamscherm dat over de hemel was getrokken, in de dichte, vochtige nacht naar elkaars handen en gezicht tastten, het droge zand op kropen zonder te weten wie hen bij dageraad zou opwachten. Was dat vochtige blindemansstrand het verst waar iemand maar kon komen van een warm, klein, zacht schijnend Nederlands huis?

Het was waarschijnlijker, dacht Willem bij zichzelf, dat de poppenhuismensen naar Nieuw-Amsterdam waren gegaan, het grootste verlies van Nederland. En hier slaan Willems fantasieën op hol. Hij kent Engels van school in Wenen, leest zijn Engels-Duitse woordenboek met passie, begeerte bijna – zijn Engels is beter dan zijn Nederlands, hoewel hij het niet vaak hoort spreken. Maar als hij op de kaart keek, op de muur achter in de klas van de montessorischool, dwaalden zijn ogen op de een of andere manier altijd over de Atlantische Oceaan, van rechts naar links alsof hij een zin in de Hebreeuwse bijbel las. Wenen was vanuit zijn verbanningsoord achter in de klas niet te onderscheiden op de wereldkaart; Amsterdam zonk weg in een modderige delta van grens- en rivierlijnen, vrijwel verloren in de zee. Maar New York! Om de een of andere reden voelt Willem zich aangetrokken tot New York, en zijn geestesoog klimt omhoog in de metalen wolkenkrabbers die hij op foto's heeft gezien, kruipt door de spelonkachtige ravijnen van straten. De geringste gedachte eraan betovert hem: de hoge gebouwen, de brede trottoirs, de straten gelegd in volmaakte rechthoeken zodat niemand ooit kan verdwalen of erin kan verdwijnen, de gebouwenblokken verdeeld in nette kolommen en rijen, als een eierdoos. Wat een stommelingen waren de Nederlanders om dat kleine eiland kwijt te raken, die doos met glanzende eieren, overlopend van gretige mensenlevens, altijd op het punt uit te komen. De stip op de kaart met zijn luidruchtige zwarte letters in het Nederlands, NIEUW-YORK, viel op als een solide haak van een kapstok wachtend om iets — iemand? — eraan op te hangen. Zouden de poppenhuismensen daarheen reizen en nieuwe, lichtgevende pakhuizen voor een nieuwe wereld bouwen?

Nee, besluit Willem. Hij weet waar ze heen zijn gegaan. Naar de Barbarijse kust, aangevallen door barbaarse piraten, om nooit meer terug te keren. Sommigen komen niet eens zo ver. Ze verlaten Amsterdam en worden gevangengenomen door bandieten; hen wordt de keel doorgesneden voordat ze Hamburg bereiken of zelfs maar de stadsgrens van Amsterdam, hun bebloede lichamen, aan de vrieskou overgelaten, kleuren het ijs rood langs de besneeuwde weg. Buiten dit volmaakte kleine huis, dit gevoede en verwarmde toevluchtsoord, krabben de barbaren aan de poorten, slechts tegengehouden door dunne, golvende ramen van geïmporteerd glas!

'Jongeman, je moet het glas niet aanraken. Je kunt een schok krijgen, weet je.'

Willem schrikt van de stem. Hij is zo diep verzonken in zijn barbarendromen dat hij niet heeft gemerkt dat de suppoost naderbij kwam, gekleed in een zwart uniform, wapenstok in de hand. De suppoost is een dikke man, met dikke handen en een buik die over zijn brede, leren riem hangt. Zijn kale hoofd piept onder zijn pet vandaan, die een roze gezicht met helderblauwe ogen bekroont. Hij ademt door zijn mond, hijgt bijna. Wanneer hij zijn gezicht omlaag brengt tot Willems hoogte, bespeurt Willem een vage visgeur in zijn adem. Willem stapt instinctief van hem weg en brengt zijn neus iets bij het glas vandaan. Dat het glas onder stroom zou staan is een grapje van de suppoost, maar Willem weet dat niet. Toch voelt hij de behoefte deze stinkende man niet te gehoorzamen, koste wat het kost. Dit zijn zíjn nationale schatten!

Terwijl Willem bewust niet naar de suppoost kijkt en zo dicht mogelijk bij het glas blijft, richt hij zijn blik op het toilet van het poppenhuis. In de fractie van een seconde na het ruiken van de sardineadem, heeft Willem besloten zichzelf te dwingen naar het poppenhuis te blijven kijken, hoewel hij weet dat hij er niet tegen kan om bekeken te worden terwijl hij naar iets kijkt. Het herinnert hem aan zijn vader, aan de manier waarop die voortdurend op de loer ligt in de lege woning, zodat Willem zijn slaapkamerdeur niet kan openen zonder beledigingen over zich af te roepen. Maar tot zijn verbazing merkt Willem dat het toilet, dat hij tot nu toe nauwelijks had opgemerkt, in feite een van de meest intrigerende ruimtes in het poppenhuis is. Als hij goed kijkt, ziet hij dat het meer een opslagruimte is dan een toilet. Er is, uiteraard, geen sanitair – het gaat tenslotte om de zeventiende of achttiende eeuw – maar er zijn kommen, de ene kom na de andere, wijde kommen voor het wassen, gedeukte kommen voor het scheren, ronde kommen die dienst deden als adellijke urinalen, allemaal gemaakt van dat blauw-witte porselein. Zelfs de kamerpotten zijn prachtig. Al dat afgescheiden, in bedwang gehouden water, in de gewijde zalen van het huis gebracht op voorwaarde dat het in die kommen blijft. Het huis zou kunnen overstromen, natuurlijk, als het water uit de door de mens gemaakte grond naar binnen zou sijpelen. Waarschijnlijk is het zelfs overstroomd, want overstroming was een van de drie x'en op het stadswapen. Maar in deze ruimte is men veilig voor de verwoestingen van het water. Denkend aan al dat water voelt Willem ineens de drang om te plassen. Hij zet het idee uit zijn hoofd.

'Je bent wel dol op die poppenhuizen, hè? Ik heb nog nooit een jongen gezien die van poppenhuizen hield,' zegt de suppoost, en zijn stem krult rond het woord 'dol' op een manier die Willem doet denken aan een kleine worm die onverwachts uit een stuk fruit komt kruipen. Willem begrijpt elk woord van het Nederlands van de suppoost. Hij voelt zijn gezicht rood worden en bespeurt een lichte trilling tussen zijn benen. Hij opent een ogenblik zijn mond om te antwoorden en merkt dat zijn lippen aan elkaar plakken, samengesmolten door het niet-praten. Snel doet hij zijn mond weer dicht. Een verschrikkelijke gedachte komt bij hem op: hij kan niet praten, ook al zou hij het willen. Niet alleen omdat zijn Nederlands afschuwelijk is, maar ook omdat zijn Nederlands op een bepaalde manier afschuwelijk is. Als de suppoost zijn accent hoort, denkt Willem, is het spel uit. WELKOM IN HET RIJKSMUSEUM: *Verboden voor honden en joden*. Was dat bord voor het museum officieel of niet? Willem slikt, in het nauw gedreven door de glimlachende blik van de suppoost. Hij kijkt hem aan en knikt, en richt zijn blik dan weer op het poppenhuis. Beter op een meisje lijken dan op een jood.

'Kijk eens aan, een jongen die van poppenhuizen houdt. Weet je, ik vind ze ook mooi. Het is verbazingwekkend hoe gedetailleerd ze zijn. Het benodigde vakmanschap is gelijk aan dat van veel van de betere schilderijen in het museum, vind ik. In elk geval beter dan al die stillevens met fruitschalen. Als je het mij vraagt, worden ze te weinig gewaardeerd als kunstwerken.'

Arme man, denkt Willem. Hij werpt een blik op de mans linkerhand en ziet geen trouwring, alleen een stel zweterige vingers. Zou hij een vrouw hebben, vraagt Willem zich af. Kinderen? Vrienden? Of was hij ertoe veroordeeld de aarde in eenzaamheid te bewandelen en alleen te spreken met oude vrouwen op fietsen en magere jongens die musea binnenglippen? Willem huivert ongewild en verplaatst zijn gewicht van de ene voet op de andere. Hij wiegt heen en weer, een dansje bijna.

'Koud? We hebben vreselijk weer de laatste tijd, hè? Al die regen. Ik begrijp niet waarom mensen de enige mooie dag van deze week in een museum doorbrengen.' De suppoost giechelt, een walgelijk geluidje. Willem schudt zijn hoofd en buigt zijn neus weer naar het glas, en ineens moet hij weer denken aan het feit dat de neus een van de twee menselijke lichaamsdelen is dat blijft groeien. Hij kijkt weer naar de piepkleine nachtspiegels en wenst dat de suppoost weg zou gaan. Maar dat kan hij wel vergeten. De man heeft hem intussen wel geïnspireerd. Hij begint aan regen te denken, aan druilerige, waterige regen, water dat de po's in en uit stroomt, water dat door de fundamenten van het poppenhuis sijpelt, regen die zijn spiegelbeeld in de gracht verdrijft. Willem begint met zijn voeten op de grond te tikken, steeds luider. Er is iets wat hem ongeduldig maakt, waardoor hij zo snel mogelijk een einde wil maken aan deze ontmoeting. Maar wat?

'Moet je naar het toilet?'

Willem schudt van nee. Maar zelfs het hoofdschuddend gaat te lang door, wordt onderdeel van zijn blaasdansje. Hij probeert op te houden met het getik van zijn voeten en plast bijna in zijn broek. De suppoost lacht om hem en buigt zich voorover, een gênante buiging, tot op Willems ooghoogte.

'Nou, je mag dan niet van praten houden, maar je weet wel duidelijk te maken wat je denkt, hè! Luister, ik moet zelf ook naar de plee. Zullen we samen gaan? Het is te ingewikkeld voor je om het hiervandaan zelf te vinden.'

En samen gaan ze op weg, totdat, ongeveer halverwege, alarmbelletjes beginnen te rinkelen in Willems hoofd.

De pisbak. Terwijl ze zich door zaal na fruitgevulde zaal haasten, lijkt Willems hele toekomst tussen zijn benen te hangen. In enkele opzichten is het uiteraard een vertrouwd gevoel. Willem is tenslotte twaalf, en zijn gedachten lijken steeds meer daar hun oorsprong te vinden. Maar deze keer is er sprake van een echt gevaar. In Amerika, zal Bill jaren later denken, zien mensen er allemaal verschillend uit, tot je ze van hun kleren ontdoet en ontdekt dat ze in werkelijkheid allemaal hetzelfde zijn. In Europa zien mensen er allemaal hetzelfde uit, tot je ze van hun kleren ontdoet en ontdekt dat ze in werkelijkheid allemaal verschillend zijn, onherstelbaar verschillend, een verschil dat in hun vlees staat getekend. Maar hij kan nu niet meer wegrennen. Bovendien moet hij nodig.

Net voor ze bij het mannentoilet komen, komt een vrouw van begin twintig de gang door paraderen, in een rok die haar heupen omhelst en rond haar kuiten ruist terwijl ze het ene been voor het andere zwaait. Willem merkt het op. De suppoost geeft Willem een por en mompelt: 'Wat een stuk, hé?'

Willem knikt en kijkt snel naar de vloer. Het laatste wat hij nu moet doen is gaan fantaseren over een of ander meisje. De suppoost gaat hem voor naar het herentoilet en de deur zwaait achter hen dicht. Er is niemand anders.

'Heb je al een vriendin?' vraagt de suppoost glimlachend, en zijn stem borrelt als een stadsfontein.

Willem voelt dat hij een kleur krijgt. Hij ziet Jopie voor zich en schudt zijn hoofd. Nee.

De suppoost loopt naar een van de pisbakken, knoopt zijn broek open en begint te wauwelen.

'Het is moeilijk op jouw leeftijd. Maar je zult merken dat het beter wordt. Ik weet nog, toen ik van jouw leeftijd was — hoewel, een paar jaar ouder in feite, toen ik meer een man was, als je me begrijpt — werd ik verschrikkelijk verliefd op een meisje. Ze heette Lies, allemachtig wat een stuk. Groot van boven, groot van onderen, slank in het midden, ongelooflijk. Mijn enige doel in het leven was haar naakt te zien. Ik had een vriend die tegenover haar woonde en die had een kleine verrekijker. Ik ging altijd naar zijn huis, met een paar andere vrienden, en dan probeerden we na te gaan of ze thuis was en zaten we te wachten tot ze voor het raam verscheen. En ze verscheen, o ja. Het punt is dat ze wist dat we daar zaten. En dan ging ze voor het raam staan en boog zich voorover om langzaam haar rok open te maken, alsof ze zich echt recht voor onze ogen begon uit te kleden, maar dan, als ze ongeveer bij de derde knoop was, deed ze de gordijnen dicht. Precies op dat moment! Gewoon om ons gek te maken! Uiteindelijk heeft Peter haar gekregen, maar god nog aan toe, ik had een moord voor haar gepleegd.'

Willem ziet die Peter voor zich die altijd naar hem spoog op de montessorischool en slikt. Peters spugen altijd naar mensen, denkt Willem. Degenen die je als vuil behandelen, krijgen het meisje, het zal ook niet zo zijn.

Hij stapt naar een pisbak, twee verwijderd van die van de suppoost, en maakt zijn broek open, doodsbang. Er komt een beschamend klompje gefolterd vlees te voorschijn, gebruikt voor wellustige gedachten ten koste van Jopie, laat op de avond nadat zijn vaders vrouwen naar huis zijn gegaan. Op Willems nieuwe school leren ze uit de bijbel, ongeveer als op zijn oude montessorischool, in feite, alleen is deze bijbel maar half zo dik. Op school zit Willem het grootste deel van de tijd naar het plafond te staren, of in zijn boeken te bladeren op zoek naar interessante plaatjes in hoofdstukken waar ze met de klas nog niet zijn. De bijbel die de klas gebruikt, heeft geen plaatjes – Willem heeft het gecontroleerd. Maar toen hij er op zijn zoektocht een keer doorheen bladerde, viel zijn oog op een regel in de Nederlandse vertaling van iets wat het boek Job heette. Het was zo'n vreemde zin dat hij hem had overgeschreven in zijn notitieboek, en hij wist zeker dat hij hem verkeerd had vertaald toen hij hem in gedachten in het Duits omzette. Maar die avond controleerde hij het in de woordenboeken en ontdekte dat het vers echt betekende wat hij had gedacht: 'Nadat mijn huid aldus geschonden is, zal ik uit mijn vlees God aanschouwen.'

De zin was vreemd genoeg om hem ertoe te bewegen naar het begin van Job te gaan om te zien of er iets was wat hem zou kunnen verklaren. Hij vond geen verklaring, maar wat hij wel vond – ook al moest hij het woord voor woord vertalen en werkte hij er op een gegeven moment zijn hele wachttijd in de gang aan – nam hem volledig in beslag. Job, zo scheen het, was de naam van een man die 'vroom en oprecht was, godvrezend en wijkende van het kwaad', een gelukkig man, blijkbaar, met gelukkige kinderen en een rijkdom aan vee, die God altijd dankte voor wat hij had. Op een dag vroeg iemand die 'de Satan' werd genoemd (Willem wist niet helemaal wat hij daarvan moest denken en vermoedde iets geks in de voetnoten van de bijbel, maar ging niettemin verder) bijna plagend aan God of al dat goede geloof niet een beetje bedotterij was aangezien Job tenslotte weinig te klagen had. God besloot Satan een beetje met Job te laten spelen en toen begon het interessant te worden. Eerst werd al het vee geroofd dat Job bezat en toen werden zijn kinderen gedood door diverse rampen. Maar Job nam dit vrij goed op en bleef God ondanks hun dood loven. Toen werd Job geslagen met een soort huidziekte. De bijzonderheden hiervan gingen Willems vaardigheden met het woordenboek te boven, maar het leek erop dat Job uiteindelijk in een kuil zat en zichzelf krabde met een scherf van een bord (en hier ging er een rilling door Willem heen want hij herinnerde zich zijn moeders servies, kapot gesmeten op de vloer in Wenen). Toen kwamen drie vrienden van Job hem bezoeken, maar terwijl Willem hun namen las – Die-en-die de Zus-en-zo-iet, Andere die-en-die de Zus-en-zoiets-iet, weer Andere die-en-die de Zus-en-zowat-iet – vermoedde hij dat ze eigenlijk helemaal niet Jobs vrienden waren maar een soort gezanten die hun eigen saaie meningen kwamen geven over de reden waarom Job al die pech had verdiend. En pas toen stond Job op en vervloekte God.

Willem was trots op Job omdat hij dat had gedaan, en de zogenaamde vrienden en hun prekerige argumenten tegen de arme kerel maakten hem kwaad. Maar toen kwam het beste stuk, toen God Job antwoordde 'vanuit een storm' en brulde: 'Waar waart gij toen Ik de aarde grondvestte?' Ja, waar was hij? vroeg Willem zich af terwijl hij gehurkt in de gang zat, waarvan de vloer door de zakkende fundering van het huis schuin afliep naar de gracht. Maar de rest van Gods antwoord aan Job kwam Willem niet te weten, want die avond pakte zijn vader, die woest was op de vrouw die net voordat Willem binnenkwam de woning had verlaten, Willems boek af en gooide het in de kachel.

Bij de pisbak kijkt Willem omlaag naar zichzelf, naar het paars-
achtige litteken waar zijn huid was beschadigd tijdens de besnijdenis toen hij acht dagen oud was. Hij denkt aan Jopie en zijn gezicht
gloeit. Hij legt zijn vingers er lager omheen dan gewoonlijk en probeert er nonchalant uit te zien terwijl hij zijn best doet een deel van
zichzelf te verbergen voor het geval dat de suppoost een blik opzij
zou werpen en zou zien dat er iets ontbreekt. *Verboden voor honden
en joden*. Dat bord was waarschijnlijk niet eens officieel, denkt hij,
terwijl hij zijn trillende vingers probeert te bedwingen. Maar de
suppoost staat bij zijn pisbak een deuntje te fluiten en lijkt niet erg
geïnteresseerd in Willem. Als Willem zijn vingers zo goed mogelijk geschikt heeft, ontspant hij zich en begint te plassen. Maar
dan, terwijl hij omlaag kijkt naar zijn vreemd verstrengelde vingers, de ene duim boven op de andere, herinnert hij zich plotseling
iets wat lang geleden in het huis van zijn grootmoeder is gebeurd.
En terwijl hij zijn blaas leegt, voelt hij dat hij bijna moet huilen.

Willem weet niet waar het huis van zijn grootmoeder was, maar
hij weet dat het ver weg was, heel ver weg – zo ver weg dat zijn vader en moeder en hij 's nachts een trein moesten nemen om er te
komen, in een speciale slaapwagon waarin hij een bed deelde met
zijn moeder. (Waar was zijn vader tijdens de nachtelijke treinreis?
Willem denkt heel hard na, maar kan het zich niet herinneren.)
Het was eng om 's nachts met een trein te reizen, maar ook spannend, alsof je in een boot zat op open zee. De bedienden klopten
dan op de deur van hun slaaphut om te vragen of ze nog iets nodig
hadden, en zijn moeder glimlachte dan en zei nee, niets, dank u,
met die publieke stem van haar die helder en zuiver klonk, als één
enkele tik van een lepel tegen een wijnglas. En dan ging de deur
dicht en waren ze alleen in hun schone, lichtgevende ruimte, een
lichtdoos die door een eindeloze zee van duisternis zoefde. Zijn
moeder hield hem in haar armen en deed spelletjes met hem,
maakte tekeningen met hem in een schrijfblok tot het tijd was om
te gaan slapen. Dan klommen ze in bed, een gek bed met stijve witte lakens en te veel dekens, en dan deed zijn moeder het licht uit en
viel bijna meteen in slaap, alsof ze overdag alleen voor hem bestond

en 's nachts, in het geheim, terugkeerde naar een andere wereld. Maar Wilhelm had geen verleden, geen andere wereld om naar terug te gaan. Zijn enige wereld was de wereld in de lichtgevende slaaphut. Dus drukte hij zijn neus tegen het raam en staarde de duisternis buiten in, waar hij onmiddellijk zag dat de trein in feite nergens heen ging; hij voelde hem bewegen, zeker, maar aan de andere kant van het raam was niets anders dan een deken van duisternis, een hoog, zwaar gordijn dat over de hele wereld was getrokken. Hij staarde naar dat donkere gordijn tot hij er bang van werd en maakte zijn moeder wakker om haar te vertellen dat hij een enge droom had gehad. Ze geloofde hem altijd.

Zijn grootmoeders huis was 's nachts ook eng, maar alleen buiten. Buiten het huis – hij was een keer naar buiten geglipt toen zijn moeder druk bezig was met iets anders, en had van het korte moment genoten tot ze zijn verdwijning had opgemerkt en naar buiten was gerend om hem te zoeken – kon hij het gestamp van de buurmans melkgeit horen, die om de boom liep waaraan hij was vastgebonden omdat het hek stuk was, en wat andere dieren horen bewegen in hun slaap, en hij keek achterom naar het huis en zag zijn grootmoeder door het verlichte raam bij het fornuis staan koken met een afwezige uitdrukking op haar gezicht. Het was zijn grootmoeders huis, niet zijn grootvaders huis. Wilhelm had zijn grootvader nooit ontmoet, en Wilhelms vader ook niet – hij was gestorven voordat Wilhelms vader was geboren. Zijn grootmoeder stond daar alleen, omlijst door het raam. Door het raam ernaast kon Wilhelm zijn vader zien, die met gefronst voorhoofd, heen en weer benend, tegen haar praatte. Het was vreemd, die aanblik. Wilhelm wist dat het één kamer was, maar als hij er nooit binnen was geweest, zou hij zich dat niet hebben gerealiseerd. Het hadden twee kleine panelen kunnen zijn, een tweeluik, foto's in een lijst, naast elkaar hangend, zonder enig verband.

Maar in het huis was het knus en warm en klein en veilig. Na het eten zat Wilhelms moeder met hem op de scheve houten vloer, terwijl hij op blanco vellen papier tekende met houtskoolstiften die zijn grootmoeder hem had gegeven. Hij had overdag wat bladeren gevonden en zijn moeder leerde hem doordrukken maken door de bladeren op de vloer te leggen (Wilhelm had zich afgevraagd of dit de dode houten planken van de vloer tegen het hoofd zou stoten, maar de bladeren kwamen van planten, niet van bomen), er papier op te leggen en met zijn stiften – zachtjes nu – heen en weer en heen en weer en heen en weer over het papier te gaan tot een blad verscheen, als door tovenarij, alsof hij het tot leven had gewekt. Later, toen hij te veel afdrukken van bladeren had gemaakt, probeerde hij zijn hand na te tekenen op papier. Maar hij bleef maar van het papier glijden, en al snel pakte zijn moeder zijn hand, drukte die zachtjes op het vel papier voor hem en legde elk van haar vingers op de zijne, haar duim op zijn duim, terwijl hij zijn potlood rond hun opgestapelde handen liet gaan. Haar hand was warm en zacht, en hij had het gevoel, in elk van zijn vingers waar ze de hare raakten, dat een lichte, prachtige stroom uit haar vingers naar de zijne ging. Zijn potlood sloeg een stukje over, volgde haar vingers in plaats van de zijne en legde hun contouren op het papier vast. 'Zie je, nu maak je een afbeelding van je eigen hand, maar ook een afbeelding van mijn hand,' zei ze.

'Haar beeltenis is de jouwe en de jouwe is de hare, dat moet je weten, want alle mensen zijn geschapen naar Gods beeld en gelijkenis,' zei zijn grootmoeder ineens vanuit haar stoel. Wilhelms grootmoeder praatte op een rare manier die je alleen kon begrijpen als je eenmaal gewend was naar haar te luisteren, en soms dan nog niet eens, met allemaal verkeerde klinkers en gekke woorden en uitspraken, alsof ze uit een of ander vreemd oud boek las. (Jiddisch was dat.)

Wilhelms vader snauwde in het Duits: 'Moeder, wil je het hoofd van dat kind niet volstoppen met die barbaarse rotzooi.'

Zijn grootmoeder hief met een ruk haar hoofd op. 'Luister, jongeman, als je teruggaat naar die mooie stad van je, kun je zijn hoofd volstoppen met alle onzin die je wilt. Maar hier in dit huis zeg ik wat ik wil zeggen.' Wilhelms grootmoeder was de enige die zo tegen zijn vader kon praten en hem tot zwijgen wist te brengen. En hij bleef zwijgen tot ze terug waren in Wenen. Maar nu staat Willem voor de pisbak, houdt zich met zijn ene duim over de andere vast en vraagt zich af of hij wel of niet naar Gods beeld en gelijkenis is gemaakt. Is hij eigenlijk al een man? Nee, dat is wel duidelijk. En welke God zou voor een pisbak staan, een indringer in een huis vol schatten, zijn geslacht in zijn handen verbergend omdat hij bang was dat een of andere stomme suppoost zou zien dat hij het verbond had bezegeld in zijn vlees? Zal er ooit een meisje zijn dat hem wil, met zijn beschadigde huid? Zal hij uit zijn vlees ooit God aanschouwen? Het enige wat hij op dit moment ziet, is het gezicht van zijn moeder, en wanneer de suppoost klaar is en zich afwendt, moet hij zijn ogen dichtknijpen om te voorkomen dat zijn tranen in de pisbak glijden. Als ik ooit de moed bij elkaar kan rapen om Jopie aan te spreken, beseft hij, of een meisje te zoenen, of een meisje te vragen met me te trouwen, zal mijn moeder dat nooit weten. Op dat moment begrijpt hij plotseling dat hij zijn moeder nooit meer zal zien.

De wandeling van het museum naar huis is veel te kort. Het is donker geworden in de stad. Overal om hem heen gaan in de huizen langs de grachten lampen aan en de kamers erin lichten op als dia's van verre landen. Als Willem bij hun huis komt, ziet hij dat ook op hun verdieping licht brandt. Binnen zit zijn vader aan zijn bureau op een vel papier te schrijven. Een ogenblik heft zijn vader zijn hoofd op, alsof hij buiten iets hoort, maar dan gaat hij weer door met schrijven. Van waar hij zit, kan hij buiten niets zien. Willem belt aan en bonst op de deur, maar er is geen reactie. Zijn vader weet dat hij daar is, daar is Willem zeker van, maar dat maakt nauwelijks iets uit. Willem is gedwongen te kijken en te wachten.

En dus kijkt Willem. Het heeft iets weg van een stomme film. Zijn vader schrijft geconcentreerd; hij knijpt zijn ogen halfdicht en fronst zijn wenkbrauwen, en pauzeert regelmatig, als na elk woord. Willem begrijpt dat niet. Meestal als hij merkt dat zijn vader aan zijn bureau zit te werken − voordat hij zijn kamer weer induikt, voordat zijn vader merkt dat hij hem opmerkt − verbaast het hem hoe snel zijn vader schrijft. Maar nu zit zijn vader daar als een schooljongen, worstelend om zijn pen op papier te krijgen, zijn tanden in zijn onderlip, bang. Net als Willem.

De stomme film draait verder wanneer Willems vader de pen neerlegt en de pagina doorleest die hij zojuist heeft geschreven, langzaam, met bewegende lippen. Na een hele tijd, voor zijn gevoel, pakt hij het vel papier van de tafel, vouwt het zorgvuldig en stopt het in een envelop. En dan eindigt de stomme film: Willems vader staat op en loopt weg. Even later laat hij Willem binnen.

Ze zeggen geen woord tegen elkaar. Als ze eenmaal binnen zijn, keert Willems vader Willem zijn rug toe en gaat weer aan zijn bureau zitten. Maar Willlem heeft iets nieuws opgemerkt in huis. Op de tafel liggen vijf enveloppen, stuk voor stuk, in zijn vaders handschrift, geadresseerd aan Amerika.

Willem heeft twee of drie keer eerder zulke stapels brieven in huis gezien, maar zijn vader had ze altijd weggegraaid voordat Willem ze goed kon bekijken. Deze keer, met een blik op zijn vaders rug, pakt Willem ze zo zachtjes mogelijk op en neemt het stapeltje door. Vijf brieven, ja, allemaal gericht aan mensen in Amerika. Drie adressen in New York, en twee in New Jersey, waar hij nog nooit van heeft gehoord. Maar de namen op de brieven intrigeren hem nog meer. Het zijn vreemde namen, rare namen, als de namen die hij zich herinnert gehoord te hebben bij zijn grootmoeder thuis, lang geleden. Moyshe. Shmuel. Freydl. En ze lijken allevijf dezelfde achternaam te hebben, hoewel de adressen allemaal verschillend zijn. Maar het zijn ook allemaal Amerikanen. Op elke brief heeft Willems vader in reusachtige letters 'USA' geschreven. Wie zijn die mensen? Hoe kent zijn vader hen? Willem vraagt niets, hij weet wel beter. In plaats daarvan legt hij de brieven terug op de tafel, precies zoals ze er lagen, glipt zijn slaapkamer in en sluit de deur achter zich.

Eerst had hij het koud en was hij hongerig en moe. Maar nu, terwijl hij op zijn matras op de vloer ligt, kan hij nergens anders meer aan denken dan aan die brieven. In Willems dromen komen de namen op de enveloppen tot leven: vijf mensen dansend in een kring in een of ander reusachtig Amerikaans huis, en Willem danst in het midden. Tussen hun gelach door, hoort Willem iemand op de deur bonzen. Het is zijn vader, maar ze weigeren hem binnen te laten.

Als oude man houdt Bill Landsmann niet van films. Hij geeft de voorkeur aan dia's, laat de context aan de verbeelding over, schrijft zijn eigen script. In plaats van een film had Bill Landsmann, aan iedereen die het wilde zien, waarschijnlijk één enkel beeld gepresenteerd: zijn vader achter het raam, een brief schrijvend, slechts omlijst door mogelijkheden, niet wetend dat dit moment al begraven was onder zo veel andere momenten die erna kwamen – niet wetend, terwijl hij achter de dunne glasplaat zit, dat hij bezig was te verdrinken in alle keuzes die hem uiteindelijk zouden vernietigen.

4

De ontbrekende schakel

Drie jaar na Jason, aan Amsterdam Avenue, vond Leora eindelijk de tefillien.

Leora's leven draaide nu om haar werk en ze was er uitmuntend in. Ze had, toen ze twintig was, haar eigen journalistieke methode gevonden na één enkel gesprek dat had plaatsgevonden op het bureau van de universiteitskrant. Ze was die avond een beetje laat geweest en toen ze er kwam, gonsde het op de redactie van bedrijvigheid. Over het algemeen had de krant op de voorpagina artikelen over zulke dringende zaken als de pensionering van een decaan. Maar die avond rinkelden verscheidene telefoons tegelijk, stonden redacteuren en verslaggevers erin te schreeuwen, en braakten de printers de ene na de andere pagina uit.

Leora stond hoogst verbijsterd bij de deur, als een buitenlandse ruilstudent die zich afvraagt of hij wel de juiste deur is binnengegaan. Jessica, een van de oudere redacteuren, die later in dienst zou worden genomen door een groot dagblad, zag haar en stormde op haar af.

'Waarom ben je zo laat? We hebben een geweldig verhaal vandaag,' zei Jessica tegen haar. 'Het wordt een spannende avond.'

'Hoezo, wat is er aan de hand?' vroeg Leora.

'Een of andere derdejaars, Joe Solovey, heeft zelfmoord gepleegd. Ze hebben zijn lichaam richting stad op de treinrails gevonden,' zei Jessica ademloos.

Joe Solovey woonde op de verdieping boven Leora in het studentenhuis. Hij wilde operazanger worden en Leora had hem vaak door het plafond zijn toonladders horen zingen. In die toonladders hoorde Leora bijna een fysieke beweging, alsof de stem van Joe Solovey in feite Joe Solovey zelf was die een denkbeeldige rots beklom, hoger en hoger tot hij eindelijk een hand op de richel boven hem kon leggen – maar net voordat hij die hoogte had bereikt, viel hij omlaag in een cascade van tonen en gleed helemaal terug naar beneden. Het kwam op Leora over alsof ze getuige was van een wilsstrijd, een gevecht, een worsteling, die altijd in een nederlaag eindigde, maar desondanks opnieuw werd aangegaan, elke keer. Joe Solovey was een man die niet in staat was zijn werk te voltooien, maar ook niet in staat was het neer te leggen. Ze waren niet bevriend, Joe Solovey en zij, maar kenden elkaar van naam. Ze had een keer een praatje met hem gemaakt in de wasruimte. Hij had, voor een stapel niet bij elkaar passende sokken, een indrukwekkend goede imitatie weggegeven van Leora's kamergenootje en met zijn goed getrainde stem haar intonaties nagebootst. Leora had gelachen en hem verteld dat hij voorbestemd was voor het toneel.

'Kom, we hebben ontzettend veel te doen,' zei Jessica enthousiast.

Jessica liep weg voordat Leora, nog verbijsterd, kon schreeuwen wat ze Jessica in haar gezicht wilde schreeuwen: *Ik walg van je, ik word misselijk van je, barbaar!*

In plaats daarvan rende Leora naar het toilet, waar ze zichzelf twintig minuten in een wc-hokje opsloot, en met haar broek nog aan op de bril ging zitten en probeerde te huilen. Ze kon niet huilen. Het enige wat ze kon, was zich dat met plassen bedekte graf in East Mountain Reservation voorstellen en zich afvragen of de familie van Joe Solovey joods was, en hopen dat ze, als ze dat waren, een of andere officiële plek konden vinden waardoor ze hem niet alleen ergens in de bossen zouden hoeven te begraven. Maar hoe ze ook haar best deed, ze kon niet huilen.

In de weken die volgden, op de stille middagen waarop het plafond niet langer Joes toonladders zong, kwam Leora tot de conclusie dat de barbaarse manier de juiste manier was – of, als het niet de juiste manier was, op zijn minst de beste manier. Het was veel beter, veel prettiger, veel beter mogelijk om zulke gebeurtenissen zo te zien: als gebeurtenissen, incidenten, een 'spannende avond', een geweldig verhaal. Ze besloot dat ze na haar afstuderen journalist wilde worden.

Het had gewerkt. En Leora blonk niet alleen uit als verslaggever, wat gemakkelijk het geval had kunnen zijn. Nee, Leora had zich ook bekwaamd in het themaverhaal, het persoonlijke verhaal, het type verhaal dat ouders uit tijdschriften knippen en aan hun volwassen kinderen sturen. Ze had oog voor detail, kon het perfecte hartverscheurende beeld schetsen, wist precies waar ze een adembenemend citaat moest plaatsen. Ze werd geprezen voor haar werk, kreeg zo nu en dan zelfs een brief van een lezer waarin gekwijld werd over haar 'ontroerende' verhalen, haar 'gevoeligheid'. Een barbaar zijn was gemakkelijk. Je kon de hele wereld veroveren als je wilde.

Maar buiten haar werk was het Leora niet gelukt de wereld te veroveren, of het ook maar te proberen. In plaats daarvan, omdat ze niet de aandacht wilde trekken van nog meer licht gestoorde individuen – zoals zeventigjarige kleptomanen die geobsedeerd werden door Centraal-Aziatische joden, of eenentwintigjarige bekeerlingen met een neiging bedreigde diersoorten te vangen – probeerde ze iets wat ze nooit eerder had geprobeerd: normaal zijn, of op zijn minst gewoon zijn, of op zijn allerminst middelmatig zijn. Toen ze dit eenmaal had besloten, was het niet zo moeilijk. Het leven van de meeste mensen van haar leeftijd, concludeerde ze, kon in verschillende voorspelbare segmenten worden opgedeeld, waarbij voorspelbaarheid, uiteraard, de sleutel was voor gewoon-zijn. Een gewoon iemand, was haar theorie, was iemand die zijn leven in groepen jaren kon opdelen die zo voorspelbaar waren dat ze bijna genoemd konden worden naar verschillende soorten kaas. De cheddarjaren, om te beginnen, de periode waarin het leven verpakt is in krimpfolie gedecoreerd met superhelden, in bruine papieren zakken, die alleen geopend worden op aangewezen momenten van vrijheid, wanneer vrijheid een last is die je dwingt te bepalen waar je thuishoort: aan de lunchtafel met de populaire kinderen, of met de nerds? Dan kwamen de mozzarellajaren, snelle jaren waarin het leven in een doos aan je deur wordt afgeleverd, zo heet en vers alsof je het zelf had gemaakt, en je geniet ervan in geweldige hoeveel-heden en tientallen anderen eten met je mee. Veel later beginnen sommigen aan de jaren van de brie en camembert, het leven geser-veerd in beschaafde plakken of alleen te voorschijn gehaald voor belangrijke gasten. Maar daartussenin zijn er de parmezaanse ja-ren: jaren waarin het leven met kleine spurten tegelijk komt, niet een ding-op-zich, maar iets om de ongekruide seizoenen waarin je in je eentje eet mee te kruiden. Je zou kunnen stellen dat ze te veel betekenis aan kaas toeschreef. Maar zo voelde het leven voor Leora terwijl ze elke avond spaghetti voor zichzelf maakte in haar appar-tement op de hoek van West Ninety-second Street en Amsterdam Avenue, haar zwaar bevochten plekje in het coördinatenstelsel van New York.

Het grote geheim van de stad New York is dat, hoezeer ze ook hun best doen het te verbergen, alle witteboorden-New Yorkers in Manhattan van buiten de stad komen. Uit de statistieken blijkt dat in de afgelopen vijfentwintig jaar niet meer dan twaalf mensen ge-boren en getogen zijn in Manhattan, en negen van hen zijn nu stu-diobazen in Californië terwijl de andere drie onafhankelijk onder-zoek doen in voormalige sovjetrepublieken. Leora deelde een appartement met twee andere niet-New Yorkers, Lauren en Me-lanie, saaie mensen die altijd vragen met vragen beantwoordden: 'Ik heb op SUNY Binghamton gezeten? Ik ben afgestudeerd in psy-chologie?' Ze hadden zulke saaie banen dat Leora zich niet eens kon herinneren wat ze deden. Ze herinnerde zich vaag dat Lauren tegen haar had gezegd, haar stem aan het eind van elke zin om-hoog gooiend: 'Ik houd websites bij? Voor onze klanten?' Melanie deed iets technisch met fondsenwerving, maar te oordelen naar het aantal doorgestuurde e-mailgrappen die Leora dagelijks vanaf haar werk ontving, leek het niet erg waarschijnlijk dat ze ooit echt werkte. Lauren en Melanie waren uiteraard niet de enige mensen met wie Leora aan Amsterdam Avenue woonde. De afgelopen drie jaar had ze gemiddeld minstens eens in de negen maanden een huisgenootje ingeruild, aangezien de verschillende huisgenootjes – die allemaal net zo goed Lauren of Melanie hadden kunnen heten – waren vertrokken om met hun vriendjes te gaan samenwonen. De overlevingskansen aan Amsterdam Avenue waren schrikbarend laag.

Leora, Lauren en Melanie sliepen op futons, aten van plastic picknickborden, hingen hun posters met plakkers aan de muren en brachten hun avonden door bij het licht van halogeenlampen. Ze brachten hun kranten naar de papierbak, wisten hun boodschappen van het antwoordapparaat en waren zelden gelijktijdig in het appartement. Ze kochten allemaal hun eigen eten en overwogen niet eens hun boodschappen gezamenlijk in te slaan; ze gaven op de een of andere manier de voorkeur aan de drie halve liters sinaasappelsap die wekelijks de koelkast verstopten. Ieder voor zich. Lauren was de enige die de moeite nam de badkamer schoon te maken. Er waren een paar potten en pannen, aangesleept door verschillende ouders op verschillende verhuisdagen en bij vertrek naar behoren nagelaten aan het appartement in het algemeen, maar alleen de spaghettipan werd met enige regelmaat gebruikt. De grote meerderheid van hun drinkgerei bestond uit mokken met de namen van verzekeringsmaatschappijen erop. Het was alsof ze allemaal een geheim, ongeschreven contract hadden getekend waarin bepaald werd dat het de moeite niet waard was om echte vorken te kopen of dingen te laten inlijsten of echte bedden aan te schaffen, dat dit niet het echte leven was maar een soort generale repetitie, dat ze daar niet lang zouden blijven. Intussen gingen maanden, seizoenen en jaren voorbij, zag het appartement vijf verschillende Laurens en Melanies passeren en at Leora nog steeds parmezaanse kaas.

Natuurlijk had Leora naast de wisselende Laurens en Melanies mensen om mee te praten. Er waren mensen op haar werk, bijvoorbeeld: een steeds veranderende stroom aan Erics en Jeffs, met overlevingskansen die overeenkwamen met die aan Amsterdam Avenue. En dan waren er nog de mensen die ze kende van de synagoge, waar ze nooit echt lid van was geworden omdat ze tenslotte niet van plan was daar erg lang te blijven. De synagoge was wat strikter en traditioneler dan ze eigenlijk wilde, maar ze bleef er toch heen gaan omdat vrijwel niemand die jonger was dan vijfendertig naar de meer liberale synagogen ging. De mensen van de synagoge – voornamelijk Rebecca's en Debbies – waren van een iets ander slag dan de Laurens en Melanies. De Laurens en Melanies brachten hun vrijdagavonden graag in bars door, op zoek naar mannen. Doordat Leora haar vrijdagavonden afwisselend op de ene en de andere manier doorbracht – in een bar met de Melanies of aan een sabbatdiner met de Debbies – merkte ze dat de twee avonden in feite weinig van elkaar verschilden. De Melanies waren op zoek naar een vaste vriend. De Debbies waren op zoek naar een echtgenoot. De gegadigden voor deze posities bestonden in beide groepen voornamelijk uit jongemannen van vijfentwintig die indruk op je probeerden te maken door de naam op te noemen van het bedrijf waarvoor ze werkten, in de verwachting dat je geïnteresseerd was. De ene groep deed zijn halogeenlampen op vrijdagavond aan en uit terwijl de andere zijn halogeenlampen aan en uit deed met geprogrammeerde tijdklokken. Een technisch detail. De gesprekken in beide situaties draaiden rond roddel en tv. Voor beide groepen was de vrijdagavond de avond om je te ontspannen, van het leven te genieten, je levensgezel te vinden, de echte uitgaansavond. Maar niemand wilde die avond doorbrengen met denken of dromen, niemand wilde er een lekker avondje thuis van maken. Hoe hard ze ook zocht, Leora kon niemand vinden die bereid was het sabbatdiner te laten volgen door een vertoning van *Gandhi*. Dus bleef ze, steeds vaker, alleen thuis op vrijdagavond, en soms ook op zaterdag- en zondagavond. Na een tijdje vond ze het niet erg meer.

Het enige wat het appartement een beetje opfleurde, was een eenvoudige koperen kroonluchter die boven de enige tafel hing. Soms, als ze aan een verhaal voor haar tijdschrift werkte maar geen zin had om laat op de avond in haar hokje te zitten, zette ze na thuiskomst haar kleine computer op de tafel en typte de nacht in onder het maanlicht van de kroonluchter. De kroonluchter had aan de onderkant een glanzende bol en als ze ernaar opkeek, zag ze haar eigen spiegelbeeld op het ronde oppervlak alsof ze door de verkeerde lens van een telescoop keek. Ze merkte dat ze steeds dieper wegkromp in het appartement, waarvan de muren in het spiegelbeeld om haar heen bogen als een wit houten frame dat in water is geweekt tot het gebogen is. Soms, als het verhaal waar ze aan werkte erg saai bleek te zijn, stak ze haar hand uit naar de kroonluchter en gaf hem een duwtje. De elektrische nepkaarsen op de kroon draaiden dan rond als een carrousel, wierpen schaduwen op de muren die bogen en tolden, uitzinnig lang werden, zodat de carrouselpaarden tot afgrijselijk grote proporties uitgroeiden en dan tot angstwekkend kleine proporties krompen, terwijl hun reusachtige paardenmonden naar de arme denkbeeldige kinderen lachten die ze bereden en gedwongen waren met ze mee te groeien en te krimpen.

Leora wist dat ze geacht werd de beste tijd van haar leven te hebben, van elke gebeurtenis te genieten, zich te verheugen in alle nieuwe mensen die ze met elke nieuwe Melanie die het huurcontract tekende, zou ontmoeten. Maar in de tijd die ze in dat verwrongen witte frame van muren had gewoond, was ze ineens ouder geworden. Haar gezicht verhardde tot een portret, een chemische combinatie van lichte en donkere delen, vastgelegd op een ouderwetse diafilm en geworpen op de schaduw achter haar, op de gebogen witte muren van het appartement. Ze werd een projectie.

En toen, op een maandagochtend in de donkerste dagen van haar derde winter aan Amsterdam Avenue, vond ze ten slotte de tefillien.

Hoewel de winkel maar een paar blokken van haar appartement was verwijderd, kwam Leora er bij toeval terecht door een opdracht die verband hield met haar werk. Via het persbureau was een verhaal binnengekomen met de titel 'Ontbrekende schakel gevonden in New Yorkse winkel', en haar tijdschrift stuurde haar erheen om het uit te zoeken. Een geheimzinnige man had blijkbaar kort tevoren wat spullen verkocht aan de eigenaar van een curiosawinkel aan Amsterdam Avenue. De man, niet meer dan een boodschapper die de nalatenschap van een overleden verzamelaar van de hand deed, had in niets laten merken dat zijn waren – hoofdzakelijk menselijke en dierlijke beenderen – iets buitengewoons zouden omvatten, dus had de winkel weinig gegevens over de herkomst van de spullen bewaard. Maar toen een wetenschapper van het nabije Museum voor Natuurlijke Historie langskwam, op zoek naar een verjaardagscadeau voor een vriend, merkte hij dat een van de schedels op de planken in de winkel, voor de leek een normaal uitziende schedel van een uitgestorven primaat, niet paste in een van de bekende categorieën van de mens in de evolutie.

De man kocht de schedel niet, omdat de prijs zijn draagkracht te boven ging, maar bracht wel een team van paleobiologen naar de winkel. Het daaropvolgende onderzoek bevestigde zijn vermoedens. De schedel kwam niet overeen met die van een bestaand dier, zelfs niet met die van een bekende uitgestorven diersoort. Hij leek in verschillende opzichten zowel op de *Homo erectus* als op de *Homo sapiens*, had wat trekken van de Javamens en andere van de Pekingmens en weer andere van de Neanderthaler, maar het was niet het een of het ander – hij zat er, verwarrend genoeg, ergens tussenin. De schedel was het enige spoor van een lange periode uit de menselijke geschiedenis, of de menselijke prehistorie, of premenselijke prehistorie, het enige overblijfsel van een verloren vijftigduizend jaar, en was bij toeval in New York terechtgekomen. De bezitter ervan, die waarschijnlijk bij leven geen naam had gehad – mogelijk een van de laatste mensen uit de premenselijke prehistorie die helemaal geen naam had gehad – werd de 'Amsterdam Avenue-mens' genoemd. Of, verkort, de ontbrekende schakel.

De winkel waar de schedel was opgedoken heette Random Accessories. Met zo'n naam, dacht Leora, was er geen excuus om niet Random Access genoemd te worden, of, beter nog, Random Excess. Winkelnamen als Random Accessories waren dingen die Leora beledigend vond in het dagelijks leven. Ze had bijvoorbeeld altijd een zwangerschapswinkel wilde openen, alleen om hem Grote Verwachtingen te kunnen noemen. In plaats daarvan was ze gedwongen te lopen door een stad vol zwangerschapswinkels met namen als In Verwachting van Grote Dingen. Een labyrint van onvervulde mogelijkheden en gemiste kansen gerangschikt naar straatnummer.

Maar toen ze haar interview met Random Accessories regelde, hoorde ze opgelucht dat de zaak eigendom was en geleid werd door een man die Rick Random heette. De heer Random was net aan het eind van een interview met iemand anders toen Leora bij zijn winkel arriveerde, dus keek ze wat rond in de winkel en maakte aantekeningen, technisch, maar in feite doodde ze alleen maar de tijd. Een paar minuten later was ze echter gefascineerd of, om in termen van schedels en kaken te spreken, met huid en haar opgeslokt.

De heer Random had een boeiende verzameling spullen die ooit buitengewoon nuttig waren geweest, zozeer dat iemand die honderd jaar geleden leefde Random Accessories had kunnen binnenlopen en daar een soort tegenpool van Costco had aangetroffen: een winkel die veel levensbenodigdheden verkocht, maar in kleine hoeveelheden en voor exorbitant hoge prijzen. Een wasbord, met een prijs van 150 dollar, wachtte op kopers. Eén hoek stond vol met karntonnen. In een andere hoek stonden naaimachines – door het Amerikaanse ministerie van Handel, had Leora in een recent artikel gelezen, van de categorie 'uitrusting' naar de categorie 'recreatie' overgebracht – zwijgend te wachten en zich af te vragen of iemand ooit nog een voet op het krakende trappedaal zou zetten en ze nieuw leven zou inblazen.

Het meest fascinerend, in eerste instantie, waren de beenderen, die eveneens, veronderstelde ze, tot de categorie behoorden van dingen die ooit nuttig waren. Het leek niet zo merkwaardig te zijn dat vreemden ongemarkeerde delen van skeletten aan de deur van meneer Random afleverden, want een groot percentage van zijn inventaris leek uit beenderen te bestaan. Menselijke beenderen, dierlijke beenderen, beenderen die eruitzagen alsof ze van niets anders konden zijn dan allang uitgestorven reusachtige dieren. Scherpgetande schedels van katten, samengevoegd met ribbenkasten die groot genoeg waren om een gevangen rat te herbergen. Maar voor het grootste deel waren het mensenschedels die, grijnzend van oorgat tot oorgat, in lange rijen stonden opgesteld als een nachtmerrieachtige uitstalling afkomstig van de Cambodjaanse slagvelden. Toen Leora naar de rijen schedels stond te staren, kreeg ze het gevoel dat zij niet zozeer naar hen keek, maar zij naar haar. Vooral dat gegrijns bracht haar van slag. Wat vreemd dacht ze, dat je moet leven om te kunnen fronsen. Ze wendde zich af van hun oogkassen en kwam bij een plank met een vergeeld pamflet:

ATTENTIE, ATTENTIE!!!!
NEW YORK ZINKT WEG IN DE OCEAAN!

Het lettertype, een smalle, vette drukletter die het pamflet onmiskenbaar dateerde, op dezelfde manier als het lettertype Times New Roman op een dag Leora's tijdschrift zou dateren, had iets droevigs tussen zijn dwarsstreepjes, net zoiets droevigs als het ziekelijke geelgroen van foto's en films van dertig jaar geleden. De ruitvormige versieringen op de lange letters staken uit als knokige knieën, de verdraaide heupen van een oude man die, te misvormd om te rennen, met stotende, ongelijke stappen voorthobbelt. Uiteraard waren het niet zozeer de letters als wel de woorden die in een holle ruimte in haar binnenste zonken. ATTENTIE, ATTENTIE!!!! schreeuwden ze. Gevangen tussen de dubbele T's kwijnde een tijd waarin 'attentie!' zeggen voldoende was om iemands aandacht te krijgen.

Ze draaide het vergeelde pamflet om, en de hoeken verkruimelden in haar hand als de afbrokkelende hoekstenen van de stad. Het pamflet beschreef in pijnlijke details hoe het gewicht van de pasgebouwde 'wolkenkrabbers' bezig was het eiland Manhattan in alarmerend tempo te verpletteren. Verschillende wetenschappers gingen ervan uit dat New York City binnen drie jaar in zee zou verdwijnen. Alle inwoners werd aangeraden hun bezittingen te verkopen – het pamflet vertelde er niet bij wie de ongelukkige kopers zouden moeten zijn – en naar New Jersey te vluchten voordat het te laat zou zijn. Terwijl ze haar ogen vluchtig over de tekst liet gaan, herinnerde ze zich dat ze een keer over deze negentiende-eeuwse bedotterij had gelezen. Mensen hadden het bericht geloofd, en degenen die het zich konden veroorloven waren haastig naar New Jersey vertrokken, het armzalige afval op de krioelende kusten van de stad achterlatend om in zee te verdwijnen. De geteisterden die te arm waren om aan vertrek te denken, bewaarden hun vlucht naar New Jersey echter voor latere generaties, toen hun nakomelingen de duistere straten van de stad verruilden voor nog duisterder straten, in dit geval door bomen in plaats van charlatans en dieven. Toen ze het pamflet teruglegde op de plank werd haar aandacht echter getrokken door iets op de plank ernaast: een geschilderd poppenhuis van blik.

Niet veel bezoekers van de winkel zouden dit bepaalde artikel van Random Accessories beschouwen als iets meer dan kinderspeelgoed, maar Leora's ervaring met het nalopen van willekeurige feiten had haar goed getraind in trivialiteiten. Voor een verhaal over het patentbureau had ze ooit verscheidene uren doorgebracht op de octrooiafdeling van de Openbare Bibliotheek van New York, waar ze de patenten had onderzocht op, nota bene, muizenvallen. De ongelooflijke variëteit aan gepatenteerde muizenvallen die in de afgelopen honderd jaar in Amerika zijn geproduceerd is nauwelijks voorstelbaar – het was alsof het land een plaag had meegemaakt. De vertrouwde klapval en een variëteit van de op lijm gebaseerde vallen hadden het volgehouden, maar wat Leora was bijgebleven waren die vallen die niet zozeer gemaakt leken om de muis uit te schakelen als wel om de vallenzetter te vermaken. Een bol van glas of doorzichtig plastic, bijvoorbeeld, die de muis betrad via een gevoelig deurtje dat alleen van buitenaf kon worden geopend en die hem dwong de ruimte door te reizen terwijl hij door de bol dribbelde op zoek naar een uitweg. Deze behoorde tot de 'menselijke' vallen, waarbij het idee was de muis in een nabijgelegen veld los te laten. (Hierbij werd er uiteraard van uitgegaan dat iemand over 'nabijgelegen velden' beschikte.) Een andere, minder 'menselijke' val, liet de muis een aantal keren rondrennen in een soort tredmolen voordat zijn kop werd afgehakt.

Maar het mooiste exemplaar, dat nu voor haar in Random Accessories stond, was het 'muizenhuis'. Dit beschilderde miniatuurhuis met een open achterzijde, ontworpen als een poppenhuis voor een kind en omringd door een met water gevulde goot, lokte het ten dode opgeschreven ongedierte met een spoor van voedsel via alle kamers en drie trappen naar het dak. Daar werd de muis door zijn eigen gewicht een elektrische schok toegediend die zijn verminkte lichaam tuimelend naar het water beneden stuurde. Leora keek naar de muizenval met zijn ongemeubileerde kamers en voelde haar borst samenknijpen.

'Jij bent de verslaggeefster?'

Leora schrok op. De stem had net over haar schouder geklonken, bijna in haar oor. Toen ze zich omdraaide, zag ze meneer Random al naar zijn bureau lopen, waar ze konden gaan zitten. Met grote opluchting liet ze het muizenhuis voor wat het was.

Meneer Random was een dikke man van tegen de zestig, die niet te diep over de dingen nadacht en daardoor een beter mens was. Leora stelde hem alle voor de hand liggende vragen over de schedel, die – zijn afschrikwekkende prehistorische grijns grijnzend – op de tafel voor hen stond, en hij beantwoordde ze met de verwondering van een man die niet gewend is aan ontzag en er geen woorden voor heeft, behalve de woorden die gebruikt worden om het fantastische spel tijdens de laatste Super Bowl te beschrijven.

'Het is toch niet te geloven? Ik bedoel, daar heb je die vent, die god mag weten hoe oud is, al miljoenen jaren dood, en iemand graaft hem ergens op, waarschijnlijk per ongeluk, en dan duikt-ie in mijn winkel op. Ik bedoel maar, de kans daarop is zo klein.' Het interview leverde geen verrassingen op. Het was zo'n soort artikel waarin het niet om de ontdekte informatie ging, maar om het vinden van een manier om de lezer te laten zien dat het belangrijk was – een manier om hem te laten zeggen, net als meneer Random had gedaan: 'Het is toch niet te geloven?' Dat was Leora's specialiteit. Al voor ze bij de winkel was aangekomen, had ze het verhaal in haar hoofd; de feiten van tijd tot tijd onderbreken met kleine zinnetjes: *Een vluchtige glimp door lege oogkassen van de verre geschiedenis. Een gril van het lot, blootlegging van begraven schatten uit een vergeten tijd.* En zo verder, tot aan de woordgrens. Eenmaal ontdaan van overbodige woorden, zou het nog beter zijn. *Een glimp van de geschiedenis. Grillen van het lot. Vergeten tijd.*

Nadat ze al haar vragen had gesteld, zag Leora dat een andere verslaggever, gewapend met zijn eigen bandrecorder en notitieblok, de winkel was binnengekomen. Ze bedankte de heer Random en maakte aanstalten de winkel te verlaten. Maar onderweg naar buiten zag ze iets op een plank bij de deur en ze bleef als aan de grond genageld staan: twee uitgedroogde doosjes, gewikkeld in bundels bijbehorende leren riemen. Tefillien.

Ze stond voor de plank, eerst om ze alleen te bewonderen, maar toen wierp ze een blik over haar schouder om zeker te weten dat meneer Random het niet zou merken en nam ze ze in haar handen. Tefillien, besefte ze, waren nu geclassificeerd als een 'Random Accessory'.

Maar deze tefillien waren willekeuriger dan de meeste. Ze waren bijzonder oud. Het leer schilferde op haar handen. Een van de doosjes, het doosje dat op de arm moest worden gebonden, was zo gebarsten dat het perkament erin zichtbaar was. Ze pakte de leren riempjes tussen haar vingers, wikkelde ze los en wrikte het doosje iets verder open, tot het perkament dat erin zat op de plank viel. Terwijl ze het doosje in haar ene hand hield, rolde ze het velletje perkament op de metalen plank uit en begon de Hebreeuwse woorden te lezen die ze duizenden keren eerder had gelezen, met de hand geschreven in het gebruikelijke schrift:

Hoor, Israël: de Here is onze God: de Here is één!

Er is iets gebeurd in de wereld gedurende de laatste drie- of vierduizend jaar, dacht ze. Het aantal goden was snel teruggelopen, het soort terugloop dat mensen zou verontrusten als het de ocelot of de gevlekte bosuil betrof, maar dat niemand iets scheen uit te maken als het om goden ging. Langgeleden waren er tientallen goden, honderden zelfs. Maar op dit moment balanceerde het aantal ergens tussen nul en één. Was het mogelijk dat het aantal tot onder de één was gedaald, niet helemaal naar nul, maar ergens net onder een half? Leora ging verder met het lezen van de woorden uit de bijbel die ze ontelbare keren eerder in de synagoge had gelezen:

Gij zult de Here, uw God, liefhebben met geheel uw hart en met ge-
heel uw ziel en met geheel uw kracht. Wat ik u heden gebied, zal in
uw hart zijn, gij zult het uw kinderen inprenten en daarover spre-
ken wanneer gij in uw huis zit, wanneer gij onderweg zijt, wan-
neer gij nederligt en wanneer gij opstaat. Gij zult het ook tot een te-
ken op uw hand binden en het zal u een voorhoofdsband tussen uw
ogen zijn, en gij zult ze schrijven op de deurposten van uw huis en
aan uw poorten.

Ze dacht een ogenblik aan Jason en haar gezicht vertrok bij de herinnering aan zijn woorden: 'Je váder? Overdag beursanalist, 's avonds
armbinder?' Jason had waarschijnlijk al vier kinderen inmiddels,
dacht ze. Ging hij ooit nog naar de East Mountain Zoo of het Beth
Israel Verzorgingstehuis? Ging hij ooit nog op bezoek bij zijn ouders? Ja, dacht ze, die keer dat ze hem in Costco zag, moest hij bij
zijn ouders op bezoek zijn geweest. Misschien had hij ze zelfs wel
overgehaald om hem te vergezellen op zijn spirituele reis. Of misschien ook niet. 'Het is zo verdrietig,' grapte haar broer altijd, 'hoe
eenvoudige dingen een familie kunnen verscheuren. Een hongerige
troep wolven bijvoorbeeld.' Ze probeerde de Jason in haar hoofd te
negeren en merkte dat er nog een paragraaf op het perkament stond,
iets lager. Ze bleef lezen, hoewel de passage opnieuw bekend was, en
ze liet haar ogen eroverheen rollen als de cilinder van een speeldoos
die zijn noten tokkelt.

Indien gij nu aandachtig luistert naar de geboden, die ik u heden
opleg, zodat gij de Here, uw God, liefhebt en Hem dient met uw
ganse hart en uw ganse ziel, dan zal ik de regen voor uw land op
zijn tijd geven, de vroege en de late regen, zodat gij uw koren en uw
most en uw olie kunt inzamelen, en Ik zal op uw veld gras geven
voor uw vee, zodat gij kunt eten en verzadigd worden. Neemt u er-
voor in acht, dat uw hart zich niet laat verlokken, zodat gij af-
wijkt, andere goden dient, en u voor hen nederbuigt. Dan zou de
toorn des Heren tegen u ontbranden en Hij zou de hemel toesluiten,
zodat er geen regen komt, de bodem zijn opbrengst niet geeft en gij

weldra te gronde gaat in het goede land, dat de Here u geven zal.
Maar gij zult mijn woorden in uw hart…

En toen hield Leora op met lezen. Dit, realiseerde ze zich met een schok, was het probleem. De geboden waren voorwaardelijk! 'Indien gij nu aandachtig luistert naar de geboden,' had God beloofd, 'dan zal ik de regen voor uw land op zijn tijd geven… zodat gij kunt eten en verzadigd worden…' Het was een 'als… dan'-stelling, zoals ze die op de middelbare school bij wiskunde had geleerd. (Als het haar eerder op de middelbare school was onderwezen, dan had ze het zich nooit herinnerd. Maar ze had het tijdens haar laatste schooljaar geleerd, toen ze haar hele leven in boeken had gestopt, en het als gevolg daarvan onder de knie had gekregen.) *Als P, dan Q*, zoals het in het tekstboek stond. Als deze stelling waar was, was volgens de regels van de logica het omgekeerde ook waar: *als niet Q, dan niet P*. Dus als mensen níet aten en verzadigd werden, bijvoorbeeld, of geen regen hadden op zijn tijd, dan betekende dat dat ze níet naar de geboden hadden geluisterd. Zo ook, verderop in de paragraaf, als mensen hun regen en opbrengst níet zagen verdwijnen, betekende dit dat ze God niet hadden verloochend – en dat leek niet te kloppen. Er waren toch mensen die wel naar de geboden luisterden en toch hongerleden – om nog maar te zwijgen van anderen die zich niets van de geboden aantrokken en al hun dromen zagen uitkomen. Ze dacht aan meneer Rosenthal, de dode man uit Jasons verzorgingstehuis. Als mensen echt hun tefillien overboord hadden gegooid tijdens hun reis naar Amerika, mensen die in Europa honger hadden geleden en mogelijk in New York nog steeds hongerleden, kwam dat misschien niet alleen doordat tefillien archaïsch waren. Het kwam misschien doordat tefillien verkeerd waren.

'Neem me niet kwalijk, jongedame, maar zo kun je niet met de koopwaar omgaan.'

Meneer Random maakte Leora die dag voor de tweede keer aan het schrikken. Ze liet het rolletje op de plank vallen en pakte het nog net voordat het opgekruld was en over de rand op de vloer zou rollen. Meneer Random stond vlak achter haar. De winkel was verder leeg, met uitzondering van de vrouw bij de toonbank die boven haar krant zat te gapen. Leora dacht eerst dat ze hem las, maar toen begon ze er een stel grote plastic vissen in te wikkelen. Met een rood gezicht mompelde Leora een verontschuldiging.

'Heb je er belangstelling voor?' vroeg meneer Random, wijzend naar de tefillien, terwijl Leora het perkament probeerde terug te stoppen in het beschadigde doosje. 'Ze kosten 350 dollar. Het is iets joods, ik ben vergeten wat, maar ik kan het voor je opzoeken, achterin, als het je interesseert. Ik heb gehoord dat nieuwe maar de helft waard zijn, dus heb ik de prijs voor een antieke verhoogd. Belangstelling?'

Leora kreeg het weer warm. 'Niet voor die prijs, nee.' Ze zweeg even, niet zeker of ze door zou gaan. 'Dit heeft niets met het artikel te maken,' zei ze, 'maar mag ik u vragen waar u ze vandaan hebt?'

Meneer Random lachte. 'O, ik ga nooit zelf op zoek. Mensen komen met dingen naar me toe, snap je? Zoals ik al eerder heb gezegd, net als met die schedel. Het gebeurt gewoon, weet je.'

'O,' zei ze, en ze keek naar de gebarsten leren riempjes op de plank. Deze winkel, dacht ze, was een soort treinstation voor curiositeiten. De eigenaar van de winkel, het equivalent van de kaartjesverkoper, kon je precies vertellen waar elk artikel heen ging nadat het door de poorten was gekomen, maar er was er niet een waarvan hij kon vertellen waar het vandaan was gekomen. Het was een beetje verbazingwekkend eigenlijk dat zowel Random Accessories als de spoorwegmaatschappijen in zaken konden blijven zonder ook maar een idee te hebben van waar hun klanten vandaan kwamen. Maar ja, dacht Leora, je kunt altijd rekenen op de noodzaak van reizen en op de noodzaak van dingen weggooien.

'Maar van dit artikel heb ik wel een idee,' zei hij terwijl hij een van de doosjes van de tefillien oppakte. Hij nam een van de leren riempjes in zijn handen, pakte beide uiteinden tussen zijn bruingevlekte vingers en trok eraan. Het leer begon meteen te barsten, al bij de geringste spanning, een hoorbaar knappen van lak dat Leora bijna kon voelen.

'Zie je dit? Dit is waterschade,' verklaarde meneer Random. 'Zoutwaterschade. Weet je hoe ik dat weet?'

Leora schudde haar hoofd, niet als antwoord maar uit ongeloof. Meneer Rosenthal van het verzorgingstehuis, dacht ze. Zou het waar zijn?

In de veronderstelling dat ze hem had geantwoord, vervolgde meneer Random glimlachend: 'Gemakkelijk. Je denkt waarschijnlijk dat ik een soort deskundige ben of zo, hè? Maar nee. Ik weet niets van forensisch onderzoek. Maar daar heeft mijn leverancier ze gevonden. In de oceaan. Dat geloof je toch niet?'

Leora slikte. 'Hoe?'

'Dat is wat lastiger. Voor hem, niet voor mij. De zoon van mijn broer, Tony, is nog jong, net als jij, en hij werkt bij de gemeente. Hij gaat 's avonds naar school, bedrijfskunde. Een harde werker. Maar goed, hij werkt bij zo'n bedrijf dat de haven schoonmaakt. Je gelooft niet wat voor rotzooi daar beneden ligt. Maar goed, het meeste dat ze naar boven halen is zo walgelijk dat je er niet eens naar wilt kijken. Ze vinden soms lijken. Ik weet niet hoe hij het voor elkaar heeft gekregen, maar ze hadden een paar van die leren dingen hier opgedregd en hij zag ze en heeft ze eruit gehaald – hij heeft ze schoongemaakt en aan mij gegeven. Ik heb ze later laten onderzoeken en ze schijnen ongeveer honderd jaar oud te zijn.'

'Ze lagen op de bodem van de haven?' vroeg Leora. Ze kon het nog niet geloven.

'Niet alleen dat, maar volgens Tony liggen er tónnen van die dingen daar beneden. Je zou denken dat ze uit elkaar zouden vallen, maar hij vond een stel dat onder een soort metalen bekisting vastzat en dat moet ze genoeg hebben afgedekt om te krijgen wat je hier ziet. Volgens hem is het een soort onderwatergraf voor duizenden van die dingen. De meeste waren helemaal uit elkaar gevallen, zelfs onder die bekisting, maar hij vond er een paar net als deze die helemaal ingesloten moeten hebben gezeten in een ander omhulsel dat tegelijkertijd overboord is gegooid. Raar, hè? De bodem van de oceaan, het is alsof je teruggaat in de tijd. Later hoorde ik van een vriend dat het iets joods is, zoals ik al zei. Ik ben vergeten wat precies, maar ik heb het opgeschreven. Het zou een interessant verhaal zijn voor jc krant.'

'Zeker,' zei ze verbijsterd.

'Tony weet dat ik in deze branch zit, dus die is altijd op zoek naar dit soort dingen. Een goeie jongen. Belangstelling?'

'Ja, beslist,' zei ze, denkend aan de tefillien.

Meneer Random glimlachte. 'Goed, ik geef je zijn nummer! Kun je vrijdagavond? Ik weet dat hij dan niet naar school hoeft.'

Helaas voor Tony Random had Leora die vrijdagavond een afspraakje met haar videorecorder.

Twee dagen later deed Leora een routinematige feitencontrole voor een artikel voor haar tijdschrift waarin, uit de losse pols, de filosoof Baruch de Spinoza werd genoemd. Haar taak bestond eruit Baruch de Spinoza in een on line-encyclopedie op te zoeken en te controleren of zijn naam correct was gespeld. Ze kende de naam, maar wist niet veel van hem af. Maar toen ze in de encyclopedie eenmaal over Spinoza begon te lezen, raakte ze hevig geïnteresseerd.

Baruch de Spinoza, een zeventiende-eeuwse Nederlandse filosoof en rationalist, groeide op in Amsterdam in een religieus joods gezin. Zijn familie stamde af, zoals veel van de joodse families in het zeventiende-eeuwse Amsterdam, van de joodse gemeenschap die in 1492 uit Spanje was verbannen. Als kind bleek Spinoza een wonder in zijn religieuze studies. Maar hij was een beetje te slim voor zijn leraren en begon al snel te twijfelen aan de meeste belangrijke premissen van alles wat hij had geleerd: dat de thora geschreven was door God, bijvoorbeeld, of dat God beloningen en straffen uitdeelt of, na enige tijd, dat God ook maar enige relatie had met zijn schepping. Voordat hij deze ideeën ook maar had uitgedrukt in de geschriften die hem een plaats in de rijen van de belangrijkste filosofen van de westerse wereld zouden geven, werd hij wegens zijn vrijzinnige opvattingen formeel in de ban gedaan door de Amsterdamse joodse gemeenschap. Spinoza verhuisde naar Den Haag en bracht de rest van zijn dagen door met het slijpen van lenzen om zijn brood te verdienen en daarnaast met het schrijven van filosofische werken. Hij weigerde een professoraat aan de filosofische faculteit in Heidelberg omdat hij zijn dagen liever in alle rust doorbracht met schrijven. Gedurende de rest van zijn leven mocht geen enkele jood nog met hem spreken of met hem omgaan.

Spinoza geloofde in God, maar de God waarin hij geloofde leek slechts vluchtig op die van de Hebreeërs. Hij concludeerde dat het hele universum gevormd was uit één soort substantie, die God kon worden genoemd, en door een serie logische stellingen concludeerde hij dat dit betekende dat al Gods scheppingen, en in feite de hele wereld, eenvoudigweg een uitbreiding van God was. Dit betekende dat God, bij wijze van spreken, niet kon interacteren met zijn schepselen aangezien God en zijn schepselen één en dezelfde waren. Tot op de dag van vandaag weigert de Amsterdamse joodse gemeenschap, zo klein als ze is, ook maar iets van doen te hebben met Spinoza's nalatenschap.

Spinoza betoverde Leora alsof hij haar een toverdrankje had gegeven, dat voor het eerst in eeuwen uit het toverflesje was geschonken. Als God niet alleen overal was, zo redeneerde Leora samen met hem, maar ook alles en iedereen was, was alle onzin over beloning en straf, en voorbeschikking en goddelijke plannen niet nodig. De wereld bleef levend, bewoond, pulserend en ademend, maar er waren geen onopgeloste zaken meer. Als mensen stierven terwijl ze de straat overstaken of zich het leven benamen, of als katten in leeuwen veranderden, kon je nog steeds in God geloven maar hoefde je God nergens de schuld van te geven. Alles was eenvoudigweg één, en de naden van de wereld waren volledig gestikt.

Het toeval wilde dat Leora, een paar weken nadat haar obsessie met Spinoza begon, op bezoek ging bij een nichtje aan Columbia University en daar een pamflet op een mededelingenbord zag:

Ze bekeek het pamflet zorgvuldig en controleerde de hoek en de plaats alsof ze het zelf had opgehangen, en even vroeg ze zich af of dat het geval was. Is God substantie? Is God substantieel? Zij had dat kunnen bedenken. Toen ze nauwkeuriger keek, zag ze dat het pamflet heel oud was. Een van die aankondigingen die in een hoek van een mededelingenbord terechtkomt en volkomen wordt vergeten. De bijdragen hadden zes maanden eerder al binnen moeten zijn. Onder aan het pamflet vond Leora de datum en plaats van de conferentie: in januari, over nog geen maand, in Amsterdam. Leora staarde naar het pamflet en voelde een opwinding in zich opkomen die ze niet meer gevoeld had sinds ze naar New York was verhuisd. Het woord 'Amsterdam', cursief gedrukt aan de onderkant van het papier, leek heen en weer te bewegen, als een wenkende vinger die haar vroeg: als je nu niet gaat, wanneer dan wel? Dus noteerde ze de adressen en telefoonnummers die onder aan het pamflet stonden en besloot naar Amsterdam te gaan.

Leora wist vanaf het begin dat ze de reis niet zelf kon betalen. Ze wist ook dat ze het zich niet kon veroorloven om vrij te nemen van haar werk. De enige oplossing was dan ook dat het tijdschrift haar naar Amsterdam zou sturen. Maar waarom zou een Amerikaans tijdschrift in 's hemelsnaam een verslaggever naar Amsterdam sturen, een stad zonder oorlogen, zonder terroristen, zonder misdaad, zonder een pas geschapen virtueel universum en zonder een verspreide culturele identiteit behalve een voorliefde voor warme chocolademelk?

Tijdens de redactievergadering de week erna vertelde Leora de redacteuren dat ze een geweldig idee had voor een verhaal: drugs.

'Stond dat vorig jaar niet op de cover van een of ander tijdschrift, een heel verhaal over drugs in Amsterdam? Ik meen me een artikel te herinneren met de titel "Europa zegt alleen misschien",' zei assistent-katernredacteur Suzanne nadat Leora verslag had gedaan van haar voorbereidende onderzoek om duidelijk te maken waarom dat verhaal op dit moment belangrijk was: een gewelddadige demonstratie in Californië een maand geleden in verband met het legaliseren van marihuana; een wetsvoorstel in het Congres tot beperkte legalisering voor medische doeleinden; een kort tevoren gepubliceerd grootschalig onderzoek in Europa over de relatieve gezondheidsrisico's van hallucinogene drugs; de arrestatie een week eerder van een drugssmokkelaar die tot de dood van een douanebeambte in Miami had geleid − alle saaie rotzooi waarvoor ze de kranten en persberichten had uitgeplozen om te vinden wat ze nodig had, op de manier waarop een normaal mens zijn bankrekening onder de loep zou nemen of in zijn airmiles zou duiken om een vakantie te betalen. Leora vermoedde dat Suzanne, die in de veertig was en zelf vrijwel geen verhalen schreef, jaloers op haar was omdat ze een van de rijzende sterren van het tijdschrift was. Ze begon zich af te vragen of ze een manier zou kunnen vinden om tot in alle eeuwigheid een rijzende ster te blijven.

'Natuurlijk,' zei Leora, die haar best deed innemend te zijn. 'Maar dit zou een meer persoonlijke invalshoek zijn. Een paar vrijetijdsgebruikers een dag volgen, bijvoorbeeld. Ik weet dat je zult zeggen dat het al eerder is gedaan, maar ik heb het gevoel dat er iets ontbreekt in die andere verhalen, jij niet?' Niet dat Leora veel tijd had besteed aan het lezen van zulke verhalen in de hoop briljante inzichten te vinden. Haar interesse in andere tijdschriften en hun verhalen was de laatste tijd afgenomen; het was iets geworden wat ze in verband bracht met werk. Zelfs de krant lezen begon een taak te worden. Als ze niet aan het werk was, las ze alleen nog de wekelijkse culinaire bijdrage met het voornemen op een dag iets te koken waar geen tomatensaus in zat.

'Hoezo, wat ontbreekt er aan die verhalen?' vroeg Suzanne.

'Nou, het enige waar ze over gaan, is dat die mensen zo nu en dan drugs gebruiken, zoals wij alcohol gebruiken... als een manier om zich te ontspannen of om aan de werkelijkheid te ontsnappen.

Maar omdat de betreffende drugs veel krachtiger zijn, is het wellicht de moeite waard om na te gaan aan wat voor soort werkelijkheid ze proberen te ontsnappen. Ik bedoel, we zijn hier tenslotte niet in Pakistan of zo. Die mensen zijn niet dakloos, ze verhongeren niet en ze zijn niet eens arm. En ze zijn ook niet allemaal jong en opstandig. Het gaat om tieners en twintigers, maar ook om mensen die in de dertig, veertig, vijftig zijn. Wat halen ze uit drugs dat ze niet uit de werkelijkheid weten te halen?'

'En heb je al mensen die je over dit soort dingen wilt interviewen?' vroeg Eric. Eric was de hoofdredacteur, een man van ongeveer Suzannes leeftijd, maar met drie kinderen thuis, meesterwerken met vingerverf op zijn kantoordeur geplakt en een ontspannen natuur. Hij was gemakkelijk te beïnvloeden.

'Natuurlijk,' zei Leora, trots dat het laatste deel van haar research – vier e-mailtjes naar wietrokende kennissen die door middel van verschillende beurzen Europa hadden weten binnen te komen – eindelijk vruchten begon af te werpen. Bovendien, dacht ze, was er geen gebrek aan wietrokers op de wereld. En er was al helemaal geen gebrek aan wietrokers die dom genoeg waren om hun naam in een tijdschrift te willen zien. Maar Leora wist ook dat de echte aantrekkingskracht van haar idee niets te maken had met de details van haar verkooppraatje en alles met de research die ze, subtiel, naar Eric zelf had gedaan. De laatste paar maanden had ze tijdens de redactievergadering nauwkeurig in de gaten gehouden welke ideeën Eric aanspraken. Beetje bij beetje had ze gemerkt dat hij hongerig was, op het wanhopige af, naar verhalen die jonge mensen zouden interesseren. De afdeling oplagen moest hem hebben laten weten dat hij, als hij nu geen jongere lezers begon aan trekken, over dertig jaar geen abonnees meer zou hebben. En hoe kon hij jonge mensen beter aan zijn tijdschrift verslaafd maken – behalve door er gratis monsters bij te geven – dan door verhalen te gaan publiceren over drugs.

'Oké, geweldig,' zei Eric. 'Ga naar Amsterdam.'

Suzanne draaide zich geschrokken om. 'Kunnen we niet gewoon een correspondent gebruiken?'

Tot Leora's grote genoegen veegde Eric haar idee van tafel. 'Nee, als Leora mensen heeft om mee te praten, is dat beter.' Suzanne staarde hem ongelovig aan, maar Eric beëindigde de vergadering. Leora legde een grijns op haar gezicht, hoewel ze net zo geschokt was als Suzanne. Verbazingwekkend hoe gemakkelijk het is om mensen voor de gek te houden, dacht Leora. Je hoeft het alleen maar te willen.

'Veel plezier,' riep Jeff, een andere verslaggever, tegen haar toen ze de deur uitliep. 'En breng wat wiet voor ons mee!'

Op naar de drugs, dus, en ze vertrok. Later bedacht Leora dat de meeste normale mensen haar plan hadden omgedraaid: ze zouden iemand gezocht hebben om de onkosten voor de conferentie over Spinoza te betalen met het doel toegang te krijgen tot een marihuanasupermarkt. Helaas zou niemand geïnteresseerd zijn geweest als ze een verhaal over Spinoza had voorgesteld.

Wat haar verhaal betreft, hoefde Leora zich in Amsterdam geen zorgen te maken: vanuit haar wormperspectief van de stad was het moeilijk om in Amsterdam iemand te vinden die niet zo nu en dan drugs gebruikte. Vrijwel elke taxichauffeur probeerde haar XTC te verkopen. Ze begon op de gemakkelijke manier, met de mensen die ze kende, ontmoette via hen steeds meer van hun aan drugs verslaafde vrienden en kwam op houseparty's terecht waar ze mensen ongelooflijke combinaties zag slikken, snuiven en spuiten. De mensen die Leora interviewde waren oude, jonge, mannelijke, vrouwelijke, werkende en werkloze, opgeleide en onopgeleide Nederlanders, bezoekers en recente immigranten, die één ding gemeen hadden. Toen ze hun vroeg wat ze het belangrijkst vonden, konden ze geen van allen antwoord geven. In plaats daarvan verdraaiden ze haar vraag tot een identiteitskwestie en vertelden haar dat ze alleen door de drugs zichzelf konden zijn. 'Als je het mij vraagt heeft iedereen een innerlijke high die vecht om naar buiten te komen,' zei iemand van vijfenveertig met een zoetige glimlach.

In zijn woorden, en in bijna alle woorden die ze in Amsterdam verzamelde, in haar schrijfblok en op haar banden, was voor Leora onmiskenbaar een echo van verdriet te horen. Eén of twee van de mensen die ze interviewde, barstten in tranen uit op de band. Anderen spraken op een arrogante toon, in het Engels of via een tolk, ervan overtuigd dat ze het gelukselixer hadden gevonden in de chemische drug van de dag. Maar zelfs bij hen bespeurde Leora iets verdedigends, een slordig wegstoppen van gevoelens. Achter elke zelfvoldane opmerking, voelde ze, school een dronken moeder, een geliefde die ervandoor was gegaan, een halfvergeten kind uit een slecht overwogen huwelijk, een verlaten echtgenoot, een dode vriend, een vader met een losse riem die op iemands rug belandde – of, op zijn minst, een koortsachtig zoeken, een ontoereikend zijn, een ernstig mislukken in het leven of in de liefde. Maar Leora had er geen behoefte aan om over die dingen na te denken. Gelukkig kon ze ze opschrijven zonder erover na te denken, en haar dwalende gedachten naar haar lezers leiden alsof ze zelf niets meer was dan een van de gegraven grachten van de stad die water naar de open zee sluisde. In de vroege ochtenduren lag ze in bed in haar hotelkamer en probeerde de geuren van de avond van zich af te slapen door haar ogen te sluiten alsof ze een hoog, zwaar gordijn over de hele wereld trok.

Tijdens haar middagen in Amsterdam, na de ochtenden in dodenslaap te hebben doorgebracht, ging ze naar de lezingen van de Spinoza-conferentie. Maar als ze daar was, vroeg Leora zich af waarom ze er eigenlijk naartoe was gegaan. Ze probeerde zoveel mogelijk lezingen te volgen als ze kon en vloog, sneller dan ze de farmacologie van de drugsfeesten van de vorige avond in zich had opgenomen, van metafysica via filologie naar sociologie en theologie. Een vrouw van de Sorbonne die haar licht liet schijnen over Spinoza's idee van de goddelijke materie, deed dit zo goed dat je je nauwelijks kon voorstellen dat het universum op een andere manier zou bestaan. Een oude man uit Tel Aviv legde uit dat Spinoza's ideeën over bijbelkritiek bijna identiek waren aan die van een aantal zeer vooraanstaande joodse bijbeluitleggers; zijn idee bijvoorbeeld dat het boek Job een niet-joods boek was dat in het Hebreeuws was vertaald, werd gedeeld door de middeleeuwse joodse bijbeluitlegger Ibn Ezra. Iemand uit Californië ging de invloed van Spinoza's werk op andere filosofen na, tot het scheen alsof niemand behalve Spinoza ooit voor zichzelf had gedacht. Tijdens Leora's korte verblijf daar, zwaaide heel Amsterdam als een pendule heen en weer tussen dag en nacht, elke kant gevuld met zijn eigen soort gelovigen. De mensen van de conferentie spraken met dezelfde zelfverzekerde glimlach als de mensen die ze 's avonds interviewde, met een verwachte eerbied voor hun onderwerp, zich pijnlijk bewust van elk woord dat ze kozen om hun overtuigingen te verdedigen, of ze nu voor of tegen de filosoof waren. Ze geloofden in de betekenis van Spinoza zoals Leora's nachtelijke verslaafden geloofden in drugs.

Maar de allerlaatste lezing die Leora bezocht, zette haar aan het denken. Deze lezing, gegeven door een man van Columbia, was getiteld: 'Spinoza en de Amsterdamse joodse gemeenschap: wie wees wie af?' De man stelde dat de joodse gemeenschap in Nederland in die tijd een verwrongen beeld van het judaïsme had. Ondergronds gedwongen door de Spaanse Inquisitie, een eeuw voordat ze van Spanje naar Amsterdam waren gevlucht, hadden ze slechts een beperkt contact met de joodse leer gehad en een eigen vorm van judaïsme ontwikkeld waarin iemands geloof belangrijker was dan iemands handelen – een stijl van geloven die meer te maken had met het christendom dan met het judaïsme. Maar als nakomelingen van mensen die onder dwang tot het christendom waren bekeerd, waren ze ook zeer gevoelig voor hun jood-zijn en daar vurig trouw aan. Door de combinatie van hun vervormde kijk op het judaïsme en hun zwakke positie als kleine gemeenschap die zich verplicht moest melden bij de wereldse Amsterdamse autoriteiten, gebruikte de joodse gemeenschap in Amsterdam excommunicatie destijds meer als een manier om de gemeenschap in de pas te houden dan om mensen er echt uit te schoppen. De meeste mensen die in die periode geëxcommuniceerd werden – en dat waren er veel – dienden een verzoek in om weer toegelaten te worden, dat vrijwel altijd gehonoreerd werd. Maar Spinoza verkoos dat niet te doen. Dus excommuniceerde Spinoza zichzelf.

Op haar op twee na laatste dag in Amsterdam was de conferentie afgelopen, maar Leora had voor die avond en de volgende nog afspraken met wietrokers. Nadat ze rond het middaguur was opgestaan – ze had zichzelf toegestaan de uitputting van de xtc-feestjes van de vorige avond eruit te slapen – vroeg ze de portier van het hotel welke bezienswaardigheid hij zou aanraden voor haar eerste vrije middag in Amsterdam. Hij raadde het Rijksmuseum aan.

Het Rijksmuseum ziet eruit als een schitterende kathedraal, een hoog, bewerkt gebouw dat uit de grachten oprijst. Binnen dwaalde Leora als verdwaasd van zaal naar zaal tot ze, als meegevoerd door een zachte, onverwachte getijdenstroom, in een zaal kwam die vol hing met schilderijen van Rembrandt.

Het licht in zijn schilderijen – het museum was gezegend met een indrukwekkend aantal ervan – deed elk tafereel eruitzien als een glimp door een raam, een paneel van lichtgevende gezichten binnen de duisternis van de glanzende goudkleurige lijst. Rembrandt, zo las Leora op een van de vertaalde bordjes, had voor veel van zijn schilderijen modellen gebruikt uit de Amsterdamse jodenbuurt omdat hij ze geschikter vond voor de figuren in zijn bijbeltaferelen. (Maar om de een of andere reden, zag Leora toen ze naar een portret van Rembrandts zoon keek, had hij de verleiding niet kunnen weerstaan om zijn eigen kind Titus te noemen – de naam van de Romeinse keizer die Jeruzalem had verwoest en de joden had verbannen naar Europa, en die aldus de kunstenaar aan zijn modellen had geholpen.) Haar favoriet was een klein schilderij met een geweldige diepte aan details, getiteld *Jeremia treurend om de verwoesting van Jeruzalem*. Een zware titel, die in het geheel niet paste bij de gevoelige pijn van dat schilderij, de binnenkruipende duisternis in dat timide plekje licht, de druk van de wang van de profeet tegen zijn handpalm, de geloken ogen met hun witte wenkbrauwen die trilden alsof ze tranen bevochten, de dunne aderen onder de doorschijnende, slappe huid van de ene onbedekte voet.

Leora wilde het museum bijna verlaten toen ze dat schilderij had gezien, want ze wist dat er na dat schilderij niets meer voor haar te zien kon zijn in Amsterdam. Ze liep door de zalen op zoek naar de uitgang. Maar toen stond ze plotseling stil voor een ander klein schilderij, in dit geval van Vermeer, getiteld *Brieflezende vrouw*.

De betreffende vrouw stond en profil naar een brief te kijken die ze boven een zo te zien zwangere buik hield. De inhoud van de brief was uiteraard onbekend, die was alleen voorbehouden aan de vrouw. Maar de brief maakte haar duidelijk van streek. Hij moest van de vader van de baby zijn, die haar liet weten dat hij niet met haar zou trouwen, of hij bevatte misschien een mededeling dat de vader van de baby was gestorven. Of het was misschien een brief die ze niet had ontvangen, maar die ze ging versturen. Een brief aan de vader van de bay? Aan haar ouders? Aan haar man? Aan haar geliefde? Leora had er nog nooit aan gedacht hoe angstaanjagend het moest zijn om zwanger te zijn – als de vrouw inderdaad zwanger was; of was het alleen haar jurk? –, om deel uit te maken van iets waarvoor twee partijen nodig waren maar dat uiteindelijk op jou neerkwam.

Maar er was iets anders aan dat schilderij, behalve de onzekere zwangere vrouw, wat haar bezighield. Er was iets aan dat schilderij – en in feite aan veel van de schilderijen – wat bekend voelde, alsof ze door een raam tuurde waar ze vele keren eerder doorheen had getuurd, hoewel ze niet meer wist waar of wanneer. Terwijl ze naar de zwanger uitziende vrouw keek, kwam het beeld haar steeds bekender voor, en ze pijnigde haar hersens om zich te herinneren waar ze deze schilderijen voor het laatst had gezien. Ze had ze in zwart-wit gezien, herinnerde ze zich, niet in de levendige kleuren die ze nu voor zich zag – reproducties in een schetsboek? Uit gewoonte pakte ze haar notitieboekje en begon, met half dichtgeknepen ogen naar de tekst op het schilderij kijkend, aantekeningen te maken.

Ineens voelde ze de lucht tussen haarzelf en het schilderij warmer worden. Er stond iemand naast haar. Ze vermeed naar die persoon te kijken en bleef doorschrijven, waarbij ze drie regels tekst tussen elk paar lijnen in haar notitieboekje krabbelde. Maar toen ze door begon te lopen, stond ze zichzelf een blik over haar schouder toe om te zien wie er naast haar had gestaan.

Het was een man, en terwijl ze stilstond voordat ze de zaal verliet, merkte ze dat ook hij er bekend uitzag. Een jonge man, eind twintig of begin dertig, met kortgeknipt haar en een terugtrekkende haarlijn, die zijn vierkante voorhoofd in feite beter deed uitkomen. Hij droeg een bril met een rond, zwart montuur. Leora dacht dat ze hem misschien tijdens een van haar drugsbijeenkomsten had ontmoet, maar iets aan hem leek Amerikaans, een ontbrekende pretentie in zijn blik. Hij was ook een beetje te onbeholpen om een wietroker te zijn, te conventioneel. Toen besefte ze wie het was. Het was de man die de laatste lezing had gegeven, de lezing over Spinoza die zichzelf had geëxcommuniceerd. Ze wierp nog een blik op hem om zeker te weten dat hij het was. Maar voordat ze haar hoofd kon afwenden, ving hij haar blik op en sprak haar aan.

'Neem me niet kwalijk, maar was jij niet op de conferentie?'

Leora vroeg zich af of ze iets had laten liggen in de zaal waar hij gesproken had, of dat er iets anders was waardoor hij haar herkende. Ze wist niet waarom, maar zijn stem maakte haar nerveus. Met licht trillende vingers sloeg ze haar notitieboekje dicht. 'Ja,' antwoordde ze, 'en jij was degene die de lezing over excommunicatie gaf, maar ik herinner me je naam niet.'

'Jake.' Hij schudde haar de hand. Hij had mooie vingers, zag ze; gevoelig, lang en dun.

'Ik ben Leora.'

Hij glimlachte naar haar. Hij had kleine spleetjes tussen zijn tanden, waardoor ze zich afvroeg of hij Europees was. Maar zijn accent was Amerikaans. 'Ben je een postdoctoraal studente?' vroeg hij.

Ze zocht naar een antwoord. 'Nee, eh, ik ben, eh, verslaggeefster voor een tijdschrift in New York, en ik werk eerlijk gezegd aan een verhaal over drugs. Dat heeft dus niets met Spinoza te maken, maar ik had een aankondiging gezien en besloot te gaan kijken.' Dat was waar, min of meer. 'Ik vond je lezing heel goed.'

'Dank je,' zei hij, iets te enthousiast. Leora vroeg zich af of iemand hem ooit eerder een compliment voor een van zijn lezingen had gegeven. Dit had duidelijk het einde van het gesprek moeten zijn, maar ze bleven allebei staan. Het leek een soort krachtmeting tussen twee cowboys, waarbij beiden zich afvragen wanneer de ander zijn pistool trekt. Van dichtbij, en zonder zijn pak en stropdas, zag Jake er anders uit dan tijdens de lezing, veel jonger. Zijn gezicht had iets heel fris, alsof hij in werkelijkheid een jongen van dertien was die gevangen zat in een lichaam dat dichter bij de dertig was. Leora wilde iets zeggen, maar er kwam niets bij haar op.

'Is dit je eerste bezoek aan Amsterdam?' hoorde ze haar eigen stem vragen.

Ze zag hoe Jakes gezicht zich ontspande en zijn mond begon te glimlachen. Hij leek net zo opgelucht als zij om iets te zeggen te hebben. 'Nee, ik ben hier vaak geweest. Mijn moeder kwam uit Nederland. Een van die Nederlandse joden die niets van Spinoza moesten hebben, denk ik.'

Leora bekeek zijn kleding. Een ingestopt flanellen overhemd, te ingestopt, boven een nogal jaren-tachtig-aandoende, niet-verschoten spijkerbroek met oranjegele stiksels op de zakken. Hij woonde duidelijk niet samen met een vrouw, tenzij het zijn moeder was. Maar hij had in de verleden tijd over zijn moeder gesproken, dat leek tenminste zo. Jake, dacht ze, het soort willekeurige associatie makend dat diep kon lijken voor iemand die drugs gebruikte, was een bepaald type naam: de naam van een jongen in een kinderfilm wiens moeder was gestorven. Geen bepaalde film natuurlijk. Het was gewoon een algemene naam voor een moederloos kind in een sentimentele film of tv-serie, op de manier waarop alle kinderen van gescheiden ouders in tv-series een bloempotkapsel hebben. Een standaard van de industrie. Tot haar eigen schrik hoorde ze zichzelf echter ineens weer spreken.

'Ik vraag me af: is jouw moeder gestorven toen je nog een kind was?' Toen ze het had gezegd, kon Leora niet geloven dat het uit haar mond was gekomen. Ze kon wel door de grond zakken van schaamte.

Jake werd knalrood, iets wat hem op een vreemde manier wel stond. Zijn gezicht paste bij het rode patroon van zijn overhemd. Hij stikte bijna en gooide zijn antwoord er gesmoord uit: 'Ja, ze is gestorven toen ik dertien was.'

Hij vroeg haar niet hoe ze dat had geweten, en zij verontschuldigde zich niet – niet voor de vraag en niet voor de dood van zijn moeder. Ineens moest ze denken aan Bill Landsmann en hoe ze met hem bij zijn vaders graf had gezeten, hoe ze iemand anders had gevonden met een gapend gat in zijn hart als een open raam. Was dat echt al zeven jaar geleden? Ze voelde zich een ogenblik ongemakkelijk, alsof ze naar de wc moest. Het gevoel ging voorbij.

'Je bent hoogleraar aan Columbia, niet?' Ze herinnerde zich dat ze dat op de sprekerslijst van de conferentie had gelezen, hoewel hij een beetje jong leek om hoogleraar te zijn.

'Lector,' zei Jake terwijl de kleur langzaam uit zijn gezicht trok.

Leora stelde een andere ongepaste vraag, hoewel ze wist dat ze dat niet moest doen. 'Vind je het nooit vervelend,' vroeg ze, 'dat niet meer dan zes mensen op de hele wereld geïnteresseerd zijn in wat je schrijft?' Opnieuw kon ze nauwelijks geloven dat ze het had gezegd, maar ze schiep een soort ziekelijk genoegen in de te verwachten geschokte uitdrukking op zijn gezicht.

Die kreeg ze niet. In plaats daarvan, zonder ook maar even te aarzelen, vuurde hij terug: 'Vind jij het nooit vervelend dat niemand op de hele wereld langer dan zes dagen geïnteresseerd is in wat jij schrijft?'

Leora slikte en deinsde achteruit. Van een praatje met een vreemde was deze ontmoeting plotseling iets heel anders geworden. Ze overwoog weg te lopen, maar stond als aan de grond genageld. Ze veranderde van onderwerp.

'Wat vond je van de conferentie?' vroeg ze nadat er genoeg seconden voorbij waren gegaan.

Jake glimlachte, opnieuw opgelucht. 'Het was leuk, zoals de dingen die betrekking hebben op Spinoza zijn. Mensen presenteerden hun verhaal behoorlijk goed. Maar wat zijn ideeën betreft, ik vind het eerlijk gezegd een goedkope oplossing.'

Leora was totaal in de war. 'Een goedkope oplossing? Waarvoor?'

'Nou, laten we zeggen dat je ontevreden bent over je leven, met reden. De dingen gaan niet zoals je gewild of verwacht had. Het is oorlog, je wordt ziek, je hond gaat dood, het maakt niet uit.'

Of je moeder gaat dood als je dertien bent, dacht ze. Maar voor één keer hield ze haar mond. Hij sprak door.

'Iemand die traditioneel denkt, zou dan goede redenen hebben om religie af te wijzen. God belooft voor ons te zorgen. Maar dan doet hij het niet. De logische conclusie is dat God ons heeft verraden of nooit heeft bestaan. De gemakkelijkste keuze is uiteraard om God maar te vergeten.'

'Maar in welke zin geeft Spinoza dan een goedkope oplossing?'

Jake schraapte zijn keel. Nerveus, dacht ze. Net als voor het geven van een lezing. Alleen had hij helemaal niet nerveus geleken toen hij zijn lezing hield op de conferentie. 'Omdat hij het mogelijk maakt om in een God te geloven die niet echt God is. Als de hele wereld die God-substantie is, en we allemaal deel zijn van die substantie, zijn we allemaal deel van God. Maar dat is geen zinvolle voorstelling van God, want dan is er geen enkele relatie tussen God en zijn schepping. De enige reden waarom mensen in God willen geloven, is dat ze willen geloven dat de wereld niet onverschillig staat ten opzichte van hun aanwezigheid.' Hij bracht het een beetje formeel, maar wel lief, dacht Leora. Zijn oren waren bijna volmaakt.

'Ik vind het goedkoop,' vervolgde hij, 'want het maakt het gemakkelijk om het feit van de tafel te vegen dat mensen niet altijd krijgen wat ze verdienen. Het is bijna net zo goedkoop als zeggen dat het in het hiernamaals allemaal wordt vereffend. Maar dat het in het leven niet gaat zoals je zou willen, betekent nog niet dat wat er in de wereld gebeurt volkomen willekeurig is. De momenten waarop mensen echt interacteren met God zijn precies de momenten waarop het leven niet eerlijk lijkt, en dan kunnen mensen echt Gods aanwezigheid in de wereld voelen… als ze daartoe bereid zijn, bedoel ik.' Hij schraapte zijn keel weer. 'Zo denk ik er in elk geval over. Maar het is niet echt mijn terrein, om je de waarheid te zeggen. Ik ben historicus, geen filosoof. Mijn specialisme is dode mensen.'

Er viel een stilte tussen hen, die nauwelijks minder pijnlijk was dan de eerste. Leora vroeg zich af of Jake op basis van persoonlijke ervaring sprak. Ze besloot hem dat niet te vragen. Intussen stopte hij zijn handen in zijn zakken. Hij dacht een ogenblik na, alsof hij de beslissing nam om wel of niet te zeggen wat hem bezighield. 'Oké, je had het goed geraden wat mij betreft, nu ga ik iets goed raden wat jou betreft,' merkte hij op. 'Ik ga je iets laten zien wat je leuk vindt, dat weet ik zeker. Kom.' En voordat ze hem kon tegenhouden, liep hij weg.

Ze rende achter hem aan. Ze begonnen te dwalen, door honderd zalen leek het wel, de meeste vol met schilderijen van Jezus, gevolgd door een eindeloze serie zalen die vol hingen met schilderijen van fruit. De ene na de andere rij fruit, zo veel fruit dat ze onder de indruk raakte van alle verschillende manieren waarop je fruit in een schaal kon schikken. Maar voor ze het wist, waren ze een andere zaal binnengegaan en zag ze een poppenhuis voor zich staan.

Het was niet echt een poppenhuis, niet in de zin van een miniatuurhuis. Het was een soort kabinet, verdeeld in kleine, vierkante ruimtes, en in elk van die ruimtes waren de prachtigste miniatuurkamers die je je maar kon voorstellen. Gedekte tafels met gegraveerd zilverwerk in combinatie met een blauw-wit servies. Ramen bedekt met fluwelen draperieën die afgewerkt waren met zijde en kant. Kleine hemelbedden met donzen dekbedden, een keuken met een fornuis en koperen potten die aan het plafond hingen. Volle boekenplanken en gestoffeerde stoelen. En poppen gekleed als oude puriteinen aan een diner ter ere van Thanksgiving, die met hun hoge hoeden en hun schoenen met zilveren gespen aan hun eettafels zaten.

Bevend, zwijgend, keek Leora naar het poppenhuis. Er gingen vele seconden voorbij voordat ze in staat was iets te zeggen. Toen ze het kon, draaide ze zich om naar Jake, slikte om haar stem helder te houden en zei: 'Ik had vroeger een poppenhuis.'

Jake raakte haar hand aan. Een nog heviger beving ging door haar heen, maar toen zag ze wat hij deed – hij bladerde door haar notitieboekje. 'Ik dacht al dat je een poppenhuis had gehad,' zei hij. 'Weet je hoe ik het heb geraden? Hij legde zijn vinger op een volgeschreven bladzijde. 'Kijk eens hoe klein je handschrift is.'

Hij had gelijk. In het notitieboekje stonden minstens drie opeengepakte regels tussen de lijnen. Leora hield nog steeds rekening met het milieu, en ze wilde zoveel mogelijk opschrijven, ook al hield dat in dat de woorden kleiner moesten worden.

Ze draaide zich weer om naar het poppenhuis en liet haar blik over de kamers gaan alsof ze ze telde, de poppen een nummer gaf. Een van de poppen, een meisje, zat in een stoel tegenover een miniatuurschilderij. Leora keek naar het meisje dat naar het schilderij keek en toen plotseling, na zo veel jaar, ophield met kijken.

Ze keek zich weer naar Jake, die gemerkt had dat het geen spel meer was. Hij beet zacht op zijn lip en keek onderzoekend naar haar gezicht. Ten slotte sprak ze, vechtend om haar stem onder controle te houden: 'Mijn vriendin… ze heette Naomi… mijn vriendin Naomi en ik hadden ooit een poppenhuis. Het was van ons samen. Naomi… Naomi ging dood, maar ik… ik zei daarstraks dat ik vroeger een poppenhuis had, alsof het alleen mijn poppenhuis was, maar dat is niet waar, het was niet alleen van mij, het was ook van Naomi. En ik zei daarstraks dat ik vroeger een poppenhuis had alsof ik het niet meer heb, maar dat is ook niet waar, ik heb dat poppenhuis nog steeds, ergens. Ik heb het weggezet nadat Naomi gestorven was.' Voor het eerst in zeven jaar had ze Naomi's naam hardop uitgesproken.

Jake verontschuldigde zich niet. Ze was bang geweest dat hij dat wel zou doen. In plaats daarvan wachtte hij even en haalde toen en stukje papier en een pen uit zijn zak. 'Ik vlieg vanavond terug,' zei hij terwijl hij het papier tegen het glas legde en, zag Leora, zijn naam en adres erop schreef. 'Wanneer ga je terug naar New York?'

'Overmorgen,' antwoordde ze. Hij bleef doorschrijven. Maar terwijl ze toekeek hoe hij tegen het glas kraste, besloot ze: nee. Ze wilde niet dat het zo zou gaan, met belachelijke telefoontjes en dan een afspraak om koffie te gaan drinken, gevolgd door een lunch, gevolgd door een etentje, gevolgd door hartenpijn. Maar was er een andere manier? Ze wierp een blik op het poppenhuis, waar ze in een hoek van een studeerkamer een stapeltje vergelende pamfletten zag die stof verzamelden. Attentie, attentie! dacht ze. En ineens wist ze wat ze moest doen.

'Ik geef je mijn adres niet,' zei ze.

Jakes hand, die nog verwoed aan het schrijven was, lag plotseling stil. Hij keek naar haar op alsof ze hem een steek in zijn borst had gegeven. 'Waarom niet?'

'Omdat ik een beter idee heb,' antwoordde ze. 'Luister, er zijn niet veel Leora's op de wereld, of in elk geval niet in de journalistiek. En als extra aanwijzing vertel ik je iets over een artikel dat ik heb geschreven. Als je me echt wilt vinden, kun je naar de bibliotheek gaan en het opzoeken. Maar als je me weer wilt ontmoeten, heb ik een puzzel voor je.'

Op Jakes gezicht verscheen langzaam een glimlach. 'Een puzzel?'

'Goed, luister,' zei ze terwijl ze het in haar hoofd uitwerkte voordat ze sprak. 'Een paar weken geleden heb ik in mijn tijdschrift een artikel geschreven over beenderen... over de schedel van een of andere vent die duizenden en duizenden jaren geleden leefde. Hij zou de ontbrekende schakel zijn of zoiets en is gewoon opgedoken in een rare cadeauwinkel in New York alsof hij uit de dood is opgestaan of zo.'

Terwijl ze sprak, leken Jakes ogen op te lichten, alsof hij op de een of andere manier precies wist waar ze het over had. Hij scheen op het punt te staan iets te zeggen. Maar toen ze zweeg om hem aan het woord te laten, zei hij alleen: 'Net als in Ezechiël. Droge beenderen?'

Leora keek hem uitdrukkingsloos aan. Jake zocht haar gezicht af naar iets, naar een of andere mate van herkenning. Die had ze hem niet te bieden, maar ze was te beschaamd om het toe te geven. Ze stonden daar zwijgend tot hij verder praatte.

'Er is een passage in Ezechiël waar de profeet Ezechiël een visioen heeft. Hij ziet een dal vol oude droge botten. En God zegt tegen hem: oké, Ezechiël, doe dat profetiegedoe met die botten... zeg ze dat ik ze vlees geef en weer leven inblaas. Dus spreekt Ezechiël een profetie uit over dat dal van uitgedroogde botten. Dan klinkt er een geweldig lawaai en het dal begint te schudden en de botten beginnen weer samen te smelten en er groeit weer vlees op en de wind blaast ze weer levensadem in en dan staan ze op, klaar om te gaan lopen.'

Terwijl hij praatte bleven Jakes handen door de lucht zwaaien, alsof hij geen verhaal kon vertellen zonder het uit te beelden. Leora dacht aan Naomi, stond zichzelf toe aan Naomi te denken, wierp een blik op het poppenhuis en herinnerde zich Naomi die, als kind, nooit over hun poppenhuis had kunnen praten zonder met haar vingers door de lucht te gaan alsof ze haar visie voor het huis op de huid van de hemel schetste. Ze keek weer naar Jake en zag dat zijn handen slordiger, opener, helemaal niet als die van Naomi bewogen. En op dat moment, voor het eerst in zeven jaar, voelde Naomi voor haar als een oude vriendin, niet alleen als een dode vriendin, maar gewoon iemand van wie ze eens had gehouden, van wie ze nog steeds hield, en die ze miste, maar...

'Ik val je in de rede,' mompelde Jake, en zijn handen vielen langs zijn zijden als bij een pop wiens poppenspeler is weggelopen. 'Je zei iets over een winkel met beenderen.'

Ze schraapte haar keel en probeerde het zich te herinneren. 'Ja, de beenderen,' stamelde ze, en ze pauzeerde om zich ervan te verzekeren dat ze de bijzonderheden op een rijtje had. 'Ik wil dat je de winkel vindt waar ik die beenderen heb gezien en me daar ontmoet op de dag nadat ik terug ben gekomen, laten we zeggen rond vijf uur 's middags, voordat de winkel dichtgaat. Maar niet zomaar ergens in de winkel. Het is er niet groot, maar ik wil graag dat je het voorwerp in die winkel vindt dat mij het meest interesseerde. Ik geef je een hint: het waren niet de beenderen. Oké?'

Jake schudde haar voor de tweede keer de hand. 'Donderdag om vijf uur in jouw magische schuilplaats. Tot dan,' zei hij. En toen liep hij weg.

Geen drie dagen in Leora's leven waren ooit langzamer gegaan dan die. Haar laatste middag in Amsterdam wandelde ze verdwaasd langs de grachten en voelde de grond onder haar wegzakken. Tijdens de vlucht naar huis sliep ze niet, luisterde niet naar haar bandjes met interviews, las haar aantekeningen niet door en las niet eens een boek. In plaats daarvan zat ze uren naar het filmscherm te kijken zonder de moeite te nemen haar koptelefoon op te zetten. Terug in haar appartement dook ze haar kamer in voordat Lauren of Melanie haar naar haar reis kon vragen, en liet een boodschap op het antwoordapparaat van haar ouders achter waarin ze liet weten dat ze naar bed ging en dat ze haar niet terug moesten bellen. Daarna lag ze de hele nacht op haar futon en staarde naar het plafond met zijn afbladderende verf.

Op haar werk, de volgende dag, gedroeg ze zich als een zombie: ze veronachtzaamde haar routinetaken en kwam niet opdagen voor de dagelijkse redactievergadering, waardoor ze zich blootstelde aan een spervuur van grappen afkomstig van Jeff over alle wiet die ze in Amsterdam moest hebben gerookt. Toen hij haar naar haar reis vroeg, weerde ze zijn vragen af met jetlag als argument, tot hij haar met rust liet. Ze zat aan haar bureau tot het tijd zou zijn en surfde over het internet tot ze alles had opgespoord over Jake wat ze maar kon vinden. Ze vond zijn achternaam op de site over de conferentie en toen speurde ze verder. Hij stond vermeld als lector aan Columbia en had zijn syllabus voor een van de colleges die hij gaf op het net staan – iets over de geschiedenis van het moderne joodse denken. Ze vond ook een bespreking in een academisch tijdschrift over een boek dat hij had helpen redigeren. Uit een zoektocht naar zijn adres bleek dat hij ongeveer twaalf blokken van haar af woonde. Ze zat doelloos in de krant te bladeren terwijl de uren zich voortsleepten. Om tien over halfvijf zei ze tegen Suzanne dat de jetlag toesloeg en dat ze moest gaan slapen, ze pakte haar jas en rende naar de metro.

Toen ze bij Random Accessories kwam, was Jake er niet. Ze overwoog binnen op hem te wachten, maar wilde niet door hem verrast worden. Ze wachtte en wachtte, geleund tegen de deurpost, in de kou, tot tien voor halfzes, toen ze het zo koud had gekregen dat ze wel naar binnen moest. Ze stelde zich zo op dat haar gezicht te zien was in de etalage, waar verscheidene primaatachtige schedels waren uitgestald, samen met ongeveer tien krantenartikelen die licht wierpen op de aanspraak die de winkel op roem kon maken. (De Amsterdam Avenue-man zelf was overgeplaatst naar het Museum voor Natuurlijke Historie – met een grote winst voor meneer Random – voor verder onderzoek.) Het werd halfzes, toen tien over halfzes, terwijl ze in de etalage tentoon stond gesteld als een geëxposeerd stuk. Mensen die door de straat liepen, konden het niet nalaten om naar haar te kijken; misschien was zij de ontbrekende schakel. Om kwart voor zes las ze de omgekeerde cijfers op de glazen deur en zag dat de winkel om zes uur zou sluiten. In paniek verliet ze haar post bij het etalageraam en liep naar de plank waar ze een paar weken eerder de tefillien had gezien. Maar tot haar verbazing waren die verdwenen.

Ze begon de winkel af te zoeken. Ze keek achter de pamfletten, tussen de naaimachines, in de kamers van het muizenhuis en zelfs onder de schedels. Er was geen twijfel aan. De tefillien waren weg.

Leora liep naar de vrouw achter de toonbank, die haar duidelijk al eerder had opgemerkt maar ervoor gekozen had haar te negeren. De vrouw werd opnieuw in beslag genomen door het verpakken van een serie plastic vissen in krantenpapier. Stukken plakband verlengden elk van haar vingers, als krachteloos geworden klauwen. Na enkele ogenblikken keek ze ten slotte op. 'Ja?'

'Neem me niet kwalijk, maar ik heb hier een paar weken geleden iets gezien wat u te koop had en ik lijk het niet meer te kunnen vinden. Is er een opslagruimte waar het kan liggen?'

De lippen van de vrouw smakten op elkaar, wat een knallend geluid maakte. Het drong tot Leora door dat ze kauwgom kauwde. 'We hebben geen opslagruimte. Het is waarschijnlijk weg.'

'Weg?' vroeg Leora. Niet dat het zo vreemd zou zijn als tefillien ervandoor gingen, dacht ze, als je naging waar ze nog meer waren geweest.

'Ja, weg. w-e-g. Verkocht.'

'Verkocht?' vroeg Leora. Haar stem piepte.

'Dat zeg ik toch,' zei de vrouw terwijl ze haar kauwgom weer liet knallen. 'Zo ingewikkeld is het niet.'

Even zag Leora de wetenschappers van het Museum voor Natuurlijke Historie voor zich, bezig de ontbrekende-schakelschedel open te wrikken alsof ze er ontbrekende-schakelherscnen in zouden vinden. 'Maar u begrijpt het niet; het is niet iets wat iemand zou kopen,' stamelde Leora, die er zelf van in de war raakte.

De vrouw leek niet onder de indruk. Ze pelde een stuk plakband van haar ringvinger. 'Wat zoek je dan?'

Leora voelde dat ze een kleur kreeg; ze wilde Random Accessories zo snel mogelijk uit. Het was allemaal een vergissing geweest. 'Het zijn… tefillien. Het, eh…

'Tuffillie? Wat is dat?'

Leora kon wel met haar hoofd tegen de muur slaan. 'Laat maar,' zei ze. En ze ging weg.

Leora liep terug naar haar appartement; de afstand leek veel groter dan de zeven blokken. Het was donker geworden in de stad. Overal om haar heen begonnen lichten aan te gaan in de hoge appartementengebouwen langs de straten en verlichtten de kamers erin als dia's van verre landen. Haar eigen gebouw leek leeg en grauw. In de groezelige, lege hal verzamelde zich als gewoonlijk vuil tussen de badkamerachtige tegels op de vloeren en muren voor de kapotte lift. Terwijl ze de Laurens en Melanies uit voorbije tijden bedankte voor het feit dat ze een appartement op de tweede verdieping hadden gekozen, liep ze al naar de trap toen ze bedacht dat ze die ochtend haar post niet had opgehaald. Leora, Lauren en Melanie deelden een grote postbus in de hal van het gebouw en het was Leora's taak geworden om de post op te halen, zoals Lauren het schoonmaken van de badkamer op zich had genomen. (Melanie deed vrijwel niets, maar Leora vond het niet belangrijk genoeg om te klagen.)

Leora draaide de sleutel in het slot van de postbus om en de deur vloog zoals gewoonlijk open onder een vloedgolf van enveloppen. Ze haalde de stapel eruit en liet de drie glanzende catalogi op de vloer vallen. Creditcardafschriften, grotendeels. Een paar reclamebrieven, stapels waardebonnen, iets van de SUNY Binghamton Alumni Association. Leora ontdekte dat ze Misschien Al Tien Miljoen Dollar had Gewonnen, of misschien hadden Lauren of

Melanie Al Tien Miljoen Dollar Gewonnen, want ze waren alle-maal gezegend met dezelfde soort brief. En toen een dikke, uitpui-lende luchtkussenenvelop, die per expres was gestuurd.

Leora liet de rest van de post vallen, waardoor de hal met een sneeuwstorm van Belangrijke Informatie-brieven werd bezaaid, en scheurde de overvolle envelop open, waarbij ze volledig vergat te kijken wie de afzender was. De envelop was volgepropt met nop-penfolie en daarnaast vond ze een systeemkaart. Ze haalde hem eruit en las het onbekende, hellende handschrift:

Leora, het spijt me, maar het lukt me vandaag niet. Ik hoop dat dit het goedmaakt — Jake.
PS Het muizenhuis was een beetje te duur voor me.

Daaronder stond een regel in vloeiend Hebreeuws:

Ezechiël, hoofdstuk 37, vers 13-14:
...wanneer Ik uw graven open en u uit uw graven doe opkomen, o mijn volk. Ik zal mijn Geest in u geven, zodat gij herleeft...

In de noppenfolie vond ze de tefillien.

5

Met je hoofd tegen de muur

De avond voor haar bruiloft had Naomi's betovergrootmoeder een droom. Leah droomde dat haar ouders haar grootmoeder hadden geschreven over haar bruiloft en dat haar grootmoeder, ondanks de verschrikkingen en de duur en de kosten en de absurditeit van de reis – eerst de tocht naar de haven, die op zich al weken kon duren, en dan als tussendekspassagier naar de haven van New York – tot haar grote verbazing besloten had te komen. Om hen te verrassen, want daar kwam het op neer, aangezien een brief sturen om hen van haar komst op de hoogte te stellen er te lang over had gedaan.

Dus maakte Leahs grootmoeder de reis in het ruim van een schip, ging tegenover de andere overgevende immigranten op vorstelijke wijze met haar misselijkheid om, en voer New York binnen. De immigratiebeambten op Ellis Island konden niet geloven dat iemand helemaal uit een stadje ten zuiden van Kiëv naar Amerika was gekomen, alleen om bij de bruiloft van haar kleindochter te zijn, maar in de droom wist Leahs grootmoeder hen te overtuigen en vond ze haar weg naar Manhattan en ten slotte naar Orchard Street, waar ze nauwelijks kon geloven wat ze zag. Reusachtige gebouwen, oprijzend uit de straat, zo groot als paleizen in haar ogen, en de ene na de andere rij, een eindeloze kloof gehouwen uit rotsen van baksteen en ijzer. Ze vond Orchard Street 99 en opende de deur. Toen ging ze de trap op, waar een oranje gloed hing door de nieuwe gaslantaarns en klom, verbijsterd door de vele verdiepingen en de identieke deuren bij elke draai, naar het appartement waar Leah woonde. Ze hief haar gerimpelde hand op en bonsde op Leahs deur. Niemand deed open. Ze bonsde nogmaals. Geen reactie.

Natuurlijk deed niemand open, want ze waren allemaal aan het werk. Maar 'aan het werk zijn' betekende niets voor Leahs grootmoeder, die, zelfs in 1898, het jaar van Leahs bruiloft, nooit had gehoord van een wereld waarin mensen ergens heen gingen om te werken, en al helemaal niet van een wereld waarin alle leden van een gezin dat deden, waarin niet minstens één van de acht of negen gezinsleden in huis of in de kleine groentetuin buiten bezig was, waarin niet minstens een paar kinderen kippen plukten in huis ook al waren hun ouders naar de markt, een wereld waarin het mogelijk was – normaal zelfs – dat een huis de hele dag leeg was. En dus bonsde Leahs grootmoeder steeds opnieuw op Leahs deur, uren en uren lang. Toen de hele dag verstreken was, gaf ze het op, liep het gebouw uit, keerde terug naar de haven van New York en ging aan boord van een schip dat terugvoer naar Europa. Leah rende achter haar aan, maar haar grootmoeder keek niet één keer om.

Leah herinnerde zich die nacht waarin ze gedroomd had toen ze vele maanden later in bed lag op Orchard Street 99, in hetzelfde bed waarin ze die dromen had gehad in de nacht voor haar bruiloft – een smal ijzeren bed in de keuken van het driekamerappartement van haar ouders, dat ze deelde met haar tienjarige zusje Freydl, die deze keer, net als in de nacht voor de bruiloft, keihard lag te snurken terwijl ze haar hielen in Leahs kuiten zette en met haar hoofd tegen de muur sloeg, bijna alsof ze het met opzet deed. 'Frances' noemden ze haar in het Engels op school. Hun ouders sliepen in een slaapkamer op iets meer dan een meter afstand. Leahs drie jongere broers sliepen in de woonkamer onder dezelfde deken, met hun hoofd op de bank en hun benen op kratten. Gedurende de meeste maanden was er ook een serie huurders, die om de beurt ofwel op de vloer sliepen of op een rij kisten naast de jongens op de bank, mannen van in de twintig en dertig die zulke lange werkdagen maakten dat het gezin ze alleen zag wanneer ze sliepen. Alleen Leahs oudere zus Rachel was aan het appartement ontsnapt, maar zelfs zij was 99 niet uitgekomen. Haar man en zij lagen aan de andere kant van het plafond, boven Leahs hoofd, en probeerden een kind te maken zoals ze dat al drie jaar probeerden. De grote tragedie van Rachels eenentwintigjarige leven was dat ze niet zwanger raakte.

Het was ongeveer vijf uur in de ochtend, tijd om op te staan en naar het werk te gaan. In de duisternis van de kamer zonder raam voelde Leah hoe haar maag zich omdraaide. Ze gaf Freydl een trap om zich los te maken uit het bed, zwaaide haar witte benen op de vuile vloer en rende naar de diepe, metalen wasbak met zijn wateremmer, waarin ze onmiddellijk overgaf. Zoals ze de afgelopen drie weken bijna elke ochtend had gedaan.

Leah was net zeventien, leuk om te zien, maar geen schoonheid. Haar gezicht was een beetje te rond en haar schouders hingen wat te laag, maar ze had een lang, soepel figuur en een stralende glimlach, wanneer ze die liet zien. Ze voelde zich opgelaten door haar lengte en liep altijd met licht gebogen schouders, zich inspannend om omlaag te kijken naar de gezichten van anderen. Ze had ook een klein kuiltje in haar kin, waarmee ze eindeloos gepest was door de andere meisjes in haar oude dorp, die haar voorhielden dat een kuiltje in je kin betekende dat je man jong zou sterven. ('Luister niet naar die domme mensen,' zei haar moeder tegen haar. 'Die kun je missen als kiespijn.') En ze had blauwe ogen – verblindend blauwe ogen, zo helder dat ze haar gezicht bijna overweldigden. Ze waren haar mooiste kenmerk, maar ze had ze gehaat sinds ze ongeveer tien jaar oud was en een jongen die een jaar jonger was dan zij, een miezerig klein joch dat rond de stoel van zijn moeder hing in het vrouwengedeelte van de synagoge in hun oude dorp, haar had verteld dat ze 'kozakkenogen' had.

'Helemaal niet,' had Leah gezegd, die dacht dat hij alleen bedoelde dat ze een taai dametje was, wat ze niet was.

'Dat heb je wel. Dat heeft mijn oom me verteld. Je bent negen maanden na de pogrom geboren, stommeling. Heb je nooit gemerkt dat iedereen in je familie bruine ogen heeft behalve jij?'

Op dat moment had de moeder van de jongen hem een klap in zijn gezicht gegeven. Maar vele weken later had Leah haar moeder, timide en na zorgvuldig het moment te hebben gekozen, naar haar blauwe ogen gevraagd. Haar moeder, die bezig was een lading wasgoed uit een tobbe te hijsen, had alleen gezegd: 'Luister niet naar die domme mensen. Mensen die niets beters te doen hebben dan verhalen vertellen, kunnen beter met hun hoofd tegen de muur slaan.' Zeven jaar later waren ze naar Amerika gegaan, waar niemand lang genoeg naar je keek om de kleur van je ogen op te merken.

Leah had veel over New York gehoord – grotendeels, besefte ze later, van mensen die er nooit waren geweest – maar wat niemand haar had verteld was dat New York een stad was die vol hing met klokken. Overal tikten klokken, hoog op de kolossale gebouwen als wachters die de stad bewaakten, hangend aan elke muur als bewakers die de kamers bewaakten en de zakken van de mensen boeiden met hun ketenen. Je begon niet te werken bij zonsopgang, maar om zes uur. Je hield niet op bij zonsondergang, maar om acht uur of negen uur of halftien. In de fabriek moest Leah drie naden stikken per minuut. Per minuut. Per minuut.

Iets anders wat niemand Leah had verteld, was dat alles in New York verpakt werd. Snoepjes waren in papier verpakt, muren waren in behangpapier en verf verpakt, dure dingen in winkels werden in dozen verpakt, hoedendozen, schoenendozen, allerlei soorten kratten en dozen lagen in de straten, die op hun beurt weer verpakt waren in laag na laag van kinderkopjes en beton. Alsof mensen bang waren dingen aan te raken. Brood was in papieren zakken verpakt, medicijnen zaten in flesjes waarop gedrukte etiketten werden geplakt. Niemand woonde gewoon achter een deur – zelfs de bedomptste sloppenkamers waren verpakt in andere huizen, zorgvuldig ingebed in een serie stoepen, voordeuren, tweede deuren, vestibules, gangen, foyers. Zelfs zeep zat in een doos. Voor Leah leek de hele stad soms op een kinderspel, een serie blokken die stuk voor stuk in elkaar pasten als een puzzel, en je opende de ene doos en vond er de volgende in, en dan weer een, en dan weer een, en je vroeg je steeds maar af wat er in de laatste, binnenste doos zou zitten, het centrum van de wereld, het heilige der heiligen, maar als je ten slotte bij de laatste doos kwam en die opende, bleek hij leeg te zijn – iemand had hem vóór jou geopend, de inhoud eruit gehaald en weggegooid, waardoor je niets anders overhield dan een stapel lege dozen.

Terwijl ze, zonder een woord Engels te spreken, door de straten liep, besefte Leah dat haar ook nooit was verteld dat 'hoe' het enige was wat de mensen in Amerika interesseerde. Niet 'waarom' – dat interesseerde mensen nergens, in feite, tenzij er iets verschrikkelijks was gebeurd. Ook 'waar' niet, en 'wie' al helemaal niet. 'Wanneer' was belangrijk, net als 'wat', maar vooral 'hoe'. Rijtuigen snelden door de rechte straten, treinen denderden over hun rails, en nieuwe gebouwen verrezen alsof ze uit de zee kwamen en plantten hun ijzeren en betonnen voeten op die smalle strook land die hun gewicht nauwelijks kon dragen. Maar het leek niemand iets uit te maken waar mensen heen gingen met die treinen, of wie er in die gebouwen zou wonen, en zelfs niet wat er in die gebouwen gebeurde. In Europa bouwden mensen huizen om in te wonen en ze huurden vervolgens rijtuigen om hen van de ene plaats naar de andere te brengen. Maar hier was alleen belangrijk hoe het huis zou worden gebouwd, hoe je erin zou trekken, hoe je eruit zou gaan. Leahs ouders, aan alle kanten murw geslagen door klokken en dozen en pakpapier en vier jonge kinderen die onverstaanbaar Engels spraken na nog maar zes maanden in New York, vroegen niet meer wie of waarom of waar, alleen nog hoe: hoe ze hun geld moesten verdienen, hoe ze de kinderen te eten moesten geven en, uiteraard, hoe ze een man voor Leah moesten vinden. Wie, was niet zo belangrijk.

Leah wist dat ergens op een rooster stond geschreven dat het beter was hier dan daar te zijn, dat hier meer minuten waren dan daar, een beter leven, een langer leven, uitgedeeld in mooi pakpapier en minuut voor minuut uitgeteld. Maar steeds als ze op de klok boven de lopende band keek, die klok die soms van de ene blik tot de volgende in het geheel niet leek te hebben bewogen, dacht ze aan wat ze op dat moment daar zou hebben gedaan – het riviertje waarin ze soms waadde op drukkende zomerdagen, de dikke, doorsijpelende grond in het nabije bos, waar ze in kringetjes rond glibberde toen ze verondersteld werd brandhout te sprokkelen, het moment op

heldere winteravonden waarop ze een excuus vond om na het donker naar buiten te gaan en haar hoofd op te heffen naar een be-
schuttende koepel van sterren. Leah wilde een leven dat niet uit
minuten, maar uit momenten zou bestaan.

Elke vrijdagavond voor het avondeten in New York – de enige
maaltijd die het gezin in New York samen gebruikte doordat ze allemaal verschillende werktijden hadden – voegde haar moeder onmiddellijk nadat ze de zegen over het brood had uitgesproken er
als een ritueel aan toe: 'En godzijdank zijn we weg uit dat verschrikkelijke oord.' Leahs broertjes hadden de gewoonte ontwikkeld om die zin samen met haar uit te spreken, waarbij ze haar ver-
ontwaardigde zucht imiteerden en de routine lieten volgen door
vulgaire grappen in het Engels, die hun moeder niet begreep. Als
ze klaar waren met hun voorstelling, beet hun moeder altijd terug:
'Ga toch met je hoofd tegen de muur slaan, stelletje sufferds. Het
ligt daar vol met dode joden. Elke centimeter van dat hele conti-
nent is doorweekt met bloed. Hebben jullie ooit gemerkt dat je
nooit hoort over mensen in Amerika die joden vermoorden?'

Nee, dacht Leah later, je hoort nooit over mensen in Amerika die
joden vermoorden. In Amerika nemen de joden, die zo gewend
zijn vermoord te worden, de zaak in eigen hand en vermoorden
zichzelf.

Leah had David twee keer gezien voordat ze trouwden. Hij was
een neef van de man van haar zuster, een knappe jongen, net van de
boot en zich afvragend waarom hij in godsnaam daarheen was gegaan. De eerste keer dat ze elkaar ontmoetten, was op de bruiloft
van Rachels zwager, waar hij aan de vrijgezellentafel van de bruidegom indruk op de mannelijke gasten maakte met zijn commen-
taar op de talmoedische huwelijkswetten. Na de bruiloft had iedereen het over hem. Nog nooit was er iemand die zo jong en
geleerd was, in elk geval niet iemand die zij kenden, naar hun buurt
gekomen. Gewoonlijk lieten alleen de minder goede studenten van
de joodse academies in Europa hun studie in de steek om overzee
naar het land van overvloed te gaan; vaak leken Amerikaanse joden

recht van de bodem van het Europese joodse vat te komen, de mensen die het niet hadden gered en daarom maar beter de benen konden nemen. In een stad van onnozele halzen was David een juweel. En hij wist het. Hij sprak geen woord Engels, maar zijn Jiddisch en Hebreeuws lichtten het armoedige blok op als een bovennatuurlijk licht op een oud, donker schilderij.

David en Leah ontmoetten elkaar voor het eerst op de bruiloftsreceptie, waar de bruidegom hen aan elkaar voorstelde in het vage gebied achter in de zaal waar mannen en vrouwen zich aarzelend onder elkaar begaven aangezien het dansen, uiteraard, gescheiden plaatsvond. David feliciteerde haar met haar verwantschap met de bruidegom.

Leah stond zenuwachtig te draaien. Ze was niet gewend met mannen alleen te spreken, en de bruidegom werd afgeleid door een andere gast, waardoor zij tweeën een eiland vormden in de lawaaiige ruimte. 'Ik hoorde dat je briljant hebt gesproken,' zei ze.

David was gewend complimenten te krijgen, maar had niet geleerd dank je te zeggen. 'Ik merk dat de mensen hier heel wat te leren hebben,' verklaarde hij, opzij kijkend alsof er iemand achter haar was verschenen die veel interessanter was. Toen keek hij naar haar alsof hij plotseling merkte dat ze er nog was. 'Hoe heet je ook alweer?'

'Leah,' antwoordde ze, glimlachend tot haar gezicht pijn deed.

'Ah, Leah,' mompelde hij en hij liet een, wat Leah veronderstelde, geleerde uitdrukking op zijn gladde, knappe gezicht verschijnen. 'Leah en haar zuster Rachel. In het boek Genesis is Rachel de vrouw van Jakob die iedereen zich herinnert, de vrouw op wie hij veertien jaar wachtte en voor wie hij werkte, nadat hij eerst door een list met haar oudere zuster Leah was getrouwd voordat hij Rachel, de vrouw van wie hij echt hield, als zijn tweede vrouw kon nemen. Maar wie was Leah echt? Rachel had nauwelijks kinderen, een armzalige twee. Maar Leah had zes kinderen, onder wie Juda, de rechtstreekse voorouder van koning David en koning Salomo en, op een dag, de Messias. Rachel mag dan mooi zijn geweest, en er zijn altijd mooie mensen die alle aandacht trekken, maar Leah bleef tot op het laatst toegewijd aan Jakob, zonder ook maar de steun van zijn liefde. Denk aan wat er geschreven staat in Spreuken: "Bedrieglijk is de bevalligheid en ijdel de schoonheid, maar een vrouw die de Here vreest, die is te prijzen." Leah, niet Rachel, is de vrouw voor mij.' Hij grinnikte tegen haar.

Leah glimlachte weer en bloosde. Iets in dat lesje van hem gaf haar een onbehaaglijk gevoel, maar met de schallende muziek van de muzikanten in haar oren, kon ze niet goed bedenken wat het was. Het was niet de suggestie dat zij niet mooi zou zijn, maar iets anders. Ze kon echter niets toevoegen aan wat gewoon een voorbeeld moest zijn geweest van zijn geleerde commentaren. En behalve zijn veronderstelde scherpzinnigheid, had David iets aantrekkelijks. Hij had een manier van praten die je dichter naar hem toe bracht, hij bewerkte de lucht voor hem met zijn vingers en deed je wensen dat hij zijn vingers over je armen zou laten gaan. Verlangen, dat was het. Leahs oudere zuster had het in Leahs oor gefluisterd.

De tweede keer dat Leah en David elkaar ontmoetten, was tijdens een sabbatmaaltijd bij Leah thuis, waar hij was uitgenodigd nadat haar ouders tot de conclusie waren gekomen dat zij tweeën bij elkaar pasten. Het was al bijna geregeld voordat ze gingen zitten.

'Ik zal haar behandelen zoals een vrouw behandeld hoort te worden,' stelde David aan tafel, nadat hij diepe indruk op Leahs ouders had gemaakt met een esoterische verhandeling over de wettige verplichtingen van de joodse priesters. Haar ouders waren een en al ontzag.

'Je herkent een dwaas aan zijn gezicht en een wijs man aan zijn ogen,' zei Leahs vader nadat David was vertrokken. Leah dacht aan haar eigen ogen en haar gezicht vertrok even toen ze het hoorde, maar toen haar ouders haar vroegen of ze met hem wilde trouwen, dacht ze aan die plagende vingers en zei ja.

De nacht voor haar bruiloft werd Leah gekweld door dromen, eerst die over haar grootmoeder, en toen nog andere. Asymptotische dromen waarin ze keer op keer probeerde iets te doen, en steeds dichter bij de uitvoering kwam, maar het nooit echt voor elkaar kreeg. In een van haar dromen was ze in de fabriek en stikte ze de naden van de vingers van een handschoen. Eerst stikte ze de zijkant van de handschoen en vormde de pink, toen de ringvinger, enzovoort. Maar na een paar minuten van drie naden per minuut drong het tot haar door dat het een handschoen zonder einde was. Steeds als ze een vinger naaide en doorging naar de volgende, leek ze slechts één vinger van de duim verwijderd te zijn, maar de duim kwam nooit, er kwamen alleen meer en meer en meer vingers, de ene na de andere.

Ze werd gefrustreerd wakker, viel weer in slaap en merkte dat ze een doos probeerde te openen die dichtgebonden was met dun touw. Ze bleef de draden maar uit elkaar halen in een poging de knopen los te maken, maar op de en of andere manier maakte ze met elke lus van het garen weer een nieuwe knoop, en een nieuwe knoop. Al snel begonnen de knopen knopen te vormen en na een poosje waren haar vingers en toen haar handen en armen vastgebonden aan de doos en kon ze ze niet meer bewegen. Nadat ze uit die droom was ontwaakt, zo overvloedig zwetend dat Freydls voeten van de hare gleden, viel ze weer in slaap en droomde dat ze Freydls kat voerde, de kat die ze bij de buren in hun oude dorp hadden achtergelaten. Ze gaf de kat zijn normale eten, maar hij bleef maar naar haar snorren om meer en meer en meer. Na een tijdje begon hij ongecontroleerd te groeien. Leah bleef hem maar eten geven in de hoop dat hij verzadigd zou raken, maar hij kreeg er maar niet genoeg van. De kat bleef doorgroeien tot Leah op een gegeven moment opkeek van de etensbak van de kat en zag dat ze tegenover een leeuw stond. Die keer werd ze met een gil wakker. Freydl sliep zo diep dat ze het niet eens merkte.

Op haar bruiloft, vlak voor de plechtigheid, zetelde Leah op een stoel, geflankeerd door haar moeder en haar oudere zus, terwijl de bruiloftsgasten om haar heen zongen en dansten, wachtend op de bruidegom en zijn gezelschap, die haar met haar sluier moesten bedekken voor de trouwplechtigheid. David kwam binnendansen, omringd door de mannelijke gasten, die hem bijna naar zijn bruid droegen. Leah keek naar hem alsof hij een prins in een koninklijke stoet was. Een brede grijns lag op zijn gezicht toen hij haar sluier omlaag deed, en in zijn glimlach voelde ze een vuur branden.

Toen ze haar zeven ronden om de bruidegom begon te maken onder het trouwbaldakijn, zag ze dat hij naar haar keek, dat zijn zwarte ogen haar volgden terwijl ze langzaam haar eerste ronde om hem heen maakte. Iets diks en zwaars vulde de smalle ruimte tussen hem en haar. De lucht onder het trouwbaldakijn werd donzig en de vreemde vezels kriebelden haar gezicht onder de sluier. Ze had moeite met ademhalen. Bij de tweede ronde voelde ze zijn ogen weer op haar rusten, maar ontweek ze zijn blik. Elke bruid is nerveus, dacht ze, en ze hoorde de woorden alsof iemand anders ze uitsprak.

Bij de derde ronde stond ze zichzelf toe zijn blik te beantwoorden en draaide ze haar hoofd licht toen ze voor hem langs liep om hem aan te kijken. Haar sluier was zwaar, maar door de stof heen kon ze zijn ogen over haar lichaam zien gaan en zag ze zijn kaak licht zakken terwijl hij zijn dikke rode lippen op elkaar perste om zijn tong binnen te houden. Zijn zwarte ogen gingen over haar benen, haar heupen, haar buik, en bleven rusten op haar borsten. Leah zag hem naar haar borsten staren en voelde de vloer onder zich wegzakken. Ze deed van schrik een stap achteruit, maar herinnerde zich toen waar ze heen moest en stapte naar voren, waarbij ze zich langs hem haastte om haar ronde te voltooien en haar adem inhield tot ze achter hem was. Bij zijn rug gekomen, haalde ze oppervlakkig, wanhopig adem. Bij de vierde ronde keek Leah weer naar hem. Deze keer glimlachte hij, scheen zijn glimlach op de rabbi voordat hij hem op Leah richtte. Maar toen de glimlach Leah raakte, dook ze doodsbang ineen. Zijn ogen keken in haar richting, maar het was alsof ze een kozijn was: hij keek dwars door haar heen en glimlachte naar een of andere persoon achter haar, alsof ze niet bestond.

Leah slikte en maakte zichzelf tot een ijzeren staaf. Ze voltooide de rest van de ronden zonder erbij na te denken en ging aan zijn rechterzijde staan. Terwijl de plechtigheid snel voortging, probeerde ze naar de zegeningen te luisteren, maar steeds opnieuw moest ze aan de dromen van die nacht denken, over haar grootmoeder en de knopen en de almaar doorgroeiende kat. Toen de plechtigheid voorbij was, werden de pasgetrouwden naar een kleine kamer gebracht om de eerste paar minuten van hun getrouwde leven samen door te brengen voor het begin van de receptie.

De deur klikte achter hen dicht en de lucht in de kamer voelde dikker en zwaarder op Leahs rode wangen. Terwijl ze daar voor het eerst alleen was met haar man, beefde ze en kon niets bedenken om te zeggen. Gelukkig leek David niet te willen praten. Hij nam haar gezicht in zijn handen en trok haar naar zich toe. Leah wist niet goed wat ze kon verwachten en sloot haar ogen. Maar wat er gebeurde, was wat ze het minst had verwacht: op datzelfde moment verstevigde David zijn greep rond haar gezicht en sloeg haar hoofd tegen de muur tot ze duizelig op de vloer smakte.

'Nu weet je wie de man en wie de vrouw is,' verklaarde hij toen ze bijkwam.

Leah lag waar ze gevallen was, in de hoek van de kamer, trillend als een espenblad en met een stekende pijn in haar hoofd. Toen ze haar ogen opende, bleek haar sluier weer over haar gezicht te liggen. Door de stof zag ze hem over zich heen gebogen staan, tussen donkere vlekken door die haar gezichtsvermogen belemmerden. Toen viel hij aan.

Hij pakte haar bij haar enkels en trok haar naar voren, waarbij haar jurk op de vloerplanken bleef hangen en haar witte benen zichtbaar werden. Toen liet hij zich op de grond zakken en beukte met de muis van zijn hand op haar gesluierde voorhoofd, tussen haar ogen, waarbij hij haar keer op keer tegen de muur smakte terwijl hij zijn andere hand omhoog liet glijden langs de binnenkant van haar dijen, waar niemand haar ooit had aangeraakt. Toen ze begon te gillen, bracht hij zijn hand naar haar mond, drukte de sluier tegen haar lippen en bleef slaan. In het belang van de eerbaarheid van het paar had het groepje muzikanten zich recht voor de deur geposteerd. Niemand daarbuiten hoorde iets.

Ineens sprong David op, hees haar van de grond, pakte haar bij haar polsen en trok haar naar de deur. Toen ze die openden, werden ze met open armen door de gasten begroet; de mannen namen David mee om met hem te gaan dansen en de vrouwen kwamen op Leah af. Maar Leah baande zich eerst een weg naar haar ouders. Iedereen glimlachte, was opgewonden, verrukt. Alleen haar moeder merkte dat Leah niet glimlachte.

'Wat is er gebeurd?' vroeg haar moeder, met een gebaar naar Leahs zuster dat ze de gasten moest bezighouden. Leah begon te huilen en wilde niet ophouden totdat haar ouders iedereen hadden weggestuurd. Toen hield ze haar haar omhoog, liet de zwelling op haar achterhoofd zien en begon hakkelend te vertellen dat hij haar had geslagen, dat hij haar tegen de muur had gesmakt, dat hij...

'Maar waarom zou hij dat in godsnaam doen? Hij is een geleerde, een genie! Hoe kan hij zoiets doen?' schreeuwde Leahs moeder boven de muziek uit.

'Dat weet ik niet, hij is krankzinnig! Vraag het aan hem! Waarom vraag je het aan mij?' gilde Leah. Een paar van de gasten die in de buurt stonden, draaiden zich om en keken naar hen. Haar vader wierp glimlachend een blik over zijn schouder en wuifde hen weg. Haar moeder duwde haar hand tegen Leahs mond, waardoor Leah misselijk werd. Ze kwijlde in haar moeders hand.

'Luister, Leah,' zei haar vader, 'vergeet het allemaal maar, goed? Vergeet die jongen. Laten we alleen een beetje dansen, laten we iets eten, laat iedereen een beetje plezier maken vandaag, maar vanavond ga je met ons mee naar huis, begrepen?'

'En dan ga ik geld sparen om een kaartje naar huis te kunnen kopen,' kondigde Leah aan nadat haar moeder haar hand had weggenomen, en haar stem beefde hoewel ze haar best deed hem te beheersen. 'Ik blijf hier niet! Jullie kunnen me niet hier houden!'

Leahs ouders wisten dat het niet het goede moment was om te protesteren. Ze trokken Leah mee naar de gasten, waar de vrouwen urenlang rond de bruid dansten zonder haar rode ogen op te merken.

Toen de zaak ten slotte voor het rabbijnse hof kwam – nadat haar vader drie maanden achter David had aangezeten om haar een scheiding te geven, en David drie maanden lang had geweigerd – mocht Leah, omdat ze een vrouw was, niet als getuige verschijnen. Maar ze was erbij aanwezig, achter in de zaal gezeten, en toen ze hoorde wat de getuigen die haar vader had opgespoord te melden hadden, gaf ze bijna ter plekke over. Als David zo'n briljant en succesvol geleerde was, vroeg Leahs vader, waarom was hij dan eigenlijk uit Europa weggegaan? Volgens drie getuigen uit Davids geboortedorp en de stad waar hij had gestudeerd, was David echt een wetenschapper. Iedereen had hem als een wonderkind beschouwd. Nadat hij het ouderlijk huis had verlaten, was hij het genie van de rabbijnse academie geworden. Het enige probleem was dat hij, in een van de huizen waar hij zijn maaltijden gebruikte in de stad waar hij studeerde, de jongste dochter van de gastheer zo ernstig had geslagen dat het meisje niet meer kon lopen en haar armen niet meer kon bewegen. Het was een klein wonder dat ze het had overleefd. Na dat incident was hij van de academie gestuurd en teruggegaan naar zijn geboortedorp, waar zijn familie hem zo snel mogelijk op de boot naar Amerika had gezet. Onder druk van het hof en bedreigd met excommunicatie stemde David in met een scheiding van zijn vrouw Leah.

Op haar huwelijksnacht lag Leah weer met Freydl in haar ijzeren bed en ze huilde tot de dag aanbrak, terwijl Freydl, in haar woeste slaap, met haar hoofd tegen de muur sloeg.

De dag na haar bruiloft ging Leah weer gewoon naar de fabriek.

Ze zat de hele dag achter haar naaimachine en zoomde de ene rok na de andere terwijl ze zo nu en dan een blik op de tikkende klok aan de fabrieksmuur wierp. Soms had ze het idee dat de wijzers van de klok achteruit gingen – ze had kunnen zweren dat het tien uur was geweest toen ze voor het laatst keek, maar toen ze later weer keek, was het nog maar halftien. Terwijl de minuten voorbij tikten, minuut na minuut, begon ze het gevoel te krijgen dat zij de rokken niet stikte, maar dat die eerder haar stikten. Het was alsof de naaimachinenaald heen en weer langs haar armen bewoog, ze aan elkaar stikte en haar hele lichaam vervolgens met naden omhulde tot ze klaar was om opgevouwen, vervoerd en verkocht te worden, en gedragen te worden door een andere vrouw die, ergens in de verre toekomst, meer van het leven zou profiteren dan zij had gedaan. Tegen de tijd dat de hemel buiten de weinige ramen van de fabriek verduisterd was tot een diep blauw, had ze het gevoel dat ze dood was.

Toen buiten de straatlantaarns aangingen en de fabriekschef de gaslampen binnen aandeed, draaiden de weinige ramen van de fabriek zich binnenstebuiten. Het enige wat Leah in die ramen kon zien wanneer ze opkeek, was de weerspiegeling van het interieur van de fabriek, de ongeveer tien andere naaisters die zaten te stikken als een rij poppen in een poppentheater. Er was geen wereld buiten, er waren alleen steeds meer meisjes die in rijen achter hun machines zaten te stikken. Toen de klokken ten slotte het eind van de laatste ploegendienst luidden, stonden de kleine rijen machinepoppen gelijktijdig op, liepen achter elkaar langs de chef, die hun gewerkte uren noteerde, en vertrokken. Maar Leah kwam niet in beweging. Uit haar trance ontwaakt door het zwijgen van de machines om haar hen, legde ze haar hoofd op de naaimachinetafel – haar hoofd, dat nu bedekt was met een hoofddoek, nu ze getrouwd was, een hoofdbedekking die ze de rest van haar leven zou moeten dragen, of ze nu getrouwd bleef of niet – en barstte in snikken uit.

Geluidloze snikken, grotendeels. Jaren van gezamenlijke slaapkamers en bedden hadden haar goed getraind in het verbergen en inslikken van tranen. Tegen de tijd dat ze zeventien was, had ze het huilen gereduceerd tot een serie schokken, een bijna onwaarneembaar beven, en een bedekt gezicht. Deze keer was het minder belangrijk, want ze had de fabriek voor zichzelf. Leah huilde en huilde tot ze vergat waarom ze huilde, wat uiteraard de functie van huilen is. En toen, uit het niets, hoorde ze een fluistering in de lucht voor haar.

'Leah?'

Met een schok hief Leah haar hoofd op. Voor haar zat Aaron, de administrateur, met zijn vuile witte hemdsmouwen opgerold over zijn dunne, harige armen. Instinctief keek ze naar de deur om zich ervan te vergewissen dat hij open was. Hij was open, en dat betekende, technisch, dat ze niet alleen was met een man, een privilege dat voorbehouden was aan echtgenoten.

Hij was een jonge man, met donkerbruine ogen en dik, donker haar dat over zijn voorhoofd hing. Een paar overgebleven puistjes bij zijn mondhoek getuigden van zijn jeugdige leeftijd. Ze had hem ooit door een van de voormannen Aaron horen noemen, en ze had zijn naam onthouden omdat Aaron ook haar vaders naam was. Aanvankelijk verbaasde het haar dat hij haar naam kende. Maar toen haar hersenen eindelijk tot rust waren gekomen, de beroering langzaam was weggetrokken als rimpels op het wateroppervlak nadat er iets in was gevallen, besefte ze hoe hij haar naam kende: hij hield dagelijks het aantal gewerkte uren van de naaisters bij. Hij kende iedereen van naam, dat maakte deel uit van zijn werk. Ze veegde haar tranen weg en hoopte dat hij ze niet had opgemerkt.

'Ik zag dat je vandaag je haar had bedekt,' zei hij. 'Ben je getrouwd? Ik wilde je alleen feliciteren, als dat zo is.' Alleen al door hem Jiddisch te horen spreken voelde ze zich beter, maar wat hij zei bracht de tot rust gekomen poel in haar hoofd weer in beweging.

'Je hoeft me niet te feliciteren,' snauwde ze op de toon die haar moeder gebruikte als ze een gesprek wilde beëindigen – een bijl op een hakblok. 'Ik ga scheiden.'

Leah dacht dat het de administrateur wel zou afschrikken, maar dat was niet het geval. Hij bleef voor haar zitten, met zijn kleine lippen op elkaar geperst alsof hij iets wilde zeggen, maar wist dat hij dat beter niet kon doen. Normaal had Leah zich ongemakkelijk gevoeld om daar met een vreemde te zitten, maar de kleine lippen van de administrateur met de puistjes bij de mondhoek leken iets onschuldigs uit te stralen. Terwijl hij naar haar keek, streek hij in een onbewust gebaar een lok haar van zijn voorhoofd, hoewel deze zonder dat hij het merkte even later weer teruggleed. Leah had het gevoel dat ze daar met een van haar jongere broers zat. Hij zei geen woord, tot er een dichte stilte in de ruimte was geslopen, als water dat door de vloerplanken sijpelt. Toen tikte hij op het water en brak door het oppervlak.

'Kort huwelijk, hè?' zei hij ten slotte op hoge toon terwijl hij ging verzitten. 'Wist je zo snel dat het een slechte verbintenis was?'

'Sommige mensen verspillen liever geen tijd voordat ze je met je hoofd tegen een muur smakken en je bewusteloos slaan. Misschien heb je dat aardige slag nooit ontmoet.' Leah liet haar wang tegen haar handpalm rusten en staarde naar de naald van de naaimachine. Ze wilde haar hand eronder laten glijden en haar vingers aan elkaar stikken, iets doen waardoor de administrateur weg zou gaan en haar alleen zou laten.

'Nee, ik heb ook een paar van dat soort mensen ontmoet,' antwoordde Aaron. Leah keek hem weer aan. Hij keek recht in haar ogen, en ze dacht aan Davids blik tijdens de trouwplechtigheid en hoe hij dwars door haar heen had gekeken. Met de administrateur was het het tegenovergestelde. Het was alsof er voor hem op dat moment niets anders bestond in de hele fabriek dan zij. 'Maar je bent er in elk geval snel achter gekomen,' vervolgde hij. 'Stel je voor, je kon jaren met die man getrouwd zijn geweest. Op deze manier heb je je een heleboel tijd bespaard.'

Hij was te ver gegaan. Leah liet haar tranen de vrije loop en haar woorden ook. 'Ik geloof niet dat er op dit moment zoiets als tijd bestaat,' zei ze onsamenhangend terwijl ze haar snikken inslikte. 'Soms kijk ik naar de klok aan de muur hier en weet ik dat het een hele tijd geleden is dat ik voor de laatste keer keek, maar de klok staat dan zelfs vroeger dan de vorige keer. Ik kijk op en volgens de klok is het tien uur, en ik kijk veel later weer op en volgens de klok is het negen uur. Ik weet dat het een waanidee moet zijn, maar ik denk wel eens…'

'Het is geen waanidee,' onderbrak Aaron haar. Zijn stem was vast en duidelijk, en klonk voor Leah als een klop op een boomstam. 'Ze maken je iets wijs. Ze knoeien vrijwel elke dag met de klok.'

Leah hield op met huilen. 'Ze knoeien met de klok?' herhaalde ze.

Aaron grinnikte. 'Natuurlijk. Alle fabrieken hier in de buurt doen het. Heb je het nooit gemerkt? Misschien niet, je zit tenslotte de hele dag achter die machine. Je kijkt waarschijnlijk niet zo vaak omhoog, hè?'

'Nee, niet vaak,' zei Leah terwijl ze met de rug van haar hand over haar neus wreef.

Leah staarde naar hem en voelde haar tranen opdrogen. 'Je houdt me voor de gek.'

Aaron schudde zijn hoofd. 'Het gebeurt bijna elke dag,' zei hij. 'Soms twee keer per dag.'

Leah keek op naar de klok aan de muur met zijn reusachtige zwarte wijzers, toen naar de harige zwarte knokkels van de administrateur, toen weer naar de klok, en barstte toen in lachen uit. Het was de eerste keer dat ze lachte sinds ze in New York was.

Aaron lachte met haar mee, lach voor lach. 'Volgens mij kun je wel een beetje hulp gebruiken,' zei hij, terwijl haar glimlach nog op haar gezicht lag.

'Meer dan een beetje,' gaf Leah toe. 'Ik wil terug naar huis.'

'Naar huis? Weg uit Amerika? Heb je je verstand verloren?'

'Ja, volgens mijn moeder wel.'

'Nee, je wilt niet weg. Je hebt alleen een nieuwe start nodig. Misschien kan ik je helpen een nieuwe man te vinden nadat je gescheiden bent,' bood hij aan. Leah zag zijn oren rood worden en besefte dat hij dat niet had willen zeggen, in elk geval niet hardop.

Haar glimlach verdween. 'Wie had je gedacht, jij?' zei ze spottend. Ze spuugde de woorden bijna uit. Ze had hem niet aan het schrikken willen maken, maar het werkte. Aaron deinsde achteruit en staarde naar de vloer voor de naaimachine.

'Nee, niet ik,' stamelde hij, en hij wist toen zijn zelfbeheersing te herwinnen. 'Je hebt een echte Amerikaan nodig, niet een of andere sukkel als ik die nog steeds in een kosthuis woont. Je hebt iemand nodig die alles voor je kan oplossen.'

Leah dacht hierover na. De administrateur had wel gelijk.

'Luister, ik ga wat rondvragen en kijken of ik een paar aardige Amerikanen kan vinden die op zoek zijn naar een vriendin. Wat vind je van het idee dat je morgen weer wat langer blijft en dat ik het je laat weten? Als ik iemand vind, neem ik hem mee, als je wilt, zodat je hem kunt ontmoeten. Intussen kan ik je helpen met je Engels. Dat zal je leven ongelooflijk veel gemakkelijker maken. Als je het goed genoeg leert, heb je nooit meer hulp van iemand nodig.'

Leah trok haar wenkbrauwen samen en schudde haar hoofd. 'Ik kan niet laat blijven tenzij ik overwerk. Mijn ouders hebben me thuis nodig, en anders hebben ze het geld nodig.'

'Dan schrijf ik een extra uur voor je op.'

Leah staarde hem met grote ogen aan. 'Dat kun je niet doen,' stamelde ze.

Hij glimlachte. 'Natuurlijk wel. Ik ben de administrateur! Bovendien werk je dat extra uur al, door de klok. Terwijl zij aan de klok werken, werken wij aan Leahs Leven. Hoe lijkt je dat?'

Tot haar eigen verbazing stemde Leah met het voorstel in.

Elke avond bleef Leah na haar avonddienst achter haar naaimachine zitten en kwam Aaron naar haar toe; hij zette eerst de fabrieksdeur open en vertelde haar dan over jongens die hij kende en die haar wellicht wilden ontmoeten. Gedurende de tweede helft van het extra uur leerde hij haar Engels. Ongeveer eens per week, nadat hij Leah altijd de avond tevoren op de hoogte had gebracht, bracht hij zijn, zoals hij ze noemde, 'kandidaten' mee, jonge mannen die hij via mensen in zijn kosthuis had leren kennen, van wie sommigen zelfs in Amerika waren geboren.

Een van de mannen was een fabriekseigenaar. 'Hij is echt ideaal, Leah,' zei Aaron tegen haar met de jongensachtige opwinding die hij altijd kreeg als hij haar over een man vertelde. 'Hij is rijk, een Amerikaan en de liefste man op de hele wereld. Ik meen het. Hij kan zelfs koken!'

Maar de ontmoeting met de man was een teleurstelling. 'Ugh, Aaron,' zei ze daarna, 'aardig, maar zo óud! Waarom is hij zo oud?'

'Nou ja, zijn vrouw is een paar jaar geleden gestorven.'

'Dat heb je me niet verteld!' gilde ze. 'Bovendien is hij te klein.'

'Te klein, te groot, te lelijk, te knap, het is nooit goed bij jou!' riep Aaron terwijl Leah lachte.

'Ik heb het recht om kieskeurig te zijn, of niet soms?'

De mannen paradeerden een voor een voorbij, en Leah begon zich te voelen als een prinses die mag kiezen uit de vrijers die gepresenteerd worden door haar hofheer. Vele maanden later was Leahs Engels sterk verbeterd en was het aantal geschikte mannen sterk afgenomen, zozeer dat sommige 'kandidaten' minder goed Engels spraken dan zij. Maar soms vergaten Aaron en zij de vrijers en praatten samen. Aarons hele familie, behalve één broer die Hayyim heette, was in hun stadje in Galicië in Oostenrijk-Hongarije tijdens een cholera-epidemie gestorven. Hayyim en hij waren overgebleven met een oudere tante van wie ze stapelgek werden. Vlak voor de epidemie was Hayyim getrouwd met een vrouw die Sarah heette en hij was al bij Sarahs ouders ingetrokken, en Aaron, zonder werk en alleen op de wereld, liet zijn tante aan haar roddelvriendinnen over en ging scheep naar New York. 'Ik ging scheep als een brief. Zo voelde het,' vertelde Aaron haar. Dat was twee jaar geleden geweest. Maar toen de brief op de plaats van bestemming was gekomen, was er niemand om hem af te halen.

Na een droogteperiode van een maand wat mannen betrof, begroette Aaron haar bij hun avondlijke afspraak met opwindend nieuws. 'Oké, Leah, deze keer heb ik de volmaakte man voor je,' kondigde hij aan.

'Als hij ook maar een beetje op de laatste paar mannen lijkt, ben ik niet geïnteresseerd,' zei ze lachend. Het was inmiddels allemaal een grap voor haar geworden, maar ze genoot ervan.

Aaron sloeg met zijn vuist op de naaimachinetafel. 'Nee, hij lijkt er niet op. Deze is heel anders, dat beloof ik je.'

'Goed, vertel me over hem.'

'Nou, hij is een immigrant, maar hij is hier al een poosje, dus kan hij je een beetje helpen. En zijn ouders zijn gestorven, dus hoef je je niet druk te maken over schoonfamilie!'

'Aaron, maak geen grappen over gestorven ouders, alsjeblieft. Jij zou dat toch moeten weten.'

Aaron fronste even zijn wenkbrauwen, maar toen verscheen zijn jongensachtige glimlach weer. 'Prima, geen grappen. Maar goed, deze man is geen genie…'

'Mooi, want ik ben tot de conclusie gekomen dat ik niet van ge-nieën houd.'

'…maar hij is ongelooflijk handig. Ik bedoel, hij werkt heel hard. Toen hij in New York kwam, begon hij in een fabriek te werken, net als jij, maar nu heeft hij het al geschopt tot een kantoorbaan. En je zou het niet denken, maar hij heeft een heleboel geld ge-spaard. Hij denkt er zelfs over om binnenkort zijn eigen bedrijf te beginnen, als hij eenmaal genoeg heeft gespaard.'

'Dat is het soort genie dat me bevalt. Wat nog meer?'

'Nou, het beste is,' zei Aaron nog steeds grijnzend, 'dat deze man weet hoe hij met vrouwen moet omgaan.'

Leah kreunde. 'Vergeet het Aaron. Zo een hoef ik niet.'

'Nee, dat bedoelde ik niet. Ik bedoel het tegenovergestelde. Hij is niet als al die andere lullen die denken dat vrouwen er alleen maar zijn om bovenop te kruipen. Hij had een heleboel zusters van wie hij echt, echt hield. En toen hij opgroeide hoorde hij een heleboel griezelverhalen over mannen die hun vrouw sloegen, en zijn fami-lie liet dat niet zomaar gebeuren. Zijn moeder nam zulke vrouwen in huis om ze te beschermen tegen hun man, en deze vent heeft dus veel geleerd. Hij is een mensch, Leah.'

Leah, die er een beetje bij had gehangen, ging rechtop zitten aan de naaimachinetafel. 'Hij zal wel ongelooflijk lelijk zijn, klopt dat?'

Aaron lachte een beetje en werd een heel klein beetje rood. 'Nee, zo erg is het denk ik niet. Hij is niet zo lang, maar lang genoeg voor jou, dus ik denk dat hij een goede partij is. Hij is aan de magere kant, met een paar puistjes maar niet te veel, en hij heeft bruine ogen en een heleboel bruin haar dat altijd over zijn voorhoofd valt.'

'Een beetje als dat van jou?' vroeg Leah.

'Een beetje als dat van mij,' zei Aaron zacht, en zijn gezicht werd roder.

'Vraag je mij om met je te trouwen, Aaron?'

Aaron werd vuurrood en staarde in haar blauwe ogen. 'Als ik dat deed,' antwoordde hij, 'zou je dan ja zeggen?'

'Ik ben zo blij je te ontmoeten, Aaron,' zei Leahs moeder overdreven vriendelijk terwijl ze hem, en week later, binnenliet in hun appartement; ze gebruikte de stem die ze alleen gebruikte voor sympathieke vreemdelingen. Leah was het voorafgaande uur druk bezig geweest met het schoonmaken van hun hele dertig vierkante meter grote hok, tot het glom. Ze had haar ouders alles over Aaron verteld, en ze konden hun geluk nauwelijks geloven toen ze hoorden dat Leah iemand voor zichzelf had gevonden. Om precies te zijn, ze geloofden hun geluk ook niet. Maar toen Aaron binnenkwam, met zijn grappige haar en zijn brede glimlach, zag Leah hun gezichten oplichten als kleine straatlantaarns.

'Aaron, een mooie naam. Het is ook mijn naam,' zei Leahs vader glimlachend, nadat ze met zijn vieren hadden plaatsgenomen op de nauwgezet schoongemaakte stoelen in de kleine woonkamer waar Leahs broers 's nachts sliepen. Ze hadden de gebruikelijke beleefdheden al uitgewisseld, samen met wat feiten over de herkomst van de jongeman en zijn werk. Het was tijd om zaken te doen. 'Wat is je achternaam, Aaron?'

'Cohen,' antwoordde Aaron.

'Cohen. En je bent echt een cohen, een lid van de priesterklasse?' vroeg Leahs vader. 'Je weet het maar nooit, tegenwoordig.'

Aaron rechtte trots zijn rug. 'Ja, dat ben ik.'

Leahs ouders keken elkaar even aan. Haar vader liet een luide, doffe kuch horen, ging achterover in zijn stoel zitten en veegde met de rug van zijn hand zijn glimlach van zijn gezicht. Haar moeders gezicht nam dezelfde uitdrukking aan, de glimlach smolt van haar mond terwijl ze achterover ging zitten en op de zijkant van haar onderlip begon te kauwen. Leah, op haar stoel in de hoek van de kamer, voelde iets afschuwelijks in de lucht hangen, maar ze begreep niet waarom.

'Aaron Cohen,' zei Leahs vader langzaam, 'Leah heeft ons verteld dat je met haar wilt trouwen. Hoewel we je graag in onze familie zouden hebben, ben ik bang dat dat niet mogelijk is.'

Leah deed haar mond al open, maar ze zag Aaron op zijn lip bijten om zijn beurt af te wachten. Als ze zou gaan praten, wist ze, zou ze gaan schreeuwen, en dat zou de zaken alleen maar erger maken. Toen haar vader uitgesproken was, nam Aaron het woord.

'Ik begrijp dat u uw bedenkingen hebt, want u kent mij nog niet goed,' zei Aaron ernstig en beheerst met zijn boomstamstem. Leah kon merken dat hij zijn toespraak dagenlang had gerepeteerd. 'Als u mij wat tijd gunt, kan ik al uw angsten ten aanzien van mij wegnemen, daar ben ik van overtuigd. Als het geld is, waar u zich zorgen over maakt, dat is niet nodig. Ik ben geen rijk man, maar ik ben een harde werker en heb al promotie gemaakt in de fabriek. Ik leef eenvoudig en ik heb geld gespaard. Ik denk erover mijn eigen zaak te beginnen als ik genoeg geld opzij heb gezet. U wilt dat Leah met iemand trouwt die de godsdienst belangrijk vindt, en dat doe ik. Voordat ik hierheen kwam, studeerde ik. Ik heb jarenlang de thora bestudeerd. En ik zal Leah goed behandelen… dat beloof ik. Als u meer tijd nodig hebt, zodat ik u deze dingen kan bewijzen, heb ik daar begrip voor.'

Leahs vader kuchte weer, een laag, ratelend kuchje. Toen sprak hij. 'Aaron Cohen, ik twijfel niet aan je integriteit. Van wat ik van Leah heb gehoord, weet ik dat je een mensch bent. Ik ben ervan overtuigd dat je op een dag een uitstekende echtgenoot voor een meisje zult zijn. Maar helaas zal dat meisje niet Leah zijn. Je weet dat Leah een gescheiden vrouw is. En een gescheiden vrouw kan niet met een lid van de priesterklasse trouwen. Zo is de joodse wet. Geen enkele rabbi zal een dergelijk huwelijk toestaan, en wij ook niet.'

Terwijl Leahs vader sprak, zag Leah Aarons bloed naar zijn gezicht stijgen. 'Dat… dat meent u niet,' stamelde hij. Leah wist dat hij zijn zelfbeheersing verloor.

Haar vader bewoog zich niet. 'Aaron Cohen, ik meen het helaas wel.'

Toen verloor Aaron zijn zelfbeheersing. 'Maar Leah is níet gescheiden!' schreeuwde hij. 'Ik bedoel, officieel wel, maar… kom nou! Ze is ongeveer tien minuten getrouwd geweest!'

'Drie maanden,' viel Leahs moeder hem met getuite lippen in de rede.

'Ja, drie maanden, waarin ze hier heeft gewoond, wachtend op de scheiding! Alstublieft. Die wet kan onmogelijk op Leah van toepassing zijn! Die wet is er alleen om te voorkomen dat een cohen met een vrouw trouwt... met een vrouw trouwt die... nou, een vrouw die...'

Leahs vader schraapte zijn keel. 'Aaron Cohen, we kunnen niet bewijzen wat er wel of niet tijdens Leahs bruiloft in die kamer is gebeurd.'

Leahs maag draaide zich om, maar Aaron bleef tot het laatst toe beleefd. Na een gepast zwijgen bedankte hij haar ouders voor hun moeite, wenste hen het beste voor al hun kinderen en liet zich door Leahs vader naar de deur begeleiden. Toen de deur zich achter hem sloot, zat Leah als een standbeeld op haar stoel.

'Leah,' begon haar moeder. Zacht, niet met haar hakblokstem deze keer.

Leah bewoog zich niet en sprak niet. Haar ogen waren strak op de glanzende vloer gericht.

Haar moeder probeerde het opnieuw. 'Leah, maak je alsjeblieft niet zo druk om niets. Er zijn duizenden joodse jongens in New York. Je moet toch iemand in deze reusachtige stad kunnen vinden die je gelukkig zal maken. Een goede partij vinden is toch niet zo onmogelijk. Ik bedoel... je vader en ik kenden elkaar niet eens voordat we trouwden.'

'Dat heb ik al geprobeerd,' zei Leah met een van tranen verstikte stem. 'Gefeliciteerd. Ik wens jullie honderdtwintig gelukkige jaren.'

'Leah, ik weet dat je van streek bent, maar je hoeft niet onbeleefd tegen me te zijn.'

Leah probeerde naar haar moeder te grijnzen, maar ze kon het niet. Ze deed haar uiterste best haar tranen binnen te houden. 'Ik meende het toen ik zei dat ik van plan ben terug te gaan,' verklaarde ze zo beheerst als ze kon. 'Ik ben al geld aan het sparen voor de reis. Ik ga bij oma wonen. Alles is beter dan hier.'

Op dat moment sloop Freydl de kamer in en maakte een omweg naar de bank, waar een van haar lappenpoppen op de armleuning zat. Leahs ouders negeerden Freydl terwijl haar moeder haar stem verhief, zo luid dat de buren konden meeluisteren.

'Nou, spaar je geld dan maar en ga maar terug naar dat met stront bedekte land! Leah, hier ben je veel beter af.'

'Dat is waar,' zei Leahs vader op een naar hij hoopte kalmerende toon, 'dus doe niet zo raar. Er zijn duizenden joodse jongens in New York. Ze zijn niet allemaal als die David, weet je. Gezien de situatie zou ik niet weten waarom je zo nodig met iemand moet trouwen die Cohen heet.'

'Maar waarom kan Leah niet met hem trouwen? Wat maakt het uit hoe hij heet?' zei Freydl ineens. Haar pop en zij keken allebei op van de bank en de pop staarde Leah met grote zwarte knopenogen aan.

Leahs moeder wierp haar een boze blik toe. 'Freydl, bemoei je er niet mee. Als je niks anders te doen hebt, ga dan maar met je hoofd tegen de muur slaan.'

Zo langzaam als maar mogelijk was, pakte Freydl haar pop, gleed van de bank en slenterde naar de deur. Vlak voor ze de kamer uit- liep, draaide ze zich vliegensvlug om en schreeuwde in haar nieu- we, nasale Amerikaans-Engels: 'En noem me geen Freydl meer! Ik heet Frances, niet Freydl!' Toen sloeg ze de deur achter zich dicht en rende de trap af naar buiten.

Alleen Leah had haar begrepen.

De volgende avond, toen alle anderen de fabriek verlieten, bleef Leah zoals gewoonlijk achter haar naaimachine zitten. Maar zodra iedereen weg was, stond ze op en liep met grote passen naar de deur. Toen ze daar kwam, stond Aaron in de weg.

'Aaron, ga alsjeblieft opzij. Ik moet naar huis.'

'Nee.'

'Aaron, laat me erdoor.' Ze probeerde bij de deur te komen.

Hij stak zijn armen uit en versperde de deuropening. 'Nee, ik wil je iets laten zien. Het is belangrijk. Mag ik het je alsjeblieft laten zien?'

Leah zweeg. Even voelde ze haar bloed sneller stromen, tot ze hem achteruit zag lopen naar zijn bureau. Hij pakte een groot vel papier en liep ermee terug naar haar naaimachine.

'Weet je wat dit is?' Hij spreidde het papier voor haar uit op een van de naaimachinetafels, streek de vouwen glad en liep toen naar de muur om de gaslamp wat hoger te draaien. Terwijl de kleine blauwe vlam groter en oranje werd, begon het papier op de tafel te glanzen, een glimmende witte rechthoek als een omlijste prent van zuiver licht. Leahs ogen pasten zich aan en al snel kon ze zien wat erop geschreven stond.

Het was een inventarislijst van de fabriek, met regels en kolommen waar de boekhouders het aantal kledingstukken konden invullen die dagelijks werden geproduceerd, en waarop ze konden aangeven hoeveel er in voorraad bleef. Maar in plaats van netjes geschreven lijsten van rokken en onderrokken in het Engels had iemand, de kolomlijnen geheel negerend, het hele vel papier van rechts naar links volgeschreven in een klein, snel Hebreeuws schrift, dwars over de kolommen, alsof ze er niet waren. Onder aan het papier stonden twee handtekeningen in verschillend handschrift: 'Abraham, zoon van Elia' en 'Mordechai, zoon van Israël'. Ze probeerde de tekst te lezen, maar begreep die niet. Ze maakte er wel uit op dat het iets rabbijns was, een joodse wetstekst, maar doordat ze de pech had als vrouw geboren te zijn, was haar opleiding beperkt geweest en was haar leesvaardigheid gering. Maar een paar regels vanaf de bovenkant van het papier herkende ze twee namen: 'Aaron, zoon van Jakob' en 'Leah, dochter van Aaron'. Haar hart sloeg een keer over, maar ze zei niets.

Na een lange stilte haalde Aaron diep adem en sprak. 'Het is een huwelijkscontract. Ik heb het vandaag gekopieerd, na de ochtenddienst. Getekend door twee getuigen. Ken je Abe en Mordy, de voormannen?'

Leah lachte, een zuchtende lach van een vrouw veel ouder dan haar zeventien jaar. 'Aaron, dit kan niet. We kunnen niet trouwen. Je kunt dit aan mijn ouders laten zien of aan tienduizend rabbi's, maar dan mag het nog steeds niet. Zet het uit je hoofd, alsjeblieft? Zet het uit je hoofd!'

Maar Aaron schudde zijn hoofd, en zijn ogen flitsten in het half-donker terwijl hij zijn handen door de lucht begon te bewegen. 'Nee, Leah, ik heb bedacht hoe het wel kan! We hebben voor jou je ouders niet nodig of een rabbi of een of andere vreselijke trouwplechtigheid. Het trouwbaldakijn, het kapot gegooide glas, zelfs de rabbi… dat is allemaal gewoonte, geen wet.' Zijn stem werd luider. 'Echt waar. Het enige wat je voor een huwelijk nodig hebt, volgens de joodse wet, is een huwelijkscontract getekend door twee getuigen, en de getuigen moeten er getuige van zijn dat de bruidegom de bruid een voorwerp van waarde aanbiedt en hem de huwelijksgelofte horen uitspreken, en dan moeten de getuigen zien dat zij de bruidegom uit vrije wil aanvaardt. Dat is alles, Leah, we kunnen nu meteen trouwen!'

Leah dacht een ogenblik na en ineens draaide haar maag zich om. Ze besefte dat hij haar voor de gek probeerde te houden in de hoop dat zij gewoon niet zou weten dat het niet waar was. Maar ze wist het. 'En wat dan nog, dat je je eigen bruiloft kunt houden?' zei ze met een stem die begon te trillen. 'Dat verandert niets aan het feit dat we niet kunnen trouwen. Jij bent nog steeds een cohen en ik ben nog steeds gescheiden. Niemand zal het accepteren… mijn ouders niet, mijn familie niet, jouw broer in Europa niet, niemand. Daar kun je niet omheen en dat weet je.'

Ze hoopte dat hij met iets anders zou komen, een klein wetsartikel dat haar ouders over het hoofd hadden gezien, iets, het maakte niet uit wat, waardoor het goed zou komen. Hij zweeg en slikte, en ze zag dat hij haar verder niets te bieden had. Hij wist dat ze gelijk had. Maar toen kwamen de woorden in een stortvloed uit zijn mond stromen.

'Dat weet ik, maar het kan me niet schelen! We kunnen niet trouwen vanwege een of ander technisch wettelijk puntje? Dat is belachelijk! Laten we gewoon trouwen, Leah. We lopen weg naar Californië, of Chicago, of waar dan ook heen. Daar zal niemand weten dat je gescheiden bent. We zullen gewoon man en vrouw zijn!'

Leah zweeg, en bij het licht van de gaslamp stelde ze zich voor dat ze haar ouders en zusters en broers zou verlaten. Het idee leek onwerkelijk. Maar toen stelde ze zich voor dat ze Aaron zou verlaten, dat ze elke dag terug zou gaan naar de fabriek en zou doen alsof hij niets voor haar had betekend, en dat leek nog onwerkelijker. Leah voelde hoe haar hart begon te bonzen, alsof haar bloed naar haar hoofd zou stromen en haar zou dwingen een keuze te maken. Ze hulde zich in sarcasme om haar bonzende hart te verbergen en vroeg hem: 'En welk "voorwerp van waarde" had je in gedachten? Nog een inventarislijst?'

Aaron stopte zijn hand in zijn zak en haalde er iets kleins, metaligs uit. Hij hief zijn hand op in de lucht en liet het voorwerp tussen zijn vingers glinsteren in het gaslicht. Een ring.

'Van mijn moeder,' zei Aaron, 'moge de herinnering aan haar een zegen zijn.'

Leah staarde naar zijn gezicht, dat in het gaslicht een gloedvolle, roodbruine kleur had gekregen. Op zijn linkerslaap parelde een zweetdruppel, net onder zijn dikke bruine haar, maar de huid van zijn gezicht leek zacht en glanzend, zelfs rond de overgebleven puistjes bij zijn mondhoek. Ze wilde zijn gezicht vasthouden, met haar vingers aanraken, in zijn geheel inslikken. In plaats daarvan zei ze: 'Aaron, kunnen we dit echt doen?'

Aaron balde zijn magere vingers tot harige vuisten langs zijn zijden. 'Natuurlijk kunnen we het doen. Ik heb geld gespaard en ik heb bijna genoeg voor treinkaartjes, voor ons allebei, en jij hebt het geld dat je gespaard hebt om terug te gaan naar je grootmoeder, dus dat kunnen we ook gebruiken. Leah, zonder jou kan ik niet verder leven, dat kan ik gewoon niet. Ik wil met je trouwen, Leah.'

'Maar je plan werkt nog steeds niet,' zei ze. Ze had het gevoel dat iemand anders met haar stem sprak, dat zijzelf veel moediger was. 'Waar zijn je getuigen?'

Op Aarons gezicht verscheen een jongensachtige glimlach. Hij draaide zich om, liep naar het raam en gooide het open, en stelde zich bloot aan een lawine van verfschilfers toen het raam tegen het vuile houten kozijn knalde. Een koude windvlaag waaide de fabriek in. Hij boog zich uit het raam de steeg in, waardoor de stank van de buiten-wc's beneden binnenkwam, en schreeuwde de Hebreeuwse trouwbelofte: 'NU WORDT GIJ MIJ TOT ECHTGENOTE, GEHEILIGD DOOR DEZE RING VOLGENS DE WET VAN MOZES EN ISRAËL!'

Hij draaide zich weer om naar Leah, die zo hard moest lachen dat ze bijna niet op haar benen kon blijven staan. 'Ik denk dat ze me niet gehoord hebben,' zei hij met een grijns. 'Laten we het nog een keer proberen. Kom hierheen,' zei hij. Verbijsterd volgde ze hem en samen bogen ze zich uit het raam, nadat hij weer naar de muur was gelopen om de gaslamp hoger te draaien. Het licht werd fel genoeg om de vensterbank witgloeiend te maken. De vensterbank bood nauwelijks voldoende ruimte voor hen beiden. Ze zag hoe de mouw van zijn overhemd de mouw van haar jurk raakte en trok zich iets terug. Ze waren tenslotte niet getrouwd. Nog niet.

'Hé, Mordy! Abe!' schreeuwde Aaron. Tegen Leah zei hij: 'Ze wonen allebei in dat gebouw daar. Handig, hè?'

Aaron leunde met zijn ellebogen op de vensterbank en hield de ring tussen zijn vingers op ooghoogte, alsof hij hem aan de nachtelijke hemel toonde. Deze keer ging aan de andere kant van de wc-steeg een licht aan, ongeveer vijf meter verderop. Terwijl het licht helderder werd, verscheen er, omlijst door het raamkozijn, een dikke man, als een schilderij dat aan een muur hing. De gebouwen stonden zo dicht bij elkaar dat Leah het gezicht van de man goed kon zien. Het was Abe, de voorman. 'Je hebt me wel lang laten wachten,' schreeuwde hij terug.

'Waar is Mordy? Haal hem,' riep Aaron terug.

De man draaide zijn hoofd naar boven, en voor Leah zag het eruit alsof er in de wereld niets anders bestond dan dat raam aan de overkant van de steeg, alsof de man, als hij uit de raamlijst zou stappen, de volgende kamer in, voor altijd zou verdwijnen. De spanning in haar borst ging in een stroom van opluchting over toen ze zag dat Abe in de raamopening bleef staan en naar het plafond schreeuwde: 'Hé, Mordy, hij is daar met het meisje, dus kom hierheen!' Alsof hij uit het niets kwam opdagen, verscheen Mordy in het kozijn boven Abes hoofd; de twee mannen stonden voor hun ramen, de ene boven de andere, als ingelijste portretten. Wat vreemd, dacht Leah, om de grote voormannen van de fabriek, die de hele dag tegen de naaisters schreeuwden, daar in hun nachthemd te zien staan.

'Zien jullie deze ring?' riep Aaron terwijl hij zijn samengeknepen vingers in de lucht stak. Hij draaide de ring een paar keer rond zijn duim, zodat ze hem in het gaslicht konden zien glinsteren.

'Ja, we zien hem,' schreeuwde Abe terug.

'Jij ook, Mordy?' riep Aaron. Het antwoord werd teruggeslingerd met Mordy's nasale stem, de stem die zo vaak tegen Leah had gegild de assemblagelijn sneller te laten gaan, sneller, jij luie trut, we moeten ons kwantum halen, wil je ontslagen worden? 'Ja, zoals hij zei, we zien hem! Schiet een beetje op! We hebben vroege dienst morgen, we willen gaan slapen!'

'Het kost maar een minuut,' antwoordde Aaron, net zo luid. Toen draaide hij zich om en fluisterde tegen Leah: 'Ben je er klaar voor?'

Met bonzend hart keek Leah hem aan. Haar lippen trilden zo hevig dat ze nauwelijks antwoord kon geven. Toen voelde ze ineens iets wat ze nooit eerder had gevoeld: een vlaag hete lucht die tussen haar benen omhoogkwam en door haar buik en hart helemaal naar haar hoofd ging, alsof haar ziel uit haar lichaam de nachtlucht in brandde. Ze strekte haar hand uit en zei 'ja'.

Aaron rechtte zijn rug en haalde diep adem. Hij keek Leah recht in haar ogen en brulde de nacht in: 'NU WORDT GIJ MIJ TOT ECHTGENOTE, GEHEILIGD DOOR DEZE RING VOLGENS DE WET VAN MOZES EN ISRAËL!'

Hij nam haar hand in de zijne en liet de ring om haar vinger glijden. Met uitzondering van de klap waarmee haar hoofd tegen de muur was gesmakt en de kruipende vingers die als wormen over haar benen gingen, was het voor het eerst dat een man van buiten haar familie haar aanraakte.

'Gefeliciteerd!' schreeuwde Abe door de steeg, nagezegd door Mordy. 'Mogen jullie honderdtwintig jaar samen leven!'

'KOPPEN DICHT!' schreeuwde een vrouw vanaf de andere kant van de steeg in het Engels. 'Waar zijn jullie verdomme mee bezig, de hele buurt wakker maken?'

Leah lachte luid, terwijl Aaron het raam dichttrok en toen naar de deur van de fabriek rende. Even dacht ze dat hij haar ergens mee naartoe wilde nemen, maar ze hield op met lachen toen ze hem de deur zachtjes hoorde sluiten, zodat de fabriek een privé-ruimte werd. De deur klikte achter hem in het slot. Teruglopend naar de plaats waar zij stond, strekte hij zijn hand uit naar de muur en deed het licht uit.

In het donker boog hij zich naar haar toe. Zijn handen, zacht van zes maanden bureauwerk, gingen naar haar gezicht, en toen naar haar hoofd, en hij trok de doek af die haar haar bedekte en begon haar haar te strelen en toen haar hoofd op de plaats waar David het tegen de muur had gesmakt. Maar Leah was niet van het afwachtende slag. Ze nam zijn heerlijke lichaam in haar armen en verslond het in zijn geheel, neerzakkend tussen de naaimachines op de fabrieksvloer, waar poelen van duisternis door de vloerplanken omhoog sijpelden als het zachte vocht van de aarde.

Leah had een hekel aan het vrouwengedeelte van de synagoge. In het mannengedeelte, waar de mensen stonden die de dienst leidden en waar de thorarollen werden gelezen, baden ze met vrome toewijding en wiegden verwoed naar voren en naar achteren in bewegingen die haar aan Aaron herinnerden. Ze hoefde maar naar hen te kijken of haar lippen begonnen te trillen, brandend van hun geheim, dat nu meer dan twee maanden oud was. Maar op het kleine balkon waar de vrouwen moesten zitten, werd nauwelijks gebeden. In plaats daarvan zaten ze bij elkaar en roddelden, waarbij ze zo nu en dan in het gebedenboek bladerden als de roddel te wraakzuchtig werd. Het ergst waren de kinderen, die met hun moeders meekwamen, kleine kinderen, sommigen nog niet eens zindelijk. Leah had zich de laatste paar weken een beetje misselijk gevoeld, en daar in het vrouwengedeelte zitten, omringd door stinkende kleine kinderen, maakte het alleen maar erger. Maar hiervoor had iedereen in haar gezin een lager loon geaccepteerd; ze

werkten in winkels die minder betaalden in ruil voor een vrije sabbat. In economische zin was het dwaas, maar haar ouders hadden
erop gestaan. Veel mensen deden dat niet, kozen heiligschennis
boven verhongering, en daardoor kwamen er steeds minder mensen op zaterdagochtend naar de synagoge.

Het gedeelte uit de thora die week waren de hoofdstukken negen, tien en elf uit Leviticus. Saai, grotendeels. Instructies, stap
voor stap, in pijnlijke bijzonderheden, voor de offers die Aaron, de
hogepriester, in de oude tempel moest brengen: welk soort dieren
moest worden geofferd en in welke hoeveelheden, wanneer de
wierook moest worden gebrand, procedures voor de brandoffers.
Leah hoorde het allemaal via een stem die uit het mannengedeelte
omhooggolfde, een of andere beroemde rabbi die op bezoek was
uit Europa en uitgenodigd was om na de thoralezing te spreken.

De rabbi besteedde een groot deel van zijn tijd aan de tempel-
rituelen, maar toen kwam hij bij het interessante gedeelte. Na de
ingewikkelde offers die Aaron had uitgevoerd, probeerden twee
van Aarons priesterzonen – Nadav en Avihu, belachelijke namen
die niemand meer gebruikte – het voor zichzelf, op hun eigen manier. Ze namen allebei een vuurpan, legden er vuur in en deden
daar reukwerk op, min of meer zoals hun vader had gedaan, en
brachten een 'vreemd vuur voor het aangezicht des Heren, hetgeen
Hij hun niet geboden had'. De Heer, niet onder de indruk van
Nadavs en Avihu's creativiteit, reageerde op dit geschenk door hen
door het vuur te verteren. Aaron en zijn andere kinderen mochten
niet om hen rouwen.

Leah had het verhaal eerder gehoord, maar had er nooit echt
over nagedacht. Maar deze keer, omringd door stinkende kinderen, kon ze het niet uit haar hoofd zetten. In zijn toespraak verwees
de rabbi naar eindeloze commentaren, die het verhaal allemaal leken te willen zuiveren en stelden dat Nadav en Avihu echt iets verkeerds hadden gedaan, dat ze ongewijde materialen in het heilige
der heiligen hadden binnengebracht, dat ze afgodsbeelden hadden
aanbeden, dat ze hadden samengezworen om hun vaders rol over
te nemen, dat ze dronken waren – alles om te verklaren wat er zo

'vreemd' was geweest aan het vuur dat ze hadden binnengebracht. Maar toen de rabbi de precieze tekst van het verhaal herhaalde, deze woord voor woord vertaalde voor de onwetende Amerikanen, merkte Leah dat niets in de tekst zelf erop wees dat er iets mis was met dat veronderstelde vreemde vuur, behalve dat het een geschenk was waar God niet om had gevraagd. Leah had het gevoel dat zij degene was die verbrand was. Was voor jezelf denken echt een doodzonde? Of was het misschien mogelijk dat de zonen van Aaron helemaal niets hadden misdaan – dat zij in plaats daarvan de echte brandoffers voor de Heer waren geworden?

Ineens moest Leah ergens aan denken, iets wat niet eerder bij haar was opgekomen. Ze hield op met lezen en staarde naar de moeders op de stoelen om haar heen, met hun dreinende kinderen, kinderen op kinderen op kinderen, en begon voor zichzelf dagen te tellen. Met de klokken in New York, wist Leah, was gerommeld. Maar met de klok in haar lichaam was dat niet het geval, of zou dat in elk geval niet zo moeten zijn. Maar op dat moment, omringd door huilende kinderen, begreep ze dat Aaron ermee had gerommeld.

Een paar nachten later wist ze zeker dat ze gelijk had. Het was de nacht waarin ze in bed lag en zich haar droom over haar grootmoeder herinnerde. Die ochtend gaf ze over met een gevoel dat het zin had en besloot ze het Aaron zodra ze hem zag te vertellen.

Toen Leah die ochtend aan het werk ging, was Aaron er niet. Dat was niets voor hem – Leah kon zich niet herinneren dat Aaron ooit te laat was gekomen. Abe, de voorman, moest het werk aan zijn bureau overnemen en de naaisters noteren wanneer ze binnenkwamen. Toen ze achter haar machine zat en aan het naaiwerk van die dag was begonnen, formuleerde ze haar toespraak in haar hoofd, hoe ze hem het nieuws zou brengen. Haar eerste stap, besloot ze, was hem vertellen dat ze de treinkaartjes naar Californië zo snel mogelijk moesten kopen.

Maar na de ochtenddienst was Aaron nog steeds niet verschenen. Dat was het moment waarop Abe naar Leah kwam, die achter haar naaimachine zat, en haar vroeg mee naar buiten te gaan omdat hij haar wilde spreken. Ze stapte achter Abes dikke rug aan en volgde hem naar de hal. Haar naaimachine leek een stil eiland in de woelige fabriekszee.

Toen ze buiten waren, draaide Abe zich naar haar om en gaf haar een envelop, de standaardenvelop die gebruikt werd om de lonen te betalen. 'Mordy en ik vonden dat jij dit moet krijgen,' zei Abe op zachte toon.

Leah pakte de envelop waarop Aarons naam stond, aan. Er zat twee weken loon van Aaron in – drie keer zoveel als Leah verdiende.

'Waarom?' vroeg Leah met haar hakblokstem.

'Je bedoelt dat je het niet hebt gehoord?' vroeg Abe, die bleek werd.

Leah had het gevoel dat de lucht in de ruimte van kleur veranderde. 'Gehoord?'

Abe staarde naar de vloer. 'Er is gisteravond brand geweest in het kosthuis aan Rivington Street. Iemand heeft een hemd of zoiets over een gaslamp gelegd, waarschijnlijk een of ander kind. Ze wisten de meeste mensen uit het gebouw te krijgen, maar Aaron sliep op de bovenste verdieping. Het is waarschijnlijk de rook geweest, maar de kamer is zo uitgebrand dat hij het nooit had kunnen overleven. Gelukkig konden ze het lichaam nog identificeren toen ze hem eruit hadden gehaald.'

Het lichaam. In Europa zou hij rechtstreeks in de grond zijn begraven. Maar omdat dit Amerika was, het land waar alles werd ingepakt, moesten ze hem in een houten kist begraven, zodat zijn verkoolde lichaam de aarde nooit meer zou aanraken.

Er was geen officiële rouwperiode, want bijna iedereen die officieel zou hebben gerouwd was dood. Met uitzondering, uiteraard, van Aarons vrouw, maar niemand wist dat die er was behalve de voormannen van de fabriek.

Dus rouwde Leah voor zichzelf. Ze ging niet meer naar haar werk. In plaats daarvan scheurde ze de mouwen van haar hemd en de zoom van haar rok en sliep een week op de vloer. Drie dagen lang at ze niets. Op de derde dag, tot op dat moment verlamd van spijt, sprak Leahs moeder tegen haar.

'Leah, we willen wat het beste voor je is. Ik weet dat het daar niet altijd op lijkt, maar het is echt zo. We hebben ons grote zorgen om je gemaakt. En we denken dat het nu voor jou misschien het beste is om terug te gaan. Je zou bij oma kunnen wonen.'

Leah wist niet wat ze moest zeggen. Haar moeder legde haar hand tegen Leahs wang en vroeg: 'Heb je het geld voor de reis?'

Dat had Leah, dankzij Aarons brand.

De laatste maaltijd thuis was de afschuwelijkste van Leahs leven. Iedereen was ervoor thuisgekomen, ook al was het geen vrijdagavond. Maar niemand sprak, zelfs haar wilde broertjes niet. Zonder haar moeders zegen over hun komst naar Amerika, was het alsof ze offers aan heidense goden aten. Pas daarna, toen Leah haar laatste spullen pakte, vond haar vader de moed om te spreken.

'Omdat je teruggaat, wil ik je iets geven,' zei hij.

Hij liep zijn slaapkamer in, opende een la en haalde er een metalen doosje uit, en terwijl Leah toekeek, rechtte hij zijn rug en opende het deksel. In het doosje zat een stel tefillien.

'Deze zijn voor mij gemaakt door de schriftgeleerde thuis… herinner je je Raphael, de oude man?' vroeg haar vader.

'Natuurlijk,' antwoordde Leah.

'Goed. Hij is een uitstekend schriftgeleerde en ik vertrouw niemand aan deze kant van de oceaan ermee. Een deel van het perkament moet gerepareerd worden. Ik gebruik het stel van mijn vader nu, dus heb ik deze op het moment niet nodig, maar ik hoopte dat je ze mee zou kunnen nemen om ze te laten repareren en ze dan aan me terug te sturen. Ik sluit de doos af met wat paraffine, zodat ze tijdens de reis niet beschadigd kunnen raken, dus haal ze er niet uit voordat je er bent, afgesproken?'

Leah beloofde het hem. Maar toen haar schip, een reusachtige lege oceaanstomer waarvan ze het ooit zo volle tussendek bijna voor zichzelf had, de haven van New York uitvoer, ging ze aan dek om naar de vuile, rokende stad te kijken. Toen het schip langs het

Vrijheidsbeeld voer, pakte ze het doosje met haar vaders tefillien erin en gooide het overboord.

Gedurende de rest van de reis had ze er spijt van en ze stortte genoeg tranen om de uitgestrekte oceaan met bitterheid te vullen. Maar toen ze ten slotte in haar oude dorp arriveerde, bleek er niemand meer te zijn om ze te repareren. Het toeval wilde dat, een paar dagen voordat Leah New York verliet, haar grootmoeders huis tot de grond toe was afgebrand. Raphael, de schriftgeleerde en haar buurman, was omgekomen toen hij het vuur probeerde te doven. Haar grootmoeder was niet gewond geraakt, maar was kort daarna gestorven, volgens de buren door schuldgevoel en wanhoop. Toen Leah op de plaats kwam waar het huis had gestaan, was de grond nog zo geschroeid dat zelfs de modder die de rest van het dorp bedekte zich er niet wilde hechten.

Leah vermeed leugens, in technisch opzicht in elk geval. Na een gepaste wachttijd stuurde ze haar ouders een brief met de mededeling dat ze iemand had leren kennen en was getrouwd – wat waar was, ook al was het gebeurd voordat ze was vertrokken. De mensen in het dorp vertelde ze dat haar man in Amerika was gestorven, wat ook waar was. In de brief, en toen ze het de mensen in het dorp vertelde, gaf ze zichzelf en haar denkbeeldige man een nieuwe achternaam: Landsman (of, zoals het later gespeld zou staan in de overheidsregisters, Landsmann), een naam die gewoon genoeg was om geen vragen op te roepen, maar ook een woord dat zoveel voor haar familie in Amerika had betekend en nu niets meer voor haar betekende – letterlijk iemand die uit hetzelfde land kwam als jij, uit dezelfde plaats. Voor Leahs familie betekende het echter nog meer. Een landsman ontmoeten was een soort verlichting: je had de diepe geruststelling te weten dat je niet alleen was in een stad vol vreemden. Er zouden geen andere landsmannen meer in haar leven zijn, besefte Leah toen ze de brief op de post deed. Zelfs de mensen in haar oude geboorteplaats, haar echte landsmannen, leken nu vreemden voor haar.

Toen de baby geboren was, wilde ze hem Aaron noemen, maar

omdat haar vader Aaron nog leefde, kon ze die naam niet gebruiken. Dus noemde ze hem Nadav, een vreemde naam, niet het soort naam dat veel was gebruikt in de laatste drieduizend jaar. Als mensen haar ernaar vroegen, vertelde ze dat het de naam van haar overleden man was geweest, en dan stelden ze verder geen vragen. Niemand wil lijken opgraven. Een paar weken na de besnijdenis ging ze naar een naburige stad om een foto van de baby te laten maken, en negen maanden later stuurde ze haar ouders de sepia foto van de pasgeboren baby, die in die tijd groot genoeg was geworden om te kruipen en weg te dwalen van zijn moeder. Toen de baby wat groter was, vertrok ze met hem; ze trok ver weg, naar Galicië in Oostenrijk-Hongarije, om zich te vestigen in de stad waar Aarons broer Hayyim woonde, met zijn vrouw Sarah en hun prachtige kinderen.

Leah had gedroomd dat ze hun alles zou vertellen, onbekende gezichten in vertrouwen zou nemen en de schaamte die het hun zou brengen zou negeren. Maar toen ze bij hun huis kwam, was er iets wat haar daarvan weerhield. Toen ze het gezicht van zijn broer in de deuropening zag, een zo vertrouwd gezicht, en het gezicht van de jonge vrouw naast hem, en de gezichten van de twee kleine meisjes die zich in de gang achter hen verdrongen, en het gezichtje van het jongetje dat de vrouw in haar armen hield – een kind dat enkele maanden ouder was dan dat van haar, dat zijn handjes naar haar kind uitstak tot beide baby's in een klaaglijk gehuil uitbarstten – liet ze haar verhaal voor wat het was. Ze stelde zich aan hen voor als een vriendin van zijn overleden broer, die in Amerika was mislukt en op zoek was naar werk. Ze heetten haar welkom en deden alsof ze haar geloofden. Maar het klaaglijke gehuil van de twee babyjongetjes, en de manier waarop de man naar Leah glimlachte en zijn handen uitstak naar Leahs kind om het te troosten, en de manier waarop de vrouw haar eigen kind probeerde weg te trekken, was genoeg om haar ervan te overtuigen dat ze het wisten – dat ze aannamen dat het kind van Aaron was, en dat het een bastaard was, en dat ze nu zijn schande verspreidde op zoek naar iemand die hen alledrie kon verbergen: haar, de baby en de herinnering aan de dode broer.

En was dat tenslotte niet de waarheid? Die avond speelden de baby's samen. Toen het bedtijd was en hun moeders ze probeerden te scheiden, jammerden ze allebei opnieuw en weigerden te gaan slapen tot ze naast elkaar in bed waren gelegd.

In de brief die ze naar haar ouders had gestuurd met de foto van de pasgeboren baby, schreef ze dat haar man, niet lang voor de geboorte van de baby, bij een brand was omgekomen tijdens een reis naar een verre stad.

6

Een lange droomloze nacht

Heel ver weg, had Leora ooit ergens gelezen, zijn twee landen, duizenden kilometers van elkaar verwijderd, waar alle inwoners vergeten zijn hoe ze moeten slapen.

Bij daglicht vergeten ze hun slapeloosheid. De lichtelijk doffe blik in elkaars ogen, de verkeerde berekeningen bij transacties, de droomloze vingertoppen van luie geliefden die te moe zijn om elkaars huid te verkennen, merken ze niet op. Maar zodra de avond valt – als de sterren zichzelf aan kleine, onzichtbare draden omlaag laten zakken tot ze net boven de hoogste bomen hangen – beginnen de mensen in de twee landen te weeklagen.

De eerste kreet zweeft uit een van de landen omhoog en reist duizenden kilometers, over bergen en dalen en steden en over de oceaan, tot hij de stille, schemerige lucht van het andere land bereikt, waar de avond begint te vallen. Terwijl de duisternis neerdaalt, begint de lucht te trillen, roffelt de ruimten binnen tussen huizen en deurposten en oren. De hemel kermt. Als de mensen in het tweede land dit horen, herinneren zij zich hun slapeloosheid en beginnen ook zij te weeklagen, een weeklacht die door de lucht raast, als veren die uit ongebruikte kussens worden geslagen. Ze weeklagen de hele nacht, kinderen en volwassenen samen, oude mensen en jonge mensen en baby's in koor, klagen opdat het andere land zal ophouden met klagen, weeklagen om hun eigen verloren slaap. Maar als het eerste flauwe daglicht door de duisternis begint te gluren, dempen ze hun stemmen, wrijven in hun vermoeide ogen en keren terug naar hun altijd wakkere leven.

Leora herinnerde zich dit verhaal tijdens een van haar eigen lange, droomloze nachten – droomloze nachten die niet lang begonnen waren nadat ze Jake begon te ontmoeten, en slechts enkele uren nadat ze beseft had dat ze van hem hield. Niet dat ze het hem had verteld. Maar elke avond als ze naar bed ging, dacht ze erover het hem te vertellen, en als gevolg daarvan was ze vergeten hoe ze moest slapen.

Het was een kwelling om niet te kunnen slapen. En verontrustender nog was het besef dat het zo gemakkelijk is om te vergeten hoe je moet slapen. Slapen is niet natuurlijk, dacht ze. Baby's moeten leren de nacht door te slapen, en ze beheersen het pas na maanden van ellende. Tijdens haar slapeloze nachten had Leora gemerkt dat de slaap een delicate gift is, zo delicaat dat zelfs de lichtste gedachte voor het naar bed gaan hem van zijn plaats kan brengen, kapot kan gooien op de vloer onder de verkreukelde lakens. Leora lag dan in bed en dacht aan Jake, en al snel zouden de gedachten zich opstapelen, de ene na de andere, en maalden en kreunden haar hersenen als radertjes in een niet stil te zetten machine.

Leora's moeder had haar eens verteld dat mensen kinderen blijven tot hun ouders sterven. Tijdens haar slapeloze nachten sinds ze de foto van Jake en zijn moeder had gezien, was ze gaan begrijpen wat haar moeder had bedoeld. In nachten waarin ze de slaap niet kon vatten, ging ze soms naar de woonkamer en las in een van de vrouwenbladen van Lauren of Melanie in de hoop van verveling in slaap te vallen. Toen ze jonger was, had ze aangenomen dat deze tijdschriften beschreven hoe haar leven er in de nabije toekomst, wanneer ze maar iets ouder zou zijn, uit zou kunnen zien. Nu merkte ze echter een merkwaardig patroon op: de tijdschriften leken voor kinderen te zijn geschreven. Een ervan prees zichzelf aan als 'het tijdschrift voor je jij-jaren', jaren waarin, volgens de redactie, 'je niet meer bij je ouders woont, maar nog niet gebonden bent... jaren waarin je vrij bent om jij te zijn'. Een ander blad, met hetzelfde thema, had een sectie die 'Jij, ja, jij!' heette, terwijl een derde blad een soortgelijke sectie had met de titel 'Ik, ja, ik!' Tijdens haar lange, slapeloze nachten zat Leora eindeloos in die tijdschriften te lezen, waarbij ze haar ogen over dezelfde cycli van artikelen liet gaan over schoenen, mannen, seks, mannen en schoenen, in de verwachting enige vorm van inspiratie te vinden bij die mensen die haar voorhielden dat ze nu een vrije vrouw was, vrij om haar tijd en salaris te gebruiken om de schoenen te kiezen die ze maar wilde. Maar hoe meer ze las, hoe meer ze zich een kind voelde in een wereld die begrensd werd door wat ze met haar stevige, mollige vuistjes kon pakken, de dingen waarnaar ze kon wijzen en zeggen: 'Ik, ja, ik!' En dan kon ze helemaal niet meer slapen.

Jake had zijn 'JIJ-jaren' achter zich gelaten en dat was te merken. Hij was ongeveer vijf jaar ouder dan Leora en leek nooit aan zichzelf te denken, zelfs niet per ongeluk. Om te beginnen was duidelijk dat hij er zelden aan dacht nieuwe schoenen te kopen. Het kwam amper bij hem op zijn haar te kammen. Niet alleen dat, maar hij leek ook geen kranten of tijdschriften te lezen, zelfs de serieuze niet. Altijd als Leora hem ergens ontmoette, op hun handjevol afspraken, trof ze hem lezend in een boek aan terwijl hij op haar wachtte, en gewoonlijk een boek met harde kaft in de algemene bruine band van een universiteitsbibliotheek, wat het onmogelijk maakte het boek aan de hand van het omslag te beoordelen. Hij leek zich volkomen onbewust van wat er in de wereld gebeurde. Leora moest hem altijd uitleggen wat datgene was waar ze die week voor haar tijdschrift aan werkte, alsof ze met iemand praatte die net uit een ander land was gekomen. Toch vroeg hij altijd waar ze mee bezig was en luisterde met grote belangstelling. Met Jake had je het gevoel dat hij immuun was voor trends, dat hij stilstond in de tijd; Jake had, in tegenstelling tot vrijwel iedereen van haar leeftijd, in elke tijd, op elke plaats in de wereld geboren kunnen worden en zou waarschijnlijk min of meer hetzelfde zijn geweest.

Zijn kleine studioappartement, waar ze kort geleden voor het eerst was geweest, had twee muren die vrijwel geheel bedekt waren met plafondhoge boekenkasten. Aan de ene kant stonden de kasten vol met wetenschappelijke boeken, geschiedenisboeken, filosofieboeken, boeken in allerlei talen. Tegen de andere muur waren ze hoog opgestapeld met notitieboekjes – kleine, vrijwel identieke spiraalboekjes. Maar als je iets langer keek – zoals zij gedaan had op de avond voor haar eerste slapeloze nacht, de eerste keer dat ze in zijn appartement was, nadat hij haar had uitgenodigd om te komen eten – merkte je dat de perifere planken, de bovenste en onderste, net buiten de voor de hand liggende plaatsen om te kijken, vrijwel volledig gevuld waren met kookboeken.

'Ik zie dat je een echte kok bent,' had ze die avond gezegd vanaf haar plaats bij de boekenkast, aangezien het haar verboden was in de keuken te komen zolang hij kookte.

'Nee, ik ben een nepkok,' had hij geantwoord terwijl hij in een bakpan stond te roeren. 'Echte koks bedenken dingen. Ik volg alleen instructies.'

Ze keek weer naar de kookboeken. Het moesten er wel dertig zijn. Ze pakte er willekeurig een van de plank: een Frans kookboek, paperback. Het was duidelijk gebruikt: er zaten allerlei verschillende sausspetters op en de bladzijden zaten vol vlekken. Ze sloeg het open bij een bladzijde met ezelsoren, een kiprecept, en ze las het alsof het een verhaal was – zoals veel mensen die alleen maar spaghetti bereiden, vond ze recepten bijzonder boeiend – maar merkte al snel dat er iets vreemds was met dit recept. Overal waar het om boter vroeg, had iemand – was het Jakes handschrift of dat van iemand anders? Door de hoofdletters was het moeilijk te zien – het woord 'boter' doorgestreept en er 'margarine' voor in de plaats geschreven. Ze bladerde verder naar een paar andere bladzijden met vouwen erin. In een recept voor steak met een lichte roomsaus had iemand 'room' doorgestreept en vervangen door 'geen zuivel: creamer'. Ze bladerde verder in de veronderstelling dat ze in de handen was van een kok die geen lactose kon verdragen. Maar toen zag ze een recept voor groente met een hollandaisesaus, waar het woord 'Goed!' omcirkeld naast was geschreven. Toen ze verder bladerde, zag ze dat de veranderingen overal, en consistent, aanwezig waren – de zuivelproducten waren alleen bij de rundvleesrecepten verwijderd, mosselen waren door champignons vervangen in de bouillabaisse, het hoofdstuk over varkensvlees was onaangeroerd gelaten. Het was net als Leora's moeder thuis deed: de kookboeken bewerken om ze koosjer te maken. Er stonden ook wat koosjere kookboeken op de planken, maar die zagen er veel nieuwer uit. Ze zette het boek snel terug toen Jake het eten op tafel begon te zetten.

De maaltijd was fantastisch, beter dan wat ze in haar herinnering ooit in een restaurant had gehad. Hij accepteerde haar complimenten met spijt, alsof hij iets veel beters had willen maken en deze maaltijd bijna per ongeluk had bereid.

'Hoe ben je zo geïnteresseerd geraakt in koken?' vroeg ze hem toen het tijd werd voor het dessert. Ze verwachtte een antwoord in de trant van een levenslange fascinatie voor voedsel – dat was logisch geweest, gezien de boekenkast – of een kookcursus ergens, of een familielid dat kok was.

'Noodzaak,' zei hij. 'Mijn moeder kookte altijd voor ons, en toen ze gestorven was, had mijn vader geen tijd om te leren koken. Ik besloot dat ik net zo goed een poging kon doen om het leuk te maken. Het alternatief was de volgende vijf jaar op spaghetti te leven.'

'Zoals ik de afgelopen vijf jaar heb gedaan,' grapte Leora, en ze had er onmiddellijk spijt van. Ze had meer van hem willen horen, maar ze had de stemming veranderd. Het gesprek stierf weg in grappen over eten en koken. Maar nadat Jake zich teruggetrokken had in de keuken – ze was opnieuw uit de keuken verbannen terwijl hij opruimde – liep ze weer naar de boekenkast. Toen zag ze, op een van de middelste planken, in een ruimte tussen een paar geschiedenisboeken, een ingelijste foto van een jonge vrouw en een kleine jongen.

De vrouw, een vrouw met donker haar en brede schouders die er vijf of tien jaar ouder uitzag dan Leora, hield de jongen vast, die ongeveer zeven leek, een grote bos donker, krullend haar had en bruine ogen die de helft van zijn gezicht in beslag leken te nemen. De vrouw had beide armen om de jongen heen geslagen, hoewel hij te groot was om op haar schoot te zitten. Hij zat naast haar, op een lindegroene bank, met een arm om haar schouders. De jongen had een ernstige grijns op zijn gezicht, zich niet bewust van het feit dat het er, door de manier waarop zijn arm hoog rond de nek van de vrouw lag, uitzag alsof hij haar als een schoolvriendinnetje beschouwde; de vrouw glimlachte veel behoedzamer maar leek wel op het punt te staan naar de jongen te lachen, en knipoogde bijna naar degene die achter de camera stond. Het was de vrouw op de foto die Leora's aandacht trok. Dat ze bijna van dezelfde leeftijd waren – de vrouw en Leora – trok haar aandacht, en de glimlach van de vrouw, haar halve knipoog naar de camera, gaf Leora bijna het gevoel dat ze vriendinnen waren die een geheim deelden. Er leek een soort belofte in de foto verborgen te liggen, een voorspelling van toekomstig geluk die alleen voortkomt uit jong en bemind zijn.

Leora hoorde hoe de kraan bij het aanrecht achter haar werd dichtgedraaid en het laatste schone bord kletterend op zijn plaats werd gezet. Jake draaide zich om en voegde zich bij haar. Hij had zijn bril even afgezet en maakte hem schoon met een punt van zijn overhemd, zonder zich ervan bewust te zijn dat ze hem gadesloeg. Toen hij opkeek waren zijn ogen – die ze nooit onverhuld had ge- zien – de ogen van de foto. Hij draaide haar naar zich toe, begon haar te kussen en viel samen met haar op de bank tegenover de boekenkast. En sindsdien had ze niet meer kunnen slapen.

Leora stak haar hand uit naar haar wekker, die ze had omge- draaid om er niet voortdurend op te kijken. Na haar laatste slape- loze nacht had ze zelfs haar klokken verwisseld; ze had haar ver- blindend felle digitale weggezet en vervangen door de kleine wekker die ze voor zakenreizen gebruikte, waarvan ze de wijzers in het donker alleen kon zien als ze echt haar best deed. Het hielp niet. De laatste keer dat ze op de wekker had gekeken, was het halfvier 's nachts geweest. Sindsdien had ze haar ogen dichtgekne- pen, toen weer geopend in de hoop zichzelf uit te putten, toen de lakens opgetrokken, toen de lakens van zich af geduwd, toen ge- probeerd al haar onderwijzers van de basisschool op een rij te zet- ten, toen geprobeerd alle huis- en kamergenootjes die ze in haar leven had gehad op een rij te zetten, te beginnen met een zomer- kamp vijftien jaar eerder, toen had ze zich druk gemaakt over haar werk, want ze had de volgende dag drie interviews, die ze nu moest doen op minder dan vijf uur slaap, toen had ze zichzelf gedwongen om te doen alsof haar bed een boot op zee was, op een onbegrens- de zee met nooit eindigende golven – en toen had ze het opgegeven en weer op de wekker gekeken. Ze was er zeker van dat er minstens twee uur voorbij waren gegaan. Toen ze de wekker omdraaide en zag dat het nog maar kwart voor vier was, had ze het gevoel dat ze haar verstand verloor en, zich herinnerend dat Lauren en Melanie weg waren, begon ze te weeklagen.

Ze huilde tranen met tuiten en kon niet ophouden, en wist zelfs niet waarom ze huilde, behalve dat alles opeens angstaanjagend leek: het appartement, haar slaapkamer, de duisternis in haar kamer, de stilte in de lucht, het bed, het half beschaduwde raam dat een rechthoek van licht binnenliet als de ingang van een graftombe. Ze weeklaagde in de duisternis, luider en luider, tot alle lege ruimte in de kamer weergalmde van haar weeklachten en de kamer schokte van geluidsgolven. Ze snikte en snikte en vroeg zich af of iemand haar zou horen – en toen besefte ze dat ze hoopte dat iemand haar zou horen. Nog steeds weeklagend, tastte ze in het donker naar de telefoon. Toen ze de hoorn oppakte, werd ze bijna verblind door de lichtgevende cijfers. Ze hing op. Maar enkele ogenblikken later was haar geweeklaag zo luid geworden dat haar keel er pijn van begon te doen. De muren waren ermee beschilderd. Ze liet nog een paar weeklachten ontsnappen, voelde zich als een huilende wolf in de nacht, pakte toen de telefoon weer en belde.

Na twee keer rinkelen hoorde ze Jakes stem, die verbazingwekkend wakker klonk. 'Hallo?' vroeg hij ernstig, alsof hij oprecht benieuwd was wie zich aan de andere kant van de lijn bevond.

'Jake?' vroeg ze, haar stem nog onvast van het geweeklaag.

'Leora?'

'Heb ik je wakker gemaakt?' Een bespottelijke vraag om vier uur 's nachts, dacht Leora even later.

Maar Jake verraste haar. 'Nee, eerlijk gezegd niet,' zei hij, nog op verbijsterde toon, en Leora hoorde aan zijn stem dat hij echt wakker was. 'Ik kon niet zo goed slapen, dus ben ik opgestaan en heb een poosje gelezen. Ik verwachtte niet echt iets van iemand te horen. Zelfs de telefonische verkopers wachten meestal tot zonsopgang.' Ze hoorde de glimlach op zijn gezicht. Maar toen ging zijn toon over naar bezorgdheid, paniek bijna. 'Wat is er aan de hand?'

'Niets, eigenlijk,' probeerde ze kalm te zeggen, maar ze hoorde haar stem weer in geweeklaag overgaan. 'Ik kon niet slapen, dat is alles. Het is belachelijk. Het spijt me dat ik je heb gebeld... ik had niet moeten bellen. Ik ben gewoon een beetje van streek,' snotterde ze. Ze wou dat ze niets had gezegd, dat ze had opgehangen nadat ze hem hallo had horen zeggen.

'Het is niet belachelijk,' antwoordde hij. Zijn stem klonk helemaal niet neerbuigend, zoals ze gevreesd had. 'Ik heb dat probleem een paar jaar geleden gehad.'

'Echt?'

'O ja,' zei hij. 'Ik heb maanden niet kunnen slapen. Ik kan me niet eens meer herinneren waarom het was. Iets maakte me van streek, denk ik. Maar het ergste ervan is het gevoel dat je helemaal alleen bent. Je ligt daar maar te wachten op het verstrijken van de uren en het is alsof iedereen op de wereld dood is behalve jij. Het is heel angstaanjagend, herinner ik me.'

'Ja,' hoorde ze zichzelf zeggen, maar ze voelde zich al minder bang.

Ze hoorde Jake iets op een tafel zetten. 'Luister, Leora, zou het helpen als ik naar je toe kom? Gewoon om je gezelschap te houden, bedoel ik. Ik denk dat het mij had geholpen, toen ik niet kon slapen, als er iemand bij me was geweest.'

Ze worstelde om weer te kunnen praten. 'Dat hoef je niet te doen,' zei ze, en ze voelde zich nog beschaamder dan tevoren.

'Nee, ik meen het,' zei hij. 'Het is geen moeite. Denk je dat het zou helpen?'

Ze bleef een ogenblik stil. 'Misschien wel.'

Ze kon wel door de grond zakken toen ze het had gezegd, maar de woorden waren ontsnapt.

'Geweldig,' zei Jake, en zijn stem verried een enthousiasme dat onnatuurlijk was voor vier uur 's nachts. 'Je ziet me zo, oké?'

'Oké,' antwoordde ze. De telefoon klikte voordat ze ophing. Toen ze de klik hoorde, liet ze nog een snik ontsnappen, een lange, luide snik. Ze hing op en begon weer te weeklagen.

Ze huilde nog steeds toen Jake kwam. Hij nam haar in zijn armen tot ze ophield, bracht haar naar haar slaapkamer en ging bij haar op het bed zitten.

'Ik weet niet zo goed wat ik moet doen met iemand die niet kan slapen,' zei hij. Leora, die tot op dat moment getroost was door zijn aanwezigheid, hoorde iets vreemds in zijn toon. Hij keek recht voor zich uit voordat hij zich naar haar toe draaide, alsof hij zijn tekst van de muur las. 'Wil je een glas melk of zo?' vroeg hij.

'We hebben alleen maar spaghetti,' sputterde ze en ze voelde haar tranen eindelijk afnemen.

Hij lachte een beetje, maar in zijn lach merkte ze het opnieuw – iets oneigens, alsof hij het niet echt was die naast haar zat. 'Er zal toch wel een nachtwinkel in de buurt zijn,' mompelde hij, bijna in zichzelf. Zijn vingers, die op haar arm rustten, begonnen kleine kringetjes te draaien, te krabbelen met onzichtbare inkt.

'Is er iets?' vroeg ze.

'Nee, niets,' zei hij terwijl zijn ogen op haar arm bleven rusten.

'Er is wel iets.'

Zijn vingers kwamen tot rust. 'Het is niets. Het zou je alleen maar meer van streek maken, en het is toch niet belangrijk. Ik vertel het je wel een andere keer, oké?'

Ze boog zich naar hem toe. 'Jake, ik ben wakker. Ik kan vannacht toch niet meer slapen.'

Hij begon met zijn vingers kringetjes op het bed te tekenen en stopte nauwelijks voordat hij zei: 'Onderweg hierheen heb ik iemand zien doodgaan.'

Leora hapte naar adem. 'Waar heb je het over?'

Hij maakte de cirkel die hij tekende af voordat hij weer sprak en keek haar niet aan. 'Ik liep hierheen, en ongeveer twee blokken van mijn appartement, op de hoek, stonden een brandweerwagen en een ambulance,' zei hij terwijl hij eindelijk opkeek. 'Het was zo'n verwaarloosd gebouw van ongeveer vijf verdiepingen met een roestige oude brandtrap. De ladder was uitgetrokken tot de bovenste verdieping. Het is raar… je hebt zo'n voorstelling van een brand uit films, met ramen waar de vlammen uitslaan en zo, maar zo was het niet. Het zag er helemaal niet zo erg uit eigenlijk. Ze hadden hun sirenes niet eens aan.

Maar toen zag ik een van de brandweermannen uit een raam komen en hij had iemand over zijn schouder hangen. Hij droeg die vent de hele ladder af, en ik bleef staan en stond daar alleen maar te kijken. Maar ik kreeg mijn verdiende loon, want toen ze hem eenmaal beneden hadden was ik er dicht genoeg bij om zijn gezicht te zien, en hij was helemaal bedekt met asachtige rook, dus ik was er niet zeker van maar ik kon zweren dat ik die man kende. Toen drong het tot me door dat het een van de bedienden was uit de winkel waar ik mijn boodschappen doe. Jong nog… nog op school waarschijnlijk en met een bijbaantje. Volgens mij zat hij zelfs achter de kassa toen ik daar een paar dagen geleden was. En ik zie dat ze hem op een brancard leggen, maar ineens blijven al die mensen die eerst bij de ambulance rondrenden stilstaan en stapt iedereen een beetje achteruit en ze laden hem heel langzaam in de ambulance en… ik vind het walgelijk dat ik dat echt gedaan heb, maar ik zette zelfs een paar passen naar voren om zeker te weten dat hij dood was.'

Leora keek naar hem en zag zijn dwalende blik eindelijk op haar gezicht rusten. Ze stak haar arm uit en zette een kussen achter zijn rug. 'Dat is niet walgelijk, Jake, dat is normaal. Iedereen blijft staan om naar ongelukken te kijken. Heb je nooit vastgezeten in het verkeer, doordat iedereen langzaam gaat rijden om te kijken?'

'Nee, dat was het niet, Leora. Het was iets anders, en ik heb bedacht wat het was. Terwijl ik hierheen liep, herinnerde ik me dat mijn moeder me een keer een verhaal vertelde over iemand in haar familie die zo gestorven is, bij een brand… maar heel lang geleden, rond de eeuwwisseling of zo. Haar grootmoeder had een oom die omgekomen was bij een brand in New York. Toen ik nog een kind was, betrapte mijn moeder mij een keer toen ik iets aan het verbranden was in de gootsteen, en ze schreeuwde dat ik daarmee op moest houden, en toen vertelde ze me dat oude familieverhaal over hoe haar overoudoom was gestorven – dat hij vastzat op de bovenste verdieping van een appartementengebouw en dat niemand hem er op tijd uit had kunnen krijgen en dat het misschien gebeurd was doordat een of ander kind, zoals ik, onvoorzichtig was geweest. Toen begon ze over mij, en dat ik niet meer met lucifers mocht spelen omdat iemand in ons gebouw iets zou kunnen overkomen, ook al was ik het zelf niet, en dat ik goed moest beseffen dat ik iemands leven kapot kon maken... want als er brand was en iemand doodging, was het eigenlijk alsof duizenden mensen dood waren gegaan door alle kinderen en kleinkinderen die zo iemand had kunnen hebben, en als zo iemand al kinderen had, zou het het leven van die kinderen totaal veranderen, enzovoort, enzovoort. Later kwam ik erachter dat dat de dag was waarop haar dokter haar had verteld dat ze dood zou gaan.'

Jake hield ineens op met praten. Hij keek op naar Leora en sloeg zichzelf voor zijn hoofd. 'God, wat een idioot ben ik. Waarom vertel ik je dit? Ik ben hierheen gekomen om je te helpen slapen,' zei hij.

Leora sloeg hem gade terwijl hij rechtop ging zitten, zich naar haar toe boog en haar blik weer meed. 'Er moet iets beters zijn om over te praten,' mompelde hij. 'Maar ik kan het niet meteen bedenken. Bedenk jij eens iets.'

'Oké,' zei Leora. Jake leunde weer achterover, en voordat zijn rug het kussen weer raakte hoorde Leora zichzelf vragen: 'Wat was je moeder voor iemand?'

Hij keek haar verbijsterd aan. 'Hoe bedoel je?'

Leora slikte; ze schaamde zich maar kon geen kant op. 'Ik weet niet... wat deed ze?' mompelde ze, en ze liet haar stem wegsterven.

Jake hees zichzelf iets rechter op het bed. 'Ze was lerares op een middelbare school. Ze gaf vreemde talen. Frans, voornamelijk.' Hij zweeg en keek Leora aan. 'Maar als je me vraagt wat ze deed, ik bedoel, wat ze echt deed: ze hield notitieboekjes bij.'

Leora voelde haar schaamte verdwijnen. 'Wat bedoel je, notitieboekjes?'

Hij wurmde zich uit zijn schoenen, zette die netjes naast het bed en ging weer achterover zitten. 'Notitieboekjes. Ze had van die kleine zwarte notitieboekjes waarin ze alles opschreef. Ik denk dat ze ermee begonnen is nadat ze gehoord had dat ze dood zou gaan. Ik heb ze nu allemaal.'

Leora staarde naar het raam aan de andere kant van de kamer. 'Je bedoelt die boekjes die bij jou in de boekenkast staan?' vroeg ze. Hij knikte. 'Ik dacht dat die van jou waren.'

'Ja, nu wel, neem ik aan,' zei hij.

Leora keek nog een paar seconden naar het raam en wendde zich toen weer tot hem. 'Wat schreef ze in die boekjes?'

Jake glimlachte naar haar. 'Dat is het gekke, weet je. Het was altijd een groot geheim toen ze nog leefde. Ze liet ze nooit aan iemand zien en toen ze dood was wilde ik er niet in kijken. Ik ging ervan uit dat er heel diepe gedachten in stonden, of op zijn minst echt persoonlijke dingen, zoals in een dagboek of zo. Mijn vader heeft ze een paar jaar later aan mij gegeven en er bleken alleen maar lijsten in te staan.'

'Lijsten?'

'Ja, een soort "nog doen"-lijsten, alleen waren het "gedaan"-lijsten. Lijsten van alle dingen die op een dag gebeurden. Sommige zijn bijna klinisch… lijsten van wat ze at, dat soort dingen. Maar er staat bijna niets in over het feit dat ze ziek was. Ik denk dat ze voor zichzelf probeerde te bewijzen dat ze een normaal leven leidde, hoewel ze het grootste deel van de tijd in het ziekenhuis lag.'

Leora wilde naar haar ziekte vragen, maar iets weerhield haar ervan. Ze had voorlopig genoeg gênante dingen gedaan. 'En wat stond er verder in die lijsten?' vroeg ze.

'O, allerlei dingen. Het verbaasde me, eerlijk gezegd, maar het meeste ging over mij.'

'Over jou?'

Jake glimlachte weer. 'Over mij, ja. Zoals: "Jake is verliefd op een meisje op school." Of: "Jake heeft een negen gekregen voor zijn opstel over ontdekkingsreizigers in de Nieuwe Wereld." Het rare was dat ik, toen ik die lijsten las, me ineens weer al die dingen herinnerde die tussen haar en mij waren gebeurd, van die kleine, onbelangrijke dingen waarvan ik niet eens wist dat ik ze me herinnerde. Zoals dat opstel over die ontdekkingsreizigers. Ik had er in geen jaren aan gedacht, maar toen ik het in zo'n boekje zag staan, herinnerde ik me heel duidelijk dat ik het aan de keukentafel zat te schrijven en haar vroeg het door te lezen om me met de spelling te helpen. En toen herinnerde ik me dat ik haar gevraagd had of ze zichzelf als een ontdekkingsreizigster in de Nieuwe Wereld beschouwde, en dat ze ja zei.'

Leora luisterde met neergeslagen ogen. Ze keek naar de aderen op de rug van haar eigen hand. Ze lagen daar als kleine verhoogde richels op een topografische kaart, nog niet door leeftijd ontwikkeld tot snelwegen en wegen. Ze dacht aan Bill Landsmann met zijn geaderde handen. 'Je moeder heeft echt je hele leven voor je opgetekend,' zei ze.

'Aanvankelijk dacht ik dat ook,' zei Jake, terwijl hij haar hand met de zijne bedekte, waarop het begin van de vroegste gebaande paden al in kaart werd gebracht. 'Maar toen moest ik denken aan alle dingen die mij overkomen zijn sinds ze gestorven is, belangrijke dingen, en ik besefte dat ik zo'n verslag niet meer heb. Ik heb enige tijd zelf geprobeerd van die lijsten te maken, maar ik kon het niet. Het leek zo zinloos.'

Hij hoestte, en Leora hoorde dat het geen echte hoest was, alleen een geluid om iets te verbergen wat hij nooit bij daglicht zou zeggen. 'Maar dingen verdwijnen niet echt, dat geloof ik niet,' vervolgde hij. 'Jij en je kinderen zullen misschien iets vergeten, maar als dat gebeurt zullen de kinderen van iemand anders het uiteindelijk vinden. Ik heb dat gevoel als ik onderzoek doe... ik zit de brieven van een of andere man te lezen en zijn achterkleinkinderen hebben misschien nooit van hem gehoord, maar ik wel, en zijn brieven zijn belangrijk voor me. Ik denk dat het een van de redenen was waarom ik historicus wilde worden... om die verloren dingen te vinden.'

Leora zag de ernstige uitdrukking die op zijn gezicht was verschenen. Het herinnerde haar aan de films waar ze vroeger met haar ouders naar had gekeken en die onveranderlijk dit soort momenten hadden – momenten waarop je soms met samengeknepen billen op je stoel zat, te ongemakkelijk om ze serieus te nemen maar stiekem wensend dat je dat wel kon. Het was jaren geleden dat ze die uitdrukking bij iemand had gezien, behalve in oude films. 'En heb je al iets gevonden?' vroeg ze.

'Nou,' zei hij, en hij keek Leora grijnzend aan, 'ik denk dat ik meer van dat soort dingen op één middag bij Random Accessories heb gevonden dan ooit in de bibliotheek. Je zult het niet geloven, maar een week voordat ik je ontmoette, had ik je artikel over die schedel al gelezen.'

Leora zat ineens rechtop in bed. 'Echt?'

Jake lachte en duwde haar terug tegen de kussens. 'Dit werkt niet, Leora. Ik kwam hier om je te helpen slapen!'

Ze glimlachte. 'Daar is het te laat voor, Jake,' zei ze, maar terwijl ze weer tegen de kussens leunde, die rechtop tegen de muur stonden, voelde ze voor het eerst die nacht iets wat op vermoeidheid leek.

Jake liet zich naast haar tegen de kussens zakken. 'Normaal lees ik geen tijdschriften, maar ik denk dat ik het in de wachtkamer van de tandarts of zo heb gezien en het is me echt bijgebleven,' zei hij. 'Er was iets met dat artikel... ik weet niet, het was niet zo'n opgeklopt wetenschappelijk verhaal. Het zette me echt aan het denken.'

Meestal lachte Leora bij zichzelf om mensen die haar artikelen serieus namen, maar deze keer niet. In plaats daarvan vroeg ze: 'Waarom heb je me niet verteld dat je het artikel had gelezen... in het museum, bedoel ik, toen ik je vroeg me in de winkel te ontmoeten?'

Jake was even stil en zei toen: 'Ik weet dat ik iets had moeten zeggen, maar ik wilde niet dat je zou denken dat ik achter je aan zat. Dat ik je door het museum volgde was al erg genoeg.'

'Je volgde me?'

Hij kreunde. 'Je wilt me toch niet vertellen dat je me niet gezien hebt en dat ik mezelf zojuist voor niets belachelijk heb gemaakt?'

Ze glimlachte. 'Ik heb je toen niet gezien en je hebt jezelf zojuist voor niets belachelijk gemaakt.'

Ze lachten allebei en hij sloeg zijn handen voor zijn gezicht. Zijn volmaakte oren waren vuurrood.

'Ik zag je tijdens mijn lezing achter in de zaal zitten,' zei hij even later. 'Iedereen maakte aantekeningen, maar jij keek me recht aan. Ik had het gevoel dat ik een persoonlijk gesprek met jou voerde. Ik wilde daarna naar je toe gaan, maar iemand hield me tegen om met me te praten en toen zag ik je weglopen. Je was verdwenen voordat ik je kon inhalen.'

'Ik moest waarschijnlijk een of andere drugsverslaafde gaan interviewen.'

'Nou, ik heb me de rest van de conferentie voor mijn kop geslagen omdat ik je zo had laten wegglippen. Ik kon mijn ogen niet geloven toen ik je in het museum zag. Wist je dat ik in de rij bij de ingang recht achter je stond?'

Leora probeerde zich te herinneren hoe ze het museum was binnengegaan. Tot haar verbazing kon ze zich niets van dat moment herinneren, hoewel het niet zo lang geleden was. Ze kon zich niet eens herinneren of er die dag veel mensen waren geweest, en zelfs niet, nu ze erover nadacht, waar de kaartjesbalie in het museum zich had bevonden of hoe het museum er aan de buitenkant had uitgezien. Het was schokkend om te beseffen hoe de dingen je ontglipten. Of was ze gewoon te moe om het zich te herinneren?

'Het had niet veel gescheeld of ik had je op je schouder getikt,' vervolgde hij. 'Maar toen dacht ik bij mezelf: laten we eens kijken hoe ze echt is, als ze alleen is. Je krijgt maar zelden de kans om iemand op die manier gade te slaan. Nadat je iemand hebt ontmoet, ben je niet vaak in de gelegenheid om erachter te komen hoe zo iemand is wanneer hij alleen is.'

Leora probeerde te denken aan mensen die ze kende, of had gekend, en probeerde zich te herinneren of ze hen ooit alleen had gezien. Terwijl ze verschillende mensen de revue liet passeren, bedacht ze hoe weinig ze eigenlijk van hen wist, van haar eigen familie zelfs. Ze werd overvallen door een diep gevoel van droefenis, dat ze van zich af probeerde te zetten. 'En, hoe ben ik wanneer ik alleen ben?' vroeg ze.

Jake ademde hoorbaar in en zei: 'Je bent goed in het zien van dingen.'

Leora keek hem aan, besefte toen dat ze hem aankeek, en lachte een beetje verlegen.

'Nee, ik meen het,' zei hij. 'Niet iedereen heeft dezelfde zintuigen. Sommige mensen hebben een goed reukzintuig. Ik denk dat jij een goed gezichtszintuig hebt.'

'Ik draag geen bril,' zei ze met een schouderophalen.

'Nee, ik bedoel niet kijken. Ik bedoel zien. Ik bedoel dat je echt begrijpt waar je naar kijkt.'

Ze glimlachte verlegen. Even was ze blij dat ze niet zo snel bloosde. Maar toen bedacht ze dat ze misschien wel bloosde maar het niet wist. Ze had zichzelf tenslotte ook niet zo vaak alleen gezien. 'Waar kon je dat aan merken?' vroeg ze.

Jake beet even op zijn lip, alsof hij probeerde te beslissen wat hij zou zeggen. 'Ik zag hoe je naar de schilderijen in het museum keek,' antwoordde hij. 'De meeste mensen die naar een museum gaan, zien de schilderijen niet echt. Ze lezen de korte beschrijvingen die het museum op de muren hangt, en dan kijken ze naar de schilderijen alsof het puzzels zijn die ze moeten oplossen, waarbij ze alleen maar hoeven te kijken waar de kunstenaar de verf heeft opgebracht. Maar jij niet. Je leest de titels, zeker, maar daarna kijk je heel lang naar de schilderijen, van dichtbij, van verder weg, weer van dichtbij. Jij keek naar ze alsof je echt keek naar de mensen en de plaatsen op de schilderijen, alsof ze echt waren. Je keek niet náár de schilderijen… je keek ín de schilderijen. Dat was heel duidelijk aan je te zien, zelfs van drie meter afstand.' Hij zweeg even, haalde diep adem, en begon weer te praten. 'Mijn moeder was hetzelfde. Ze is verder de enige die ik ooit op die manier naar schilderijen heb zien kijken… alsof ze door een raam keek. Ze was goed in het zien van dingen.'

'Was ze ook kunstenares?' vroeg Leora terwijl ze zich schetsboeken vol krabbels voorstelde, naast de notitieboekjes.

'Nee,' zei Jake, 'maar ik weet niet of kunstenaars de dingen zien zoals ik bedoel. Het zou me niet verbazen als een kunstenaar twee keer naar iets moet kijken… eerst om het te zien en dan om na te gaan hoe hij het kan weergeven, hoewel echte kunstenaars de dingen misschien in één keer zien, ik weet het niet. Maar om de dingen te zien zoals ik bedoel, moet je echt in de voorstelling geloven, zonder erover na te denken… gewoon geloven. Het klinkt alsof het gemakkelijk is, maar er is een bepaald type mens voor nodig om de dingen zo te zien.'

Jake viel stil. Leora voelde zich opgelaten. Ze dacht aan het etentje bij hem thuis en hoe moeilijk hij het had gevonden om haar complimenten te accepteren. Ze had nu net zo veel moeite met zijn complimenten. Ze keek naar hem terwijl hij zijn blik van haar afwendde, en probeerde de stilte te verhullen door zich lager op het bed te laten glijden, tot ze met haar hoofd op haar kussen lag. Uit deze hoek zag ze Jakes gezicht alleen van onderaf, en even had ze het gevoel dat ze een kind was dat opkeek naar het gezicht van een volwassene.

'Hoe is ze gestorven?' vroeg ze.

Jake schraapte zijn keel. 'Ze had een zeldzame vorm van kanker. Het is niet echt de moeite waard om het uit te leggen,' zei hij en hij haalde zijn schouders op.

Leora vermoedde dat het wel de moeite waard was om uit te leggen, dat ze door het uitleggen allerlei andere dingen zou ontdekken, dingen die Jake onbelangrijk vond maar die voor haar schatten zouden zijn. Ze liet hem even rustig ademhalen en stelde haar vraag toen net iets anders. 'Hoe heb je gehoord dat ze gestorven was? Was je erbij?'

Jake gleed omlaag tot hij naast haar lag. Hij hield zijn gezicht van haar afgewend en staarde naar het plafond. 'Ik was bij haar in het ziekenhuis,' zei hij na een lange pauze. 'Mijn vader en ik waren er allebei. Ik bedacht een excuus om een minuutje de kamer uit te gaan, want ik had het idee dat mijn vader op dat moment met haar alleen wilde zijn. Ik ging naar het toilet en raakte de weg een beetje kwijt, en ik liep door al die gangen met al die kamers. Toen ik terugkwam, stond mijn vader op de gang en hij liet me de kamer niet binnengaan.'

Hij keek haar nog steeds niet aan. Maar Leora draaide zich naar hem toe en keek naar zijn profiel. In de schemerige kamer leek een vreemd licht rond zijn gezicht te hangen, als rond gezichten op oude portretten. In de trage stilte van dat licht verstreek een lange tijd terwijl ze daar zij aan zij lagen, en plotseling voelde Leora zich zoals ze zich had gevoeld toen ze die foto in zijn appartement had gezien, waarbij de lucht zachtjes gloeide van iets wat nog onaangeraakt was.

Na een lange tijd schudde Jake het licht rond zijn gezicht met een plotselinge hoofdbeweging af en verbrak de stilte: 'En jij... hoe hoorde jij dat je vriendin was gestorven?'

Ze tuitte haar lippen, stomverbaasd dat hij het nog wist. Toen de aanvankelijke verrassing voorbij was, moest ze diep nadenken om het antwoord te vinden. Ze had zichzelf lang niet toegestaan aan dat moment te denken – niet sinds het gebeurd was in feite.

'Op school, de dag erna,' zei ze ten slotte, na een lange pauze. Ze merkte dat haar stem niet trilde, hoewel ze dat had verwacht. 'We zaten op de middelbare school. Ze kwam onder een auto. Ik zag de ambulance aan komen rijden toen mijn bus wegreed van het parkeerterrein, maar ik wist niet dat het iets met haar te maken had. Ik heb haar zelfs nog gebeld die avond... we spraken elkaar elke avond... maar ze had die dag iets gezegd over uit eten gaan met haar ouders, dus vond ik het niet vreemd dat ze me niet terugbelde. Ze is die avond in het ziekenhuis gestorven, maar niemand dacht eraan het mij te vertellen. Het hoofd van de school maakte het de volgende ochtend via de luidspreker bekend, meteen nadat we trouw hadden gezworen aan de vlag. Hij wist niet eens hoe hij haar naam moest uitspreken.'

Jake wachtte een ogenblik en vroeg haar toen: 'Hoe heette ze ook alweer?'

'Naomi. Naomi Landsmann,' antwoordde Leora. Deze keer was zij degene die naar het plafond keek en ze voelde Jakes ogen op haar oor.

'Was ze een goede vriendin?'

'De beste die ik ooit heb gehad,' zei Leora, en hoewel ze deze woorden nooit eerder had gebruikt om Naomi te beschrijven, leek het uitspreken ervan ze waar te maken. Liggend op haar bed overwoog ze even hem meer over Naomi te vertellen, over haar tekeningen, de manier waarop ze de dingen had gezien, en over haar grootvader en zijn dia's, maar de impuls om dat te doen verdween.

Plotseling wist ze dat ze hem dat een andere keer kon vertellen, wanneer dan ook – misschien morgen, misschien overmorgen, misschien over enkele jaren. Het huidige ogenblik leek boven haar hoofd te zweven, opgesierd door een lichte, glanzende toekomst. Even zwegen ze allebei en Leora sloot haar ogen. Haar bed voelde als een boot op open zee, geliefkoosd door golven.

'Weet je, ik wilde je vertellen over iets merkwaardigs dat gebeurde toen ik die antiekwinkel binnenging,' zei Jake, vele ogenblikken later, met zijn hoofd vlak bij het hare. Ze merkte dat hij wilde blijven praten, ook al viel er niet veel meer te zeggen. Eerst vond Leora het grof van hem om van onderwerp te veranderen. Toen drong het tot haar door dat hij het voor haar deed, om haar eraan te herinneren dat zij allebei leefden. Ze glimlachte met een slaperig gevoel. 'Er was een man daar die met de eigenaar stond te praten en ik vond dat hij er bekend uitzag. Toen ik met hen begon te praten, vertelde hij dat hij de neef van de eigenaar was en toen besefte ik dat ik hem van de lagere school kende.'

'Bedoel je Tony Random?' vroeg Leora met een doffe stem.

Ze voelde Jake naast zich schrikken. 'Hoe ken je Tony?'

Leora lachte, een trage, slaperige lach. 'Ik ken hem niet. Ik... nou ja, zijn oom probeerde me min of meer aan hem te koppelen.'

'Tony is een zak. Hij was denk ik de grootste bullebak van de school. Ik herinner me dat hij me een keer pestte op het schoolplein, met al zijn vriendjes erbij. En binnen de kortste keren was die hele groep me aan het pesten en duwen en hij jutte ze op tot ze me in elkaar begonnen te slaan. Ik moet hem denk ik het voordeel van de twijfel gunnen... ik bedoel, dat moet zo'n twintig jaar geleden zijn geweest. Maar ik zou niet met die vent uitgaan als ik jou was. Dat soort mensen verandert niet veel, volgens mij.'

'Je hoeft geen afspraakjes voor me te regelen, Jake,' zei Leora langzaam en onduidelijk. Een golf van vermoeidheid was over haar heen gespoeld en klotste tegen haar ledematen. 'Jake?' vroeg ze zwakjes. Het was alsof slaap water was en het in de kamer langzaam vloed werd. Haar voetzolen waren al onder water. Toen haar benen, toen haar handen...

'Het is denk ik tijd voor je om te gaan slapen, Leora,' zei Jake, met een stem die afnam tot een fluistering.

'Maar ik wil je… wil je… iets vertellen.' Woorden begonnen haar te ontsnappen, haastten zich de gekreukelde lakens in.

'Wat wil je me vertellen?' vroeg Jake, terwijl hij haar haar van haar voorhoofd op het kussen naast haar streek.

Maar het was te laat toen, heel laat, en ook te vroeg. Hij stak zijn hand uit naar het nachtkastje en deed de lamp uit in de verwachting dat de kamer pikdonker zou worden. Maar toen zijn ogen zich aanpasten, merkte hij dat de kamer zich met een schemerig, dof licht begon te vullen, dat zachtjes door het raam drupte. 'Wat wil je me vertellen?' vroeg Jake nogmaals, maar Leora's ogen waren al dicht. Haar adem stroomde in een zacht ritme naar binnen en buiten, als kleine golven op een strand.

Jake lag naast haar en staarde met wijdopen ogen naar het kleine, versnipperde vierkant van licht dat via het doorschijnende raam op het plafond viel. Toen draaide hij zich naar haar om, keek naar haar, ademde haar haar in dat uitgespreid op het kussen lag. Hij boog zich naar haar toe en legde zijn armen om haar heen, zijn ene hand onder haar hals door tot ze in zijn armen lag, en liet zijn lippen tegen haar oor rusten.

Wat Leora betreft, ze voelde zich wegdrijven, langzaam wegdrijven, alsof ze op een boot was die de afstand tussen twee landen overstak, en ze viel in slaap, dromend dat ze het hem vertelde.

7

Dezelfde lange droomloze nacht, elders

'Herinner je je dit, Anna?' vroeg Bill Landsmann.

Maar het was lang geleden, jaren geleden, dat Anna Landsmann zich iets had herinnerd. Het was begonnen in het jaar na de dood van Naomi. Dat was het jaar waarin Anna – scherpe, scherpzinnige Anna, georganiseerde, nauwgezette Anna, altijd klaar met het woord of de handeling die het moment vereiste – plotseling niet meer kon zeggen hoe laat het was.

Het begon langzaam. Die herfst had Anna, op de dag waarop iedereen geacht werd de klokken een uur terug te zetten, de klokken niet teruggezet. Eerlijk gezegd herinnerde Bill zich die dag ook niet, want hij was net teruggekeerd van een van zijn reizen en leed onder zijn eigen tijdzoneverwarring – maar het feit bleef: de klokken waren niet teruggezet. Pas toen Ben belde – wat ook verwarrend was in termen van tijd, nu hij naar Californië was verhuisd en zij hem altijd te vroeg belden en hij hen altijd te laat belde – en zei hoe laat het was, merkte Bill plotseling dat ze een uur verder waren dan waar ze hadden moeten zijn. Toen hij het tegen Anna zei, lachte ze en grapte dat zij tweeën hun tijd beslist vooruit waren en zei dat hij zich niet druk hoefde te maken over de klokken; zij zou een ronde door het huis maken en ze terugzetten. Maar de volgende dag merkte hij, na een blik op het horloge van een andere klant in de supermarkt, dat de klokken nog niet waren aangepast. Hij herinnerde haar eraan en ze lachte weer en zei opnieuw dat hij zich niet druk hoefde te maken, dat zij de klokken terug zou zetten zodra ze er tijd voor had. Ze zette ze nooit terug. Een paar weken later keek hij naar haar horloge, dat ze op haar nachtkastje had gelegd voordat ze ging slapen, en merkte dat het kapot was. Toen hij dat tegen Anna zei, lachte ze alweer en grapte dat haar horloge niet echt kapot was want het gaf de tijd nog steeds tweemaal daags goed aan. Maar deze grappen waren niet leuk meer, want Bill had inmiddels beseft dat er iets ernstig mis was. Ze was niet alleen vergeten hoe ze moest klokkijken; ze begreep ook niet meer waar tijd voor was. Ze kon niet meer zeggen hoe laat het was.

Als je niet meer kunt zeggen hoe laat het is, besef je dat dat nog maar het begin is, want de tijd is het enige wat ons met iedereen op de wereld verbindt. Anna begon met vergeten hoe laat het was, en vervolgde met het vergeten van afspraken. In het begin waren het eenvoudige afspraken, met mensen als de dokter of de kapper, die gewend waren vergeten te worden door patiënten en klanten. Het was moeilijker met haar twee beste vriendinnen, met wie ze de afgelopen dertig jaar wekelijks op donderdag had geluncht. De eerste keer dat ze niet kwam opdagen, vreesden ze voor haar leven. De tweede keer vreesden ze voor haar vriendschap, want ze namen aan dat ze haar op de een of andere manier vreselijk hadden beledigd. Pas bij de derde keer vreesden ze voor haar verstand.

En het kwijtraken van de tijd in Anna's hoofd was nog maar het begin, want daarna werden het plaatsen. Op een dag in het jaar daarna kostte het haar een uur om terug te komen van de supermarkt, wat ze normaal in tien minuten had gedaan. De overige vijftig minuten had ze heen en weer over Algonquin Drive gereden omdat ze ineens niet meer wist in welk huis ze woonde. Pas toen Bill, die de auto door de straat heen en weer zag gaan, zijn hoofd uit het raam van de kamer stak, herinnerde ze zich waar ze was – en dat was niet eens herinneren, eigenlijk, maar meer herkennen. Een paar maanden later begon ook de herkenning af te nemen, want ze ging van het vergeten van plaatsen naar het vergeten van gezichten. Het waren de perifere gezichten die haar het eerst ontglipten – de dokter en de kapper, toen kennissen, toen de kinderen van vrienden en ten slotte de vrienden zelf. Ze wist nog wel wie Bill was, leek het. Maar niet lang nadat ze gezichten begon te vergeten, vergat ze ook de aanwezigheid van mensen. Bill stopte met reizen om bij haar te zijn, maar het gebeurde vaak dat ze niet meer begreep wanneer Bill in de kamer was. De grens van Anna's wereld bleef slinken, tot hij niet meer het huis omvatte, of de kamer waarin ze stond en zelfs niet de lucht die ze inademde.

'Herinner je je dit, Anna?'

Bill Landsmann vertoonde dia's aan zijn vrouw. Hij hoopte dat een ervan een reactie bij haar zou geven – een teken van herkenning, een gevoel, iets. Het was alsof je in een diepe, volle la naar een verloren sleutel zocht.

Hij had besloten dat hij de gemakkelijkste dia's voor het laatst zou bewaren om teleurstelling zo lang mogelijk uit te stellen. Hij was begonnen met de onbekendere dia's, van de paar reizen die ze jaren geleden samen met hem had gemaakt; hij klikte door de beelden en voelde zich opgefrist door elk vertrouwd tafereel terwijl hij haar aan de vreemde straten probeerde te herinneren.

'Herinner je je dit, Anna?'

Anna zei niets. Ze staarde recht voor zich uit de ruimte in, en Bill had haar, heel slim, recht voor het projectiescherm gezet, zodat het feit dat ze niet echt naar de dia's keek minder pijnlijk duidelijk was. De laatste paar jaar was ze veel slechter geworden. Ze sprak nu bijna niet meer, kwam alleen nog met bijna kinderlijke opmerkingen: 'Ik heb honger', 'Ik ben moe' en, bij de steeds zeldzamer gelegenheden dat hij haar mee uit nam: 'Ik wil naar huis.' Hij sprak nog steeds tegen haar, voortdurend. Maar het was alsof hij tegen zichzelf sprak.

Na de eerste paar jaar van haar vergeetachtigheid begon Bill te denken dat het niet echt belangrijk was dat ze niet antwoordde wanneer hij tegen haar sprak. Toen ze net getrouwd waren, had hij medelijden gehad met de oudere echtparen die hij in restaurants in stilte zag eten, starend naar hun bord of in de verte. Hij zag in die stiltes wat hij toen van stilte wist: de wreedheid van de eenzaamheid. Maar nu, als een oude man, glimlachte hij om de dwaasheid van zijn jongere ik. Sommige van die paren hadden elkaar wellicht gehaat, ja. Maar de stilte tussen oude echtparen, echt oude echtparen – mensen die niet alleen oud zijn maar samen oud zijn geworden, wier levens verstrengeld en met elkaar verbonden zijn als in elkaar gedraaide ranken – hun stiltes bestaan niet uit afwezigheid maar uit aanwezigheid, een goddelijke aanwezigheid die de ruimte tussen hen vult. Voor hen is praten overbodig. Ze weten alles al wat de ander zou zeggen.

Bill herinnerde zich de eerste keer dat ze zijn gedachten had gelezen. Het was heel lang geleden geweest, toen ze nog op de middelbare school zaten. Hij bracht haar naar huis, naar haar ouders' huis in Irvington, New Jersey. Ze liepen allebei heel langzaam en hij zag op tegen het moment waarop ze bij haar huis zouden komen en hij voor die avond afscheid zou moeten nemen; bovendien waren ze te laat, had ze al eerder thuis moeten zijn.

Anna's ouders waren niet bepaald dol op hem en lieten dat ook merken. Hun aversie had niets met hem maar alles met zijn accent te maken. Hij was toen al jaren in het land, maar was er nooit in geslaagd zijn accent kwijt te raken – daarvoor was hij een paar jaar te laat gekomen, wist hij. Anna's ouders waren zelf immigranten uit Rusland, maar beiden een paar jaar gearriveerd vóór de leeftijd waarop je een buitenlands accent niet meer verliest (wat rond de elf jaar was, had Bill later gelezen), waardoor ze een brutaal, ongrammaticaal Engels spraken dat zij als geschikt voor vorsten beschouwden. De avond waarop ze kennismaakten met de jonge, nog licht puisterige schooljongen die hun dochter mee uit zou nemen, waren ze ontzet geweest zodra hij zijn mond opende. Anna's broertjes – een eeneiige tweeling, en een stel ettertjes, die met kussenslopen achter hun hoofd gebonden door de voortuin renden en deden of ze Superman waren – waren het ermee eens. (Een van hen werd later een Clark Kent, een harde werker bij een krant in New Jersey; de ander bleef geloven dat hij kon vliegen en werd neergeschoten boven Korea). Vanaf het moment dat ze hem ontmoetten, maakten ze zijn accent belachelijk, vervingen hun Superman-capes snel door Dracula-mantels en renden, hun rottende tandjes als snijtanden ontblotend, de trap op terwijl ze met krankzinnige pret schreeuwden: 'O nee, iemand wil je bloed opzuigen!'

Haar ouders waren subtieler. Ze negeerden hem gewoon. Wanneer hij op bezoek kwam, zei haar moeder dat het haar vreselijk speet maar dat Anna niet beschikbaar was omdat ze die middag pianoles had (ze is vooral dol op ragtime, wel wat ouderwets maar nog steeds charmant… maar jij zult dat soort muziek niet kennen) of omdat ze een kind van de buren hielp met een Engels opstel (je moet toch gemerkt hebben hoe prachtig Anna's Engels is… of misschien begrijp je dat niet helemaal) of omdat ze vrijwilligers-werk deed in het gemeentehuis omdat het vandaag verkiezingsdag was (maar ik neem aan dat jij niet wist dat het vandaag verkie-zingsdag was) of, de beste, omdat ze uit was met de aanvoerder van het footballteam (maar jij zult wel niet weten wat football is). Als hij Anna de volgende dag op school opzocht, merkte hij dat ze bij lange na niet het grote voorbeeld van burgerzin was dat haar moe-der van haar probeerde te maken. In werkelijkheid, ontdekte hij, was ze een beetje een kluizenaar en had ze steeds als hij aan de deur had gebeld in haar slaapkamer naar platen zitten luisteren. Na de derde of vierde keer dat hij langs was gegaan, zag hij een ingezon-den brief in de plaatselijke krant, geschreven door Anna's vader waarin hij met verstand van zaken instemde met een gastschrijven getiteld: 'Tegen uitzuigers van vluchtelingen'.

Pas nadat Bills vader was gestorven, begonnen ze vriendelijker tegen hem te worden. Ze merkten eindelijk hoe vaak hij bleef langskomen, hoe hoffelijk hij was tegen hen, ondanks hun gebrek aan aanmoediging, hoe vaak hij haar bloemen bracht, ook al was ze niet thuis vanwege denkbeeldige afspraakjes met de aanvoerder van het footballteam, hoe hij weigerde het op te geven – en niet te vergeten dat hij niet van plan was op hen te parasiteren, dat hij een baan had gevonden, dat hij naar de avondschool ging en, vooral, dat hij nu een echte wees was, met niemand op de wereld die van hem hield behalve, natuurlijk, Anna. Het is waar, dacht Bill Landsmann, dat je echt een kind blijft tot je ouders sterven. Dan merk je ineens dat je niets anders meer hebt dan de meest pijnlijke vrijwillige liefde.

Maar de eerste keer dat Anna zijn gedachten las, had dat niets te maken met zijn gedachten over haar ouders, die iedereen waar-schijnlijk had kunnen afleiden en daardoor nauwelijks het bewijs zouden zijn geweest voor telepathische krachten. Ze maakten hun heerlijke, langzame wandeling naar haar huis en ze lachte om de manier waarop haar ouders zich gedroegen als gevangenbewaarders, die haar zo nu en dan voor wat lichaamsbeweging naar buiten lieten gaan maar haar altijd in het oog probeerden te houden, achter slot en grendel.

'Ik wou dat mijn vader iets meer van een gevangenbewaarder zou hebben,' zei Bill. Hij had het bedoeld als een grapje, min of meer, of op zijn hoogst als een luchthartige opmerking. Maar zoals veel dingen die hij in het Engels zei toen hij bijna zeventien was, kwam het er niet helemaal uit op de manier die hij wilde – en hij voelde zich van haar gescheiden door een sluier van misverstand, die hem verhinderde om te weten hoe datgene wat hij had gezegd in haar oren had geklonken.

Ze lachte, en hij hoorde dat het een medelijdende lach was. Maar hij hield toen zoveel van haar – ja, toen al – dat hij absoluut niet in staat was haar erop aan te spreken. In plaats daarvan kwam er een vertrouwd gevoel op in zijn maag, een soort misselijkheid die hem herinnerde aan de tijd waarin hij twaalf was en luisterde naar een onbekende kreunende vrouw in zijn vaders kamer.

'Je haat je vader, hè?' zei Anna plotseling.

Hij was zo verbluft dat hij stil bleef staan. Zij liep door, en hij staarde naar haar rug tot haar hand, die in de zijne was geklemd, haar naar hem toe draaide. 'Wat?' stamelde hij, wensend dat hij de woorden kon vinden om zijn verbazing uit te drukken. Het was griezelig als iemand je gedachten las, vooral als die iemand mooi was en je wanhopig verliefd op haar was.

'Ik zei dat je je vader haat, en ik denk dat dat niet goed is.'

Hij liet haar hand los, wat er niet toe leidde dat ze zich verder van hem verwijderde. Hij ging op zijn hurken zitten, maakte de veter van zijn linkerschoen los en knoopte hem weer. Anna had zijn vader één keer ontmoet, toen ze hem gedwongen had haar mee te nemen naar de snoepwinkel waar zijn vader werkte. Hij had haar aan hem voorgesteld en Anna was bijzonder vriendelijk geweest. Zijn vader had wat gegromd en was weer met de kapotte kassa bezig gegaan.

'Jij weet hier niets van,' mompelde hij, en hij hoorde meer dan ooit hoe stijf zijn woorden klonken. Hij kon helaas niet blijven doen alsof hij zijn schoenveter knoopte en kwam overeind. 'Het is een vreselijke man.'

Anna keek hem aan met ogen als die van een zachtaardig dier dat zich niet bewust is van zijn eigen klauwen. 'Wat is er zo vreselijk aan hem?' vroeg ze.

'Alsjeblieft, ik wil er niet over spreken.'

Anna staarde naar de grond onder de straatlantaarn. Ze begon met de punt van haar schoen de scheuren in het cement te volgen, in afwachting van de kans om meer te zeggen, niet wetend dat Bill op dat moment aan niets anders dacht dan de beweging van haar voet (ah, die schoen, dacht hij, die kleine schoen... met die kleine voet erin! Ik wou dat... maar nee, niet nu.) Door naar haar voet te kijken, slaagde hij erin te vergeten waar ze over hadden gepraat, tot ze, terwijl haar voet tussen twee scheuren in bleef rusten (ah, die tere beweging van die tere voet! Om maar te zwijgen van het been waar die voet zo prachtig oprijzend in overging, en dan...), tegen hem zei: 'Ik weet niet wat hij gedaan heeft, Bill, maar ik heb toch een beetje medelijden met hem, ik kan het niet helpen. Ik bedoel, heeft hij vroeger niet in de Eerste Wereldoorlog gevochten? En toen...'

Razend viel hij haar in de rede. 'Ik geloven... ik geloof niet...' (Dat was toch goed, hè? Hij zag nog steeds het kleine tekstboek voor zich van toen hij negen was, maar natuurlijk zag hij de betreffende grammaticaregel niet voor zich – was het 'ik geloven niet' of was het 'ik geloof niet'? Nu, na vijf jaar, vergat hij alleen de gemakkelijke dingen, en alleen op momenten dat hij echt in paniek raakte.) 'Ik geloof niet dat dat belangrijk is, Anna.'

(Maar bedoelde hij dat? Of moest hij een nieuwe poging wagen? Dat was een van de goede dingen van Anna – ze wachtte en luisterde terwijl je het opnieuw probeerde. Anna's aanwezigheid op de wereld bewees dat er een God was.) 'Lijden geeft iemand niet het recht andere mensen te laten lijden,' hoorde hij zichzelf zeggen.

'Maar het kan dingen een beetje verklaren, toch?' opperde ze terwijl ze plotseling stilstond.

'Nee, daar ben ik niet zeker van,' zei Bill, en hij voelde zijn lichaam licht beven in het donker. 'Er wordt vaak gezegd dat we gevormd worden door onze ervaringen maar ik ge… ik geloof niet dat dat waar is. Want we kiezen onze ervaringen niet, ja? Volgens mij worden we niet gevormd door onze ervaringen, maar door wat we kiezen… door de manier waarop we op onze ervaringen reageren!' (God, waar had hij het over? En waarom bewoog ze die mooie voet niet meer?) 'Mijn vader heeft niet goed gereageerd. Ja, om die reden haat ik hem.' Zijn handen waren tot vuisten gebald, merkte hij nadat hij zijn woorden had opgebruikt. Zijn lichaam gloeide. Beschaamd wendde hij zijn gezicht van Anna af.

Anna keek naar hem; hij kon haar ogen op zijn wang voelen. Ze sprak langzaam en zorgvuldig. 'Ik wil dit niet zeggen, Bill,' begon ze, 'maar je vader zou, nou, geestesziek kunnen zijn, denk je niet?' Ze zweeg een ogenblik, alsof ze niet goed wist hoe ze verder moest gaan, en zei toen terwijl ze probeerde tartend te klinken: 'Als dat zo zou zijn, zou het niet eerlijk zijn dat je hem haat.'

Bill Landsmann dacht aan de brief in de bureaula van zijn vader en kromp ineen. Hij voelde hoe zijn kaken zich op elkaar klemden en zei: 'Er is nog zoiets als het hebben van een zieke geest zonder een zieke ziel.'

Hij hoorde Anna slikken en zag haar tere hals bewegen. Ze bleven allebei even stil, tot Anna ten slotte weer sprak. 'Maar als mensen gevormd worden door hoe ze op hun ervaringen reageren,' vroeg ze, 'en jouw reactie op jouw ervaringen is dat je hem haat, hoe ben jij jezelf dan aan het vormen, Bill?'

Bill voelde zich bleek worden. Hij keek naar haar voeten, hoewel hij wist dat haar tenen de scheuren die avond niet meer zouden volgen. Hij was doodsbang om op te kijken, alsof ze hem een priesterlijke zegen aanbood en het fataal voor hem kon zijn zich door haar te zien zegenen. Hij staarde naar de stoep.

Ze pakte zijn hand. Haar vingers waren zacht, klein en smal, en hij voelde hoe zijn vingers zich eromheen sloten, ze streelden, en hij voelde de warme, prachtige stroom die van haar vingers in de zijne overging. Maar plotseling draaide zijn maag zich om toen het bij hem opkwam dat ze zijn vingers om de verkeerde reden vast-hield, alsof de warme stroom die uit ze vloeide op de een of ande-re manier vervuild was. Hij verhief zijn stem en sprak.

'Heb je… heb je medelijden met me, Anna?'

'Hoe bedoel je, medelijden met je?'

Hij huiverde, slikte en zocht naar woorden. 'Waarom breng je tijd met me door, Anna?' liet hij zichzelf ten slotte zeggen. 'Omdat je medelijden met me hebt?'

Anna's hand bewoog geschrokken in de zijne. Maar toen drukte ze haar vingers weer tegen zijn vingers. Ze keek naar hem tot hij haar aankeek, en toen hij dat deed glimlachte ze en zei: 'Misschien wel omdat ik je mag, Bill. Heb je daar nooit aan gedacht?'

Nee, daar had hij nooit aan gedacht. Maar de rest van zijn leven, op elk tragisch of triomfantelijk moment, zelfs nu hij op de bank naast dit omhulsel van haar zat, dacht hij nergens anders aan.

'Herinner je je dit, Anna?' vroeg Bill Landsmann.

Hij was overgegaan op een diacarrousel van een minder exoti-sche reis, een tocht die ze gemaakt hadden door de westelijke sta-ten. Nadat er uren voorbij waren gegaan en Anna nog steeds zwij-gend op de bank zat, had Bill niet veel reisdia's meer waar zij op stond. Hij keek op naar de honderden diacarrousels op de planken en besefte hoeveel ervan niets met haar te maken hadden; ze be-vatten alleen dia's van verre landen waar hij zonder haar had ge-reisd. Voor Bill leek dit nauwelijks vreemd, want wanneer hij alleen reisde, was ze in gedachten altijd aan zijn zij. Hij was gewend te-gen zijn denkbeeldige Anna te praten, alles te beschrijven dat hij zag terwijl hij weg was. Toen hij, jaren geleden, teruggekomen was van zijn eerste soloreis, had Anna's welkomstkus op het vliegveld zijn lippen gebrand, alsof een engel zijn roze mond met een gloei-ende kool schroeide. Het was alsof hij geroepen was tot profetie. Maar profetie vervaagt, merkte hij met het verstrijken van de jaren – de impuls tot spreken mag dan niet vervagen, de impuls tot luis-teren doet dat wel. Bill Landsmann bleef door de dia's heen klik-ken, profeterend tegen haar, maar Anna kon niet meer luisteren.

Op een zondag, niet lang geleden, was hij met haar naar een be-
jaardenhuis gegaan. Het was ver weg, in Brooklyn, maar het was
speciaal aanbevolen door een arts als een huis voor mensen die zich
de dingen niet meer herinnerden. Alleen om te kijken natuurlijk,
bleef hij zichzelf voorhouden terwijl hij met haar over de snelweg
naar de stad reed, de afritten passerend naar de wijk waar Anna en
hij hun jongere jaren hadden doorgebracht, plaatsen die hij zich
herinnerde als glanzend van glimmende auto's en belofte, maar die
nu roken naar brandende banden, bergen oude rotzooi. (Waren ze
zo achtergebleven na de rellen van dertig jaar geleden? Of waren ze
al zo geweest toen hij er woonde, maar was de rommel van anderen toen voor hem een kostbaarheid geweest?) Toen reed hij New
York zelf binnen, door twee wijken die het waard waren. De stad,
zoals hij die zag uit zijn zijraampje, leek te wemelen van jonge
mensen. Het leek wel of er een wet was aangenomen die iedereen
van boven de negenendertig verbood daar te wonen. Sommigen
van die jonge mensen zagen er voor hem nauwelijks als mensen uit,
met hun lichamen in glanzende accessoires gehuld alsof ze in wa-
penrusting waren, tatoeages als tekenen op hun armen, rare metalen versierselen tussen hun ogen. Maar tussen deze gepantserde
jongeren merkte hij ook anderen op, met open gezichten – jonge
mensen die bij zichzelf glimlachten, of die hand in hand of arm in
arm liepen en bij de verkeerslichten iets uitriepen, met ogen die de
wereld een fris laagje verf gaven. Bill Landsmann zag die jonge
mannen en vrouwen en bleef rijden, maar dacht, een fractie van een
seconde, aan Naomi. Hij wierp een blik op Anna, op de stoel naast
hem, maar ze leek niets te hebben gezien. Ze staarde recht voor
zich uit, haar ogen op de weg voor hen gericht.

Toen ze er kwamen, begreep hij waarom het verzorgingstehuis
was aanbevolen. Het gebouw was nieuw en mooi, met weelderig
tapijt en verzorgde binnentuinen, en de mededelingenborden
deelden trots allerlei soorten activiteiten mede voor hen wier geheugen nog goed genoeg was om een concert te volgen of een spelletje kaart te spelen; maar het vreemde evenwicht dat over hem was
gekomen, verdween zodra hij de gids zag die hen zou rondleiden:
een jonge chassidische man.

Bill had zo iemand niet verwacht. Toen hij hem in de receptie-ruimte zag, had hij aangenomen dat de man een bezoeker was, en toen de man hem aansprak, was hij zo geschokt dat hij een paar seconden niet begreep waar de man het over had toen hij zich voorstelde als vrijwilliger. Toen ze aan de rondleiding begonnen, moest Bill vechten om zijn vragen op een normale, kalme toon te stellen en te doen alsof alles normaal was – net als tijdens een voorstelling van *Fiddler on the Roof* die hij een keer in een buurttheater had gezien en waarin een van de dochters gespeeld werd door een zwarte actrice. Je moet er alleen aan wennen, hield hij zichzelf voor, dat is alles. En het was niet zo moeilijk om eraan te wennen, ontdekte hij, vooral niet doordat deze bepaalde jongeman zo modern was in zijn spraak en gebaren – hij gebruikte hetzelfde soort slang als zijn kleinzoons aan de telefoon deden – en daarmee zo verschillend van andere *chassidim* die Bill in zijn leven had ontmoet, wier slangloze taalgebruik hun televisieloze jeugdjaren verraadde.

Maar er was iets aan de man wat hem van zijn stuk bracht. Zijn frisse, jonge gezicht, omlijst door slaaplokken, deed Bill aan iemand denken, hoewel het bijna tot het eind van het bezoek duurde voor hij besefte aan wie. Tegen het eind van het bezoek keek de jonge man Bill recht in zijn ogen, halverwege een woord, met een enigszins onaangename trek rond zijn mond. Het was zijn vader, besefte Bill, de manier waarop zijn vader eruit had gezien op een foto die hij in zijn grootmoeders huis had gezien – hoe lang geleden kon zelfs hij zich niet herinneren.

Op de foto, die Bill in een la had gevonden toen hij zijn grootmoeder hielp wat dingen op te ruimen, moest zijn vader ongeveer dertien jaar zijn geweest. Het was een portretfoto, maar niet zo'n goede. Zijn vaders lichtgekleurde ogen keken opzij van de camera en zijn smalle mond was vastgelegd in een glimlach die Bill in het echte leven nooit bij hem had gezien. Maar wat Bill (of Wilhelm, zoals hij toen heette) had verbijsterd, was zijn vaders haar geweest, dat het smalle gezicht op de foto omlijstte met lange, onverzorgde slaaplokken. Even had hij een onverklaarbare afkeer in zich voelen opkomen.

Aanvankelijk had hij in de jongen op de foto niet eens zijn vader herkend. En zelfs toen hij zijn vaders ogen herkende, maakten de krullen voor de oren hem nog aan het twijfelen over de identiteit. Toch was de jongen zijn vader; hoe meer hij naar de foto keek, hoe onmogelijker het werd daaraan te twijfelen. Hij vroeg het zelfs aan zijn grootmoeder, en zij bevestigde het met een glimlach en zei iets in de trant van wat een prachtig kind zijn vader was geweest. Hij vond dit fascinerend, en vervolgens verontrustend, vooral nadat ze teruggekeerd waren naar Wenen en hij de spotprenten weer zag in sommige kranten waarin steeds vaker figuren met zijn vaders oude kapsel voorkwamen. Pas jaren later besefte Bill dat de afkeer die hij had gevoeld bij het zien van zijn vaders foto veroorzaakt was door die spotprenten. Of, zoals hij er nog weer jaren later over dacht, niet precies door die spotprenten maar door de manier waarop hij zelf, als kind al, had verkozen erop te reageren: zijn beslissing, waar hij zich niet eens bewust van was, om in die beelden te geloven in plaats van in het beeld van zijn vader, die op de foto een glimlach op zijn gezicht had die Bill Landsmann verder nooit had gezien.

De rest van de rondleiding was bijna ondraaglijk. Anna, die niet wist waar ze was maar wel wist dat ze niet thuis was, begon Bill te vragen haar naar huis te brengen, steeds opnieuw, met tussenpozen die van elke paar minuten slonken tot elke paar seconden, wat het hun gids onmogelijk maakte nog iets te zeggen. Toen haar duidelijk werd dat zij tweeën haar probeerden te negeren, werd ze plotseling razend, pakte een kleine vaas met bloemen van een haltafeltje en gooide die naar de chassidische man, waarmee ze zijn zwarte broek vanaf de knieën tot de voeten doorweekte en de vaas in scherven uiteenspatte op de vloer. Terwijl de man zich bukte om de grotere glasscherven op te rapen, verontschuldigde Bill zich herhaaldelijk. Toen draaide hij zich om en trok Anna weg, stoof met haar naar de auto en reed in één ruk terug naar New Jersey zonder in enige andere richting te kijken dan recht vooruit.

'Herinner je je dit, Anna?' vroeg Bill Landsmann.

Hij was nu overgegaan op de familiedia's, de gewijde serie waarin de taferelen waren vastgelegd die ze zich het best moest herinneren. Hij zette de diacarrousel erin met het etiket BEN, ZES JAAR en klikte naar de eerste dia. Maar wat Bill toen op het scherm geprojecteerd zag, deed hem verstijven – niet door de dia zelf, maar door de dia erachter, de dia die erdoorheen scheen op zijn netvlies, tussen zijn pupil en zijn hersenen, door de blanco plekken op het scherm.

De dia was niet exotisch, en het was ook geen geweldige foto. Hij was van hen drieën: Anna, Ben en hij, kennelijk toen Ben zes jaar was. De foto was genomen bij de eendenvijver in de East Mountain Zoo – een vijver, merkte Bill jaren later, toen hij er met Naomi en haar broertjes heen ging, die was gedempt om plaats te maken voor andere verblijven, met nieuwere, spannender dieren – en Ben was de eenden aan het voeren. Ze hadden de eendenvijver eerder bezocht, en deze keer hadden ze brood meegebracht. Op de foto glimlachten Anna en Bill naar de camera, zijn arm om haar schouder, haar hand op Bens arm. Maar Ben had het veel te druk om in de camera te kijken. Hij was en profil gefotografeerd, midden in een zwaai waarmee hij een groot stuk brood in het water gooide dat al vol lag met kruimels. De dierentuin was hier niet bepaald op gesteld geweest, herinnerde Bill zich, en iemand van het personeel had hen onmiddellijk daarna terzijde genomen om hen bestraffend toe te spreken. Maar dit beeld, enkele ogenblikken daarvoor gemaakt door een vreemde, had niettemin overleefd en hun vergrijp voor eeuwig vastgelegd. Op de foto had Ben een uitdrukking van pure vreugde op zijn gezicht, die zelfs van opzij zichtbaar was, terwijl hij zijn brood in de diepte gooide, verrukter om het brood in de vijver te gooien dan de eenden te voeren. Het was de uitdrukking op Bens gezicht terwijl hij het brood in het water gooide, die het beeld in Bills hoofd verscherpte. Het beeld dat hij zich plotseling herinnerde, dat bevroren was geweest in zijn hoofd en pas nu begon te ontdooien, bestond uit hemzelf als kind, terwijl hij, ver weg en lang geleden, brood in het water gooide.

Bill was Wilhelm toen, ongeveer zes jaar oud, en zijn vader, moeder en hij waren bij zijn grootmoeder op bezoek wegens het joodse Nieuwjaar. Het was voornamelijk een saaie reis, ondanks zijn fascinatie toen voor alles buiten de stadsgrenzen van Wenen. Een groot deel van hun bezoek bestond uit lange, saaie uren in de synagoge – waar ze in Wenen nooit, maar dan ook nooit kwamen. Zijn vader zat bijna vooraan, met een man die oom Hayyim heette – een oom van zijn vader, was Wilhelm verteld. Oom Hayyim was heel oud, ouder nog dan Wilhelms grootmoeder. Wilhelms vader en oom Hayyim zaten samen te midden van een zee van mannen, en het gezicht van Wilhelms vader zag er voor Wilhelm uit als een eiland in een uitgestrekte, donkere oceaan, zijn kale, naakte wangen als bleke eilanden in een zee van baarden.

Wilhelm, die bij de mannen had moeten zitten, had gehuild tot ze hem bij zijn moeder en grootmoeder lieten blijven op een soort vrouwengalerij, samen met iemand die tante Sarah heette, die ook ouder was dan zijn grootmoeder en getrouwd met oom Hayyim. Tijdens de dienst, die eeuwen leek te duren, maakte Wilhelm er een soort spelletje van om tante Sarah en zijn grootmoeder van dichtbij te bekijken, hun trekken en gebaren te onthouden en dan weg te kijken en zichzelf te ondervragen om na te gaan of hij het goed had. Tegen het eind van dit spelletje bedacht hij, met het vreemde inzicht dat slechts is weggelegd voor iemand van zes of zeven jaar, dat deze tante Sarah op geen enkele manier verwant kon zijn aan zijn grootmoeder. Zijn grootmoeder was heel lang, ook al was ze oud, terwijl Sarah klein was, zelfs zonder haar gebogen rug. Zijn grootmoeder had een breed, rond gezicht, een lange hals en grote blauwe ogen, weggezonken in haar rimpels, maar Sarah had een scherpe neus en donkere, bijna zwarte ogen die naar haar neus geknepen stonden, en het geheel deed Wilhelm denken aan een vogel met zwarte veren. Bovendien hadden Sarah en Wilhelms grootmoeder een bloedhekel aan elkaar – ook dat werd duidelijk uit Wilhelms spel. Sarah praatte graag tijdens de dienst, maar ze glimlachte nooit naar Wilhelms grootmoeder, zelfs niet als ze grappen maakte met de andere vrouwen om haar heen. Voor zijn grootmoeder, merkte hij, had ze alleen een soort grijns. Zijn grootmoeder zat intussen met sobere volharding op haar stoel, haar ogen strak op het gebedenboek op haar schoot gericht en haar mond lusteloos gebeden mompelend. Wanneer Sarah zich naar haar toe boog om iets tegen haar te zeggen, deed ze vaak of ze het niet merkte, tot Sarah zo ongeveer in haar oor sprak. Dan wierp ze Sarah een smekende blik toe, die Wilhelm eerder had gezien op de gezichten van de aardiger meisjes op het schoolplein in Wenen wanneer een gemeen meisje met ze wilde spelen.

De dienst sleepte zich voort, en zelfs Wilhelms spelletje kon niet voorkomen dat hij zich dood verveelde. Maar Wilhelm was verbaasd toen er na de dienst iets heel interessants gebeurde. In plaats van zich te verspreiden en naar huis te gaan, liep iedereen die in de synagoge was geweest en masse weg uit het centrum van het dorp en naar de rivier. En daar werd Wilhelm door oom Hayyim naar voren geduwd, naar de waterkant.

Ze stonden nu allemaal op de rivieroever, de mannen en vrouwen naar sekse in groepen verzameld. De kleinere kinderen, die door hun ouders naar voren waren geduwd, renden een beetje heen en weer tussen de vrouwen en de mannen, hoewel de kleinsten dichter bij hun moeders kropen, ook als het jongetjes waren. Wilhelm, die daar met zijn moeder en grootmoeder stond, keek om zich heen naar de andere kinderen, zowel bij de groep vrouwen als bij de groep mannen. De meisjes zagen er min of meer uit als de meisjes op het schoolplein in Wenen. Maar de jongens – alle jongens behalve Wilhelm – hadden lange haarlokken langs hun oren, als kleine flappen; sommigen, de allerkleinsten, hadden overal lang haar, bijna als meisjes. De kinderen staarden naar hem terug en verwijderden zich van hem. Wilhelm begon het heel warm te krijgen, ondanks het koele briesje dat van de rivier kwam. Iemand deelde stukken oud brood uit en tante Sarah stopte er een in Wilhelms hand.

Wilhelm keek dankbaar naar het brood. De dienst had lang geduurd en hij had honger. Maar toen hij het naar zijn mond bracht, gaf tante Sarah hem een tik op zijn hand waardoor hij het op de rivieroever liet vallen. Hij keek naar het brood in de modder en moest bijna huilen.

Zijn grootmoeder boog zich naar hem omlaag, pakte zijn kin in haar ene hand en pakte het brood op met de andere. 'Het is niet om op te eten,' zei ze met haar grappige accent, en ze stopte het stuk brood weer in zijn hand. 'Het vertegenwoordigt je zonden... alles wat je in het afgelopen jaar verkeerd hebt gedaan. We gaan nu een gebed zeggen, en dan gooi je het in de rivier en vraag je God je te vergeven... je te vergeven,' besloot ze in raar Duits.

Wilhelm was verbijsterd. Hij keek gefascineerd naar het stuk brood, dat nu half bedekt was met modder. Maar voor hij tijd had om erover na te denken, begonnen alle vrouwen en mannen zangerig te praten en te mompelen, de mannen met gebedenboeken, de meeste vrouwen zonder. Maar Wilhelms grootmoeder had een klein boekje. Ze bleef gebogen staan, met haar mond bij Wilhelms oor, en vertelde hem met haar grappige accent wat ze zeiden, en toen boog ook zijn moeder zich omlaag, bracht haar gezicht tussen hen in en vertaalde de grappige woorden in het Duits.

'Wie is God als jij, wie vergeeft zonde en scheldt de overtreding kwijt van het overblijfsel van zijn erfdeel?' fluisterde zijn grootmoeder – 'Dat betekent dat God slechte dingen vergeeft,' fluisterde zijn moeder terug, 'slechte dingen die je in het afgelopen jaar hebt gedaan.' – 'Hij blijft niet eeuwig steken in zijn boosheid, want hij schept behagen in vriendelijkheid,' fluisterde zijn grootmoeder – 'God blijft niet boos op je,' fluisterde zijn moeder. 'U zult weer genadig op ons neerkijken en onze zonden matigen, en al onze zonden in de diepten van de zee werpen,' fluisterde zijn grootmoeder – 'God verlost je van de slechte dingen die je gedaan hebt en vergeet ze en gooit ze in het water,' zei zijn moeder. Het ging nog even door, maar Wilhelm kon er nauwelijks naar luisteren. In plaats daarvan keek hij geïntrigeerd naar de kinderen om hem heen, niet in staat te geloven dat ze elke nieuwjaarsdag stukken oud brood in de rivier gooiden.

'...want de aarde zal vol zijn van de kennis van God, zoals de wateren de zee bedekken,' fluisterde zijn grootmoeder – 'Zoals de wateren de zee bedekken,' herhaalde zijn moeder. Het was even stil op de rivieroever. 'Probeer nu te bedenken wat je in het afgelopen jaar verkeerd hebt gedaan en gooi dan het brood in de rivier,' zei zijn grootmoeder tegen hem.

Wilhelm probeerde te bedenken wat hij dat jaar verkeerd had gedaan, maar er kwam niets bij hem op. Al snel begonnen mensen het brood in het water te gooien. Van zijn plek op de rivieroever leek het brood uit de hemel te regenen, de rivier in te vliegen en stroomafwaarts te snellen. In de overtuiging dat hij het afgelopen jaar wel iets slechts had gedaan, of zelfs veel slechte dingen, en zich gewoon niet kon herinneren wat, bracht Wilhelm zijn hand in een machtige zwaai naar achteren en wierp het brood met overgave in de rivier, hopend dat het brood zich zijn slechte daden beter zou herinneren dan hij en zichzelf in schuldgevoel in de rivier zou verdrinken. En terwijl hij zijn stuk brood met zijn ogen volgde, zag hij hoe het een plaatsje vond tussen alle andere stukken brood en hij wist niet meer wat het zijne was. Sommige stukken zonken weg, andere werden opgepikt door vogels, de rest dreef stroomafwaarts, ver weg, en, stelde Wilhelm zich voor, naar de zee.

De mensen begonnen door elkaar te lopen en zich te verspreiden; de volwassenen trokken naar echtgenoot of echtgenote en de kinderen trokken zich terug van de waterkant, werden opgetild door ouders, die hen wegdroegen. Wilhelms vader en oom Hayyim kwamen naar de plek waar Wilhelm en tante Sarah en zijn moeder en grootmoeder stonden, maar Wilhelm bleef naar het drijvende brood staren. Boven Wilhelms hoofd stonden de volwassen familieleden te praten – dat wil zeggen, alle volwassenen behalve Wilhelms vader, die zweeg. Maar terwijl Wilhelm de route van het brood in het water met zijn ogen volgde, volgden zijn oren de geluiden van de stemmen boven zijn hoofd en hoorde hij zijn vaders naam. 'Helaas kan niet alles in het water worden geworpen, Nadav,' zei tante Sarah plotseling.

Wilhelm rukte zijn ogen los van de rivier en draaide zijn hoofd om tot hij volledig zicht had op tante Sarahs neusgaten, die woedend opengesperd waren terwijl haar lippen vooruitstaken uit haar gezicht. 'Sommige dingen verdwijnen nooit, Nadav. Zelfs Nieuwjaar vergeeft de zonden niet tussen de ene mens en de andere.'

'Hou op, Sarah,' zei Wilhelms grootmoeder, met een stem die beefde maar luider werd, terwijl haar kin, vanuit Wilhelms gezichtshoek meters boven hem uittorenend, als een vinger naar tante Sarahs neus wees. 'Hij heeft niets gedaan, en dat weet je. Je zoekt alleen maar een zondebok… god, het is vijftien jaar geleden, Sarah, hou daarmee op!'

'Jij hebt gemakkelijk praten, met een levende zoon,' gilde Sarah.

'Sarah, hou alsjeblieft op,' zei Hayyim terwijl hij haar bij haar arm greep. 'Juist vandaag…'

'Ik zeg het zelfs in het Duits… de jongen hoort het ook te weten!' schreeuwde ze terwijl ze naar Wilhelms vader wees en met geweld de grappige woorden en klanken uit haar stem dwong tot ze in een stijf Duits gilde: 'Hij heeft mijn kind vermoord! Het kan me niet schelen wat ze zeggen… hij heeft het gedaan! Hij heeft mijn kind vermoord!'

Toen haalde Sarah uit naar Wilhelms vader, en ze had haar nagels recht in zijn ogen geplant als Wilhelms grootmoeder haar zoon niet van achteren had vastgegrepen en oom Hayyim zijn razende vrouw niet had tegengehouden.

Wat daarna gebeurde, kon zelfs Wilhelm Landmanns anders waterdichte geheugen niet precies terughalen. Ook is hij nooit te weten gekomen wat er precies gebeurde op die rivieroever. Maar hij wist dat het een van de weinige keren in zijn leven was geweest dat hij ineens had gevoeld dat hij aan zijn vaders kant stond, dat die vrouw, wie ze ook mocht zijn en waar ze het ook over mocht hebben, een zieke geest had, en niet alleen een zieke geest maar ook een zieke ziel, en dat zijn vader net zomin haar klauwen verdiende als hij zijn vaders koude wreedheid verdiende. Ineens klopten de dingen. Een ogenblik later, voordat zijn moeder en grootmoeder hem meesleepten, zag Wilhelm nog een stuk brood op de rivieroever liggen. Hij pakte het op, gooide het met een zwaai in de rivier en keek het na terwijl het zich naar de zee spoedde.

Bill wierp een blik op de rest van de bijschriften op de lijst die bij de diacarrousel met de titel 'Ben, zes jaar' hoorde – een variatie op 'Ben voert de eendjes' bestreek minstens vijf dia's – en hij besloot niet verder te gaan met deze carrousel. Hij kon het niet, nu niet. Hij pakte de carrousel van de projector en liep naar de kast om een nieuwere, betere carrousel te kiezen. Hij raadpleegde zijn lijst van diacarrousels en besloot, met een inwendige rilling, dat het tijd was voor de ultieme test. Hij koos een doos van een van de onderste planken met het etiket NAOMI'S ZESTIENDE VERJAARDAG erop.

Anna zat nog op de bank, roerloos; haar wereld bevond zich volledig binnen in haar. Hij naderde haar als een hogepriester het altaar, zijn offergave in zijn handen. 'Ik wil kijken of je je dit herinnert, Anna,' zei hij.

Zijn vingers trilden licht en hij had moeite de carrousel uit de doos te krijgen. Hij zette hem in een waas op de projector, bijna zonder hem te zien. Hij wilde niet naar de dia's kijken, om vol ontzag of teleurgesteld te moeten constateren hoeveel er in deze carrousel zaten. Hij kon het op de tast doen. Hij klikte het apparaat naar de eerste dia.

'Weet je nog, Anna?' vroeg Bill Landsmann.

Hij keek op naar de dia; hij wilde niet naar de lijst met bijschriften kijken, alsof hij zichzelf ondervroeg. Het was een foto van Anna, glimlachend naar de camera terwijl ze een glas frisdrank aan een jong meisje geeft, een van Naomi's vriendinnen. Het was het meisje, besefte Bill onmiddellijk, dat hij in de krant had gevonden, het meisje dat bij hen thuis was geweest, het meisje dat... maar hoe heette ze toch?

Hij raadpleegde de lijst met bijschriften, waarop hij, ontdekte hij, evenmin haar naam had genoteerd. Er stond alleen: 'Anna en Naomi's vriendin'. Geschrokken van het gat in zijn eigen geheugen, klikte hij naar de volgende dia en ging met zijn ogen naar het volgende bijschrift op de lijst, waar hij had getypt: 'De jarige!'

'Weet je nog, Anna?' vroeg hij.

Nadat hij de vraag had gesteld, wierp hij een blik op Anna, al bevreesd voor de lege blik waarmee ze naar het scherm zou kijken.

Maar met een schok zag hij dat ze naar het scherm keek, dat ze het echt zag, haar wenkbrauwen opgetrokken boven haar bril terwijl ze voorover ging zitten op de bank alsof ze weer tot leven was gekomen. Haar blik volgend, keek hij zelf naar het scherm.

Het was blanco.

Bill staarde een ogenblik naar het lege scherm met het gevoel dat hij in een plas ondoorzichtig water keek. Het gezoem van de ventilator van de projector leek het lege scherm licht te laten trillen. Het was een vergissing, wist hij. Hij moest de dia's verkeerd in de carrousel hebben gezet, hoewel hij open plekken altijd zorgvuldig probeerde te voorkomen. Hij klikte naar de volgende dia.

Blanco.

Hij klikte weer. Op het scherm verscheen een foto van Anna en hem, arm in arm, zij half lachend. Bill zuchtte van opluchting. Maar toen hij op zijn lijst met bijschriften keek, zag hij 'Anna en ik' als dia nummer vier staan, precies de plaats waar hij was. Het was geen vergissing. Dia nummer drie was, volgens de lijst, 'De jarige en ik'.

Hij klikte weer, naar dia nummer vijf, genoteerd als 'Ben brengt de cadeautjes binnen', en Ben verscheen op volle kracht op het scherm – een veel grotere, oudere Ben dan de Ben die in de vorige carrousel de eendjes had gevoerd – zogenaamd zuchtend onder een stapel ingepakte cadeautjes die niet meer dan een paar pond konden hebben gewogen. Toen klikte hij naar wat dia nummer zes moest zijn: 'Anna, Naomi en ik'.

Blanco.

Nu boog Bill zich naar de diacarrousel op het apparaat en zag dat die geplunderd was. Bijna de helft van de dia's ontbrak. Aan de hand van de lijst met bijschriften telde hij de dia's met zijn vingertoppen. Nummer zeven, 'Naomi en vriendinnen' ontbrak, net als nummer acht, opnieuw 'Naomi en vriendinnen' en nummer tien, 'De jarige met papa en mama'. De nummers veertien tot en met achttien, waaronder 'Doe een wens: kaarsen en cake!', waren in het niets verdwenen, om nog maar te zwijgen van de nummers eenentwintig, drieëntwintig, vierentwintig en vijfentwintig, allemaal met het etiket 'De jarige pakt de cadeaus uit!' Bill klikte als een razende de carrousel door, de ene na de andere. Alle dia's van Naomi waren verdwenen.

Anna zat voorovergebogen op de bank, met een vreemde glimlach op haar gezicht. Bill wierp een blik op haar en werd getroffen door haar uitdrukking. Hij voelde haar aanwezigheid op een manier die hij lange tijd niet had gevoeld, niet sinds haar geest het had laten afweten. Hij stak zijn hand naar de hare uit. Maar ineens kwam er iets bij hem op.

'Anna, heb jij iets met die dia's gedaan?' vroeg hij.

Met haar ogen nog steeds op het scherm gericht, dat nu weer leeg was, ging Anna achterover zitten op de bank. Ze draaide zich om naar Bill. Net toen hij ervan overtuigd was dat ze hem niet had gehoord, fluisterde ze plotseling: 'Ja.'

Bill staarde haar aan. 'Hoe bedoel je, "ja",' vroeg hij, met een stem die hoger werd. Hij kon de betekenis van haar antwoord niet geloven: ten eerste dat ze zijn vraag had begrepen, en ten tweede dat ze aan zijn dia's had gezeten.

'Ja, ik heb de dia's van Naomi eruit gehaald,' zei Anna, en haar stem doorboorde de lucht in de kamer.

Bill ging ontzet op de bank zitten, een ogenblik verlamd voordat hij brulde: 'Waarom?'

Anna wreef over haar linkeroog onder haar bril. 'Ik vond dat ze daar niet thuishoorden, Bill, bij al die andere dia's op die planken... bij al die andere dia's van vreemden uit andere landen, op die manier gecatalogiseerd. Ik vond het gewoon niet goed.'

Haar helderheid was schokkend. Het was maanden geleden dat ze iets had gezegd wat zo samenhangend was, zo subtiel van begrip, zo ver afstaand van basisbehoeften – zo in overeenstemming met hoe ze vroeger was. Bill wilde haar in zijn armen nemen en met haar de lucht in vliegen. 'En wat heb je precies gedaan met die dia's?'

'Ik... ik weet het niet meer.'

'Je weet het niet meer?' Plotseling leek het vreemd, atypisch, wreed zelfs en onrechtvaardig dat ze zich iets niet zou herinneren. Verbijsterd vroeg hij het opnieuw. 'Je weet het niet meer?'

'Nee… nee, ik weet het niet meer.'

Bill voelde een golf van woede in zich opkomen. Hij begon hevig te beven, vocht om te blijven zitten, om niet naar haar uit te halen en zo luid als hij kon te schreeuwen: *Je hebt mijn baby vermoord!*

In plaats daarvan klemde hij zijn ene hand om de armleuning van de bank, bevend, en smeekte haar zwijgend meer te zeggen, zich een kleine aanwijzing te herinneren voor het terugvinden van die dia's, of zelfs dat moment waarop ze zo duidelijk had gesproken, een moment van zuiver, transparant licht, te verlengen. Maar het bleek een vluchtig moment. Hij zag hoe ze zich langzaam weer afsloot, hoe een nietszeggende uitdrukking als een gordijn over haar gezicht viel. 'Ik ben moe,' zei ze ineens. 'Ik ben erg moe.'

Bill keek op de klok. Het was laat – later dan hij had gedacht, of misschien begon ook hij de tijd te vergeten. Ze stonden allebei op en hij bracht haar naar hun slaapkamer want hij wilde er niet achterkomen of ze dat zonder hem had gered.

Ze begonnen zich klaar te maken om te gaan slapen. Dit begreep Anna tenminste. Ze wist nog wel hoe ze moest slapen. Toen ze onder de dekens lagen, sloot Anna vrijwel onmiddellijk haar ogen. Ze was zijn aanwezigheid vergeten.

'Anna,' fluisterde hij terwijl hij de lamp op zijn nachtkastje uit deed en in het donker haar hand vond. Die lag slap in de zijne. 'Weet je nog, toen je tegen me zei dat ik mijn vader niet moest haten?' vroeg hij. Hij verwachtte geen antwoorden meer, maar dat maakte niet uit. Hij wist al wat ze zou zeggen. 'Ik haat hem niet, Anna. Niet meer. Ik wil dat je dat weet,' besloot hij. Maar Anna sliep al, haar adem stroomde als getijdenpoeltjes op haar kussen.

Bill kon echter niet slapen. Hij kneep in het donker in haar hand, legde toen zijn armen om haar heen en keek hoe ze droomde. En Bill zelf droomde terwijl hij nog wakker was, droomde haar dromen voor haar, droomde van de foto's van Naomi, ergens opgeslagen in Anna's verloren geest.

8

De beste deal

Lang geleden, toen de Hollanders de hele wereld bezaten en hun zinkende land ontvluchtten om hun liefde voor miniaturen, chocolade en blauw-wit porselein van Zuid-Amerika tot de Stille Zuidzee te verspreiden, zetten ze ook voet aan de grond in Zuid-Afrika – grond waar, een paar honderd jaar later, een kind een 'mooi kiezelsteentje' vond op de boerderij van Nicolaas en Diederick de Beer, wat leidde tot de particuliere onderneming De Beer Consolidated Mines, die later het grootste diamantmijnkartel in de geschiedenis van de wereld zou worden. Helaas duurde deze stand van zaken, net als de Hollandse controle over Nieuw Amsterdam, ongeveer vijftien minuten, en eindigde toen de De Beers werden uitgekocht door de grote Britse veroveraar Cecil Rhodes, die vervolgens werd uitgekocht door de Duitse veroveraar Ernest Oppenheimer. Niemand verovert de wereld langer dan vijftien minuten.

Diamanten zijn zuivere koolstof, stukjes kool, min of meer, begraven onder honderden mijlen gesmolten gesteente om één tot drie miljard jaar later te voorschijn te komen als schitterende sterren, als gehard vuur. De koolstof waarvan ze gevormd worden is afkomstig van de aardmantel, de laag gesmolten materie waaruit het grootste deel van de planeet bestaat. Maar sommige diamanten worden gevormd door organisch materiaal dat zich in de mantel bevindt – dat wil zeggen, de overblijfselen van oerleven die naar de bodem van de zee zijn gezonken, door aardbevingen naar het middelpunt van de aarde zijn verplaatst en als xenolieten, of vreemd gesteente, miljarden jaren later door vulkanen omhoog zijn gestuwd naar het aardoppervlak. Andere komen van meteorieten, koolstofresten van de overblijfselen van verre sterren. Dit is een lange en ingewikkelde manier om te zeggen dat, ondanks alle veroveringen op het aardoppervlak, niets ooit echt verloren gaat.

Maar er gebeurt iets met die stukjes kool onder de intense druk die ze onder het aardoppervlak weerstaan. Nadat ze jaren en jaren begraven en opgesloten zijn geweest, komen ze pas te voorschijn nadat ze gehard zijn tot schitterende, ondoordringbare stenen. En dan, buitgemaakt door de mijnkartels en edelsteendeskundigen van de wereld, worden ze geclassificeerd en geherclassificeerd in steeds kleinere groepen, elk met zijn eigen mate van brekingsvermogen en onherstelbare deuken en tekortkomingen – en weet niemand nog dat hun oorsprong, zo veel jaar geleden en mijlen en mijlen ver weg, min of meer gelijk was.

Jake kon zich niet herinneren wanneer hij voor het laatst in het New Yorkse diamantdistrict aan Forty-seventh Street was geweest. Of eigenlijk was dat een leugen. Hij kon het zich herinneren, maar verkoos dat niet te doen. Wanneer dat verre moment ook was geweest, hij had toen net zo goed een geheel andere persoon kunnen zijn. En het was beslist geweest voordat ze die smakeloze poortpalen hadden geplaatst op de hoek van Fifth Avenue en Sixth Avenue, met de reusachtige plastic diamanten erop, of anders waren ze hem die laatste keer niet opgevallen. Toen hij ze zag, lachte hij hardop en hield zich vervolgens in toen hij merkte dat hij door tientallen chassidische joden werd aangestaard, die gekleed in donker pak en zwarte gleufhoed de plastic-diamantpoorten binnengingen.

Gekke Hoedenmakers, dacht Jake, terwijl hij naar de passerende chassidim keek en aan de theevisite dacht uit *Alice in Wonderland*. Hij had de term 'Gekke Hoedenmaker' altijd tamelijk belachelijk gevonden, maar hij had een keer een tentoonstelling in een museum gezien over de arbeidsomstandigheden in de negentiende eeuw en toen begrepen waar hoedenmakers gek van werden. Lang geleden behandelden de hoedenmakers het vilt voor de hoeden met kwik, en door de blootstelling aan kwik kregen ze neurologische problemen die soms tot krankzinnigheid leidden. Jake gaf toe aan een gemene gedachte en vroeg zich af of de Gekke Hoedenmakers van Forty-seventh Street aan een soortgelijke kwaal leden. Er was iets aan die zwarte gleufhoeden dat mensen mateloos leek te irriteren. De amish, had hij gemerkt, hadden hetzelfde probleem. Maar ondanks hun door de gleufhoed veroorzaakte risico op krankzinnigheid leken de Gekke Hoedenmakers veel van diamanten te weten. Om tot nu toe onbekende redenen was een verbazingwekkend percentage van de diamantbranche aan Forty-seventh Street in handen van chassidische joden – en ondanks hun krankzinnigheid als het ging om dingen als hoeden, hadden de zakenmensen van Forty-seventh Street niet beter bij hun verstand kunnen zijn als het om juwelen ging.

De afgelopen week had Jake, meestal laat op de dag, de bus naar Forty-seventh Street genomen. Aanvankelijk had hij alleen in de etalages getuurd en iets geleerd over de verschillende afmetingen, verschillende vormen, verschillende zettingen, waarvan er zo veel sterk op elkaar leken maar geen twee precies gelijk waren. Jake probeerde te raden welke stijl het beste bij Leora paste, maar had het gevoel dat hij in een politieconfrontatie naar Leora keek zonder door het spiegelglas oogcontact met haar te kunnen maken. Het had duidelijk moeten zijn, maar dat was het niet. Kende hij haar echt goed genoeg om te weten welke voor haar moest zijn? Na vele dagen door het glas te hebben staan gapen, waagde hij het de winkels zelf binnen te gaan, als een duiker die zich in zee stort na zich alleen te hebben voorbereid door in een aquarium te staren. Pas na al die dagen de schatten op de bodem te hebben bestudeerd, voelde hij zich klaar om een ervan op het droge te brengen.

Jake opende een deur van de kleine ruimte tussen twee reusachtige, flitsende juwelierszaken, ging door de metaaldetector bij de ingang en liep zelfverzekerd naar de receptiebalie. 'Ik heb om tien uur een afspraak met de heer Abramovitch,' zei hij tegen de bewaker. Op het laatste moment voordat hij zijn appartement verliet, had hij nog een stropdas omgedaan.

De bewaker, een dikke man met vlezige handen en een buik die over zijn brede, leren riem stulpte, bekeek hem. Jake was blij dat hij een stropdas droeg. Het kale hoofd van de bewaker piepte onder zijn pet uit, die een roze gezicht met helderblauwe ogen bekroonde. Op zijn naamkaartje stond PETER.

'De heer Abramovitch is vandaag naar een vakbeurs,' zei de bewaker. 'Maar zijn schoonzoon kan u ontvangen.'

'Schoonzoon?' Jakes maag trok samen terwijl hij zijn hand op de broekzak legde waarin zijn portemonnee zat. Hier, dacht hij even, begon het klassieke spel van lokken en toehappen. Toen herinnerde hij zich zijn telefoongesprek met Abramovitch. De diamanthandelaar had gezegd dat hij deze week misschien de stad uit zou zijn, maar dat zijn schoonzoon hem dan zou ontvangen. 'Het is een geweldige vent,' had Abramovitch verklaard. 'Geen goeie vent… een geweldige vent. Je hoeft je geen zorgen over hem te maken.'

'Inderdaad, zijn schoonzoon,' antwoordde de bewaker. 'Hij zit al een tijdje in de zaak. Kunt u zich daarin vinden?'

Jake wierp een blik op het roze voorhoofd van de bewaker, slikte en glimlachte. Hij zou zich niet door een sul van een schoonzoon van zijn diamant af laten houden. 'Natuurlijk, geen probleem.'

De bewaker gebaarde Jake om achter de receptiebalie te komen en tikte een combinatie op een toetsenbord in om een kluisachtige lift achter hem te openen. Toen drukte hij op een van de knoppen in de lift. Jake stapte in en zag de deuren voor zich dicht glijden.

De lift begon te stijgen. Maar in Jakes maag ging het omlaag: omlaag, omlaag, omlaag, omlaag naar de diepten onder de zeebodem, mijlen en mijlen en mijlen onder het aardoppervlak.

Een chassidische man zat in een kleine kamer aan een bureau op hem te wachten, achter een tafel met een kleed van zwart fluweel erover, naast een prullenmand die vol lag met gescheurde bagagelabels van de KLM, misschien doordat, herinnerde Jake zich vaag, Amsterdam een belangrijk diamantcentrum was – of was dat Antwerpen? Antwerpen, besloot hij. Bij het zien van de vertrouwde bagagelabels voelde Jake zich ineens warm worden, alsof hij net een foto van een oude vriend op het bureau van een vreemde had ontdekt. De chassidische man zat iets op een vel papier te lezen, maar stond meteen op toen hij Jake opmerkte. De man leek ongeveer van Jakes leeftijd, of misschien iets jonger. Hij had een borstelige baard, verbazingwekkend licht van kleur, en zijn haargrens had zich al lichtelijk teruggetrokken onder zijn zwarte gleufhoed. Toen hij achter zijn bureau vandaan kwam, zag Jake dat zijn ogen, overschaduwd door de rand van zijn hoed, helderblauw waren. Hij zette zijn hoed af en legde hem op het bureau; zijn hoofd was nog bedekt door een groot, zwart keppeltje. Een hoedentruc, dacht Jake. Nu kon de theevisite beginnen.

'Jij moet Jake zijn,' merkte de Gekke Hoedenmaker zorgvuldig op, als een man die iets uit een script leest. Zijn stem was kalm en direct, geen spoor van gejammer of gehaspel.

Jake keek naar de hoed van de man op het bureau en slikte. 'Ik ben op zoek naar een ronde, briljant geslepen steen, ongeveer driekwart karaat, vs2 of sii, kleurklasse ongeveer h of i en een prijs van vierduizend tot vijfenvijftighonderd dollar,' verklaarde hij.

De Gekke Hoedenmaker lachte. 'En ik ben Yehudah. Aangenaam.'

Jake kreeg een kleur, lachte zenuwachtig en stak Yehudah zijn bezwete hand toe. Een goed begin is het halve werk, dacht hij bij zichzelf.

'Dus je hebt de juiste vrouw gevonden, hè?' vroeg Yehudah met een ondeugende grijns die Jake niet bepaald had verwacht.

'Ja, ik denk het wel,' zei Jake glimlachend, en hij voelde de rode kleur zachtjes uit zijn gezicht trekken.

Yehudah trok zijn wenkbrauwen op. 'Denk je dat of weet je dat?'

Jake zweeg even. De ongepaste familiariteit gaf hem een ongemakkelijk gevoel. 'O nee, nee, ik bedoel dat ik het weet,' stamelde hij.

'Goed, want we zijn hier niet zo gek op retourartikelen,' zei Yehudah lachend. De lach irriteerde Jake. Het herinnerde hem aan het soort lach dat de populaire kinderen op de lagere school tegen hem hadden gebruikt, hoewel hij zich niet kon voorstellen dat Yehudah zo'n populair kind was geweest. Jake vroeg zich af of er zoiets als een populair chassidisch schoolkind bestond. Waarschijnlijk niet.

Yehudah bleef praten. 'Vertel me niet dat je het denkt, vertel me dat je het weet. Hoe meer mensen over dit soort dingen nadenken, hoe slechter het volgens mij voor ze is. Want als je erover moet nadenken, waarom doe je het dan?'

Jake dacht daar even over na. Er zat wel wat in. 'Oké,' gaf hij toe. 'Maar ik weet het.'

Yehudah gaf met zijn hand een klap op de tafel, waar zowel Jake als het zwarte fluweel van schrok. 'Goed, dan zijn we er klaar voor. Even voor de duidelijkheid: je wilt rond, briljant geslepen, driekwart karaat, vs2 of si1, kleurklasse h of i, tussen de vierduizend en vijfenvijftighonderd dollar. Klopt dat?'

Jake was onder de indruk. Misschien had Abramovitch wel gelijk gehad. 'Ja, dat is het.'

'Mooi. Ik ga naar de kluis en haal een paar exemplaren en dan zullen we eens kijken wat we kunnen doen.' Yehudah stond op en richtte zijn wijsvinger op Jake in een gebaar dat hij niet had verwacht. 'Ik ben zo terug,' zei hij. 'Niet te veel nadenken terwijl ik weg ben.'

Jake glimlachte en maakte zijn stropdas los. 'Maak je geen zorgen, ik denk er niet aan.'

En weg was de Gekke Hoedenmaker.

Toen hij negen was had Jakes moeder hem gewaarschuwd voor de gevaren van te veel nadenken. Het was goed dat ze dat toen tegen hem had gezegd, want ze had maar dertien jaar gehad om hem voor dat soort dingen te waarschuwen. Jake vroeg zich wel eens af of ze, ergens in haar onderbewustzijn, geweten had hoe de klok van haar leven geregeld was.

'Niemand houdt van mensen die niets anders doen dan alles ontrafelen in hun hoofd,' had ze hem op een dag in haar afgemeten Nederlands-Engels verteld. Hij hielp haar met het eten klaarmaken, op de manier van een kind van negen: de tafel dekken, paprika's snijden (heel voorzichtig, natuurlijk, om het mes niet te laten uitschieten en zichzelf in zijn vinger te snijden, om zichzelf niet te beroven van dit zeldzame voorrecht, zeldzamer en waardevoller dan een begraven schat: te mogen koken met zijn moeder), terwijl zijn moeder hem verhalen vertelde over een van haar oude minnaars, uit de tijd voordat ze Jakes vader had ontmoet. Haar 'minnaars'. Zij mocht dat zeggen omdat ze geen Amerikaanse was. Amerikanen hadden geen minnaars, tenzij ze een buitenechtelijke relatie beschreven. Amerikanen kwamen niet verder dan als kinderen spelen met 'vriendjes' en 'vriendinnetjes' ook al waren de 'vriendjes' en 'vriendinnetjes' in kwestie al ver in de zestig. God verhoede dat je volwassen werd.

'Sommige intelligente mensen denken dat ze uiteindelijk hun problemen kunnen oplossen door ze de hele dag te analyseren. Maar ze vergissen zich. Als je jezelf omringt met je eigen gedachten, als je niets anders doet dan denken en praten over elk minuscuul aspect van het leven, doe je niets anders dan van al die kleine stukjes van jezelf een muur bouwen waar je nooit meer doorheen komt,' verklaarde Jakes moeder, bijna kwaad. 'Te veel denken is egoïstisch.'

Pas in zijn eerste jaar aan de universiteit, vijf jaar nadat ze gestorven was, had Jake begrepen wat zijn moeder had bedoeld. Op de middelbare school hadden mensen zich opgesmukt en uitgedost en gegild en geschreeuwd wanneer ze de jongen of het meisje van dat moment hadden versierd. Maar aan de universiteit, met de ellende van het delen van kamers en de hele nacht om belachelijke redenen opblijven, werd liefde iets lastigs, een zware, vervelende zaak. Op de universiteit en daarna hadden mensen het niet over liefde. Ze hadden het over 'relaties'.

'Relaties' waren iets heel anders dan liefdesverhoudingen. In tegenstelling tot liefde, wat iets heel lichts en dieps was, onbetwistbaar en onvoorwaardelijk, hielden 'relaties' dingen in als 'eraan werken', 'ervoor vechten', 'compromissen', 'problemen' en 'kwesties'. Jakes vrienden en vriendinnen deden niets liever dan uren zitten praten over de 'kwesties' waaraan ze moesten 'werken' in hun 'relaties'. Relaties had je niet voor de lol. Het waren serieuze, fulltime bezigheden. En Jake zag zijn vrienden en vriendinnen bij elke nieuwe relatie muurtjes om zich heen bouwen, zodat niemand hen meer kon bereiken. Ze werden als belegerde steden, dichtgemetseld door hun kwesties en gevechten en compromissen en door hun behoefte liefgehad te worden zonder ooit te hoeven liefhebben.

Jake had jaren van zijn leven aan zo iemand verspild. Rebecca was de reden dat hij eerder in Forty-seventh Street was geweest. Niet dat ze met hem mee was gegaan, natuurlijk niet. Niet dat ze ook maar wist dat hij daarover dacht; als ze het geweten had was ze waarschijnlijk nog veel eerder vertrokken. Ze waren bijna vijf jaar aan het 'relateren' geweest toen ze hem vertelde dat ze 'ruimte' nodig had om te 'denken', tijd om 'dingen uit te werken' en een beurs accepteerde om een jaar in Heidelberg te studeren. Hij gaf te veel om haar om het risico te nemen haar te smeken niet weg te gaan. In december ging hij naar New York om zijn vader te bezoeken en naar Forty-seventh Street om naar diamanten ringen te kijken. Gewoon etalages kijken, dat was alles. Alleen kijken. Toen hij in de metro stapte, terug naar het appartement van zijn vader, zag hij Rebecca en een man samen tegen een metropaal staan, bezig dingen uit te werken. Vanaf dat moment nam hij altijd de bus.

Met Leora hoefde hij nooit iets anders 'uit te werken' dan de puzzels die ze hem voortdurend toewierp. Op de eerste verjaardag van de dag waarop ze elkaar hadden ontmoet, moest hij naar een conferentie in Californië en hij beloofde bij terugkomst met haar uit te gaan om het te vieren. Toen hij die avond in zijn hotelkamer arriveerde, vond hij op een stoel in het midden van de kamer een diaprojector die gericht was op een groot stuk kale, witte muur en waarvan de stekker in een stopcontact bij het geblindeerde raam was gestoken. Hij belde de receptie en meldde dat iemand iets had achtergelaten in kamer 413.

'Iets achtergelaten?' vroeg de man bij de receptie, met een accent dat vaag Europees klonk.

Jake ging op het bed zitten en staarde naar de diaprojector, die daar laag en breed op de stoel stond en op de muur gericht was als een kanon, klaar om hem op te blazen.

Hij zag dat de carrousel gevuld was. 'Ja, een diaprojector. Er zitten ook dia's in. Ik zou het op prijs stellen als iemand hem kwam ophalen.' Jake slikte. 'Ik kan hem ook zelf naar beneden brengen, als dat gemakkelijker is.'

'O ja, de dia's,' zei de man lachend. 'Nee, je hoeft ze niet hierheen te brengen. Ze zijn voor jou.'

'Voor mij?'

'Je hebt kamer 413, toch?'

'Ja, maar ze zijn niet…'

'Ze zijn voor je opgestuurd.'

'Wat?' hoorde Jake zichzelf met schorre stem zeggen.

'Ze zijn hierheen gestuurd, voor kamer 413,' dreunde de man. 'Je kunt de projector terugbrengen als je klaar bent, maar de dia's zijn voor jou.'

Jake hing op en keek aarzelend naar de diaprojector. Hij stond voorzichtig op en zette een paar korte stappen naar de projector om hem te inspecteren. Een normale diaprojector. Jake bedacht dat hij in geen tijden een diaprojector had gezien, niet sinds de middelbare school. Diaprojectors gingen de gaslamp en de trap-naaimachine achterna.

Het was januari. Buiten was het donker geworden. Lichten gingen aan in de gebouwen die hij vanuit het grote hotelraam zag, kleine panelen van kantoren en appartementen met lichtgevende mensen erin die zich bogen om de jaloezieën dicht te doen. Met zijn ogen op de diaprojector gericht alsof die ervandoor zou kunnen gaan, stapte hij achteruit en stak zijn hand uit naar de muur om het licht in de kamer uit te doen. Terwijl hij naar de lichtknop tastte, schrok hij van zijn eigen spiegelbeeld in het reusachtige raam. Opgelucht deed hij het licht uit en zette de schakelaar van de diaprojector vlak voor zich terwijl zijn ogen zich aanpasten. Hij ging op zijn hurken naast het apparaat zitten, zette het aan en schrok van het leeuwengebrul van de ventilator en van het verblindend witte vierkant van licht op de muur, dat gloeide als vuur. Toen hij op de knop drukte voor de eerste dia zat hij geknield voor een reusachtige projectie van Vermeers schilderij *Brieflezende vrouw*.

Zo gingen de dia's door. Het was een uitgebreide selectie van schilderijen uit het Rijksmuseum, kleine taferelen en huilende profeten. De laatste dia liet zuiver wit licht zien, met rechts in beeld Leora's minuscule handschrift – een handschrift dat in feite leesbaar was als het op honderden keren van zijn ware grootte werd geprojecteerd. Het enige wat er stond was: 'Dank je.'

Met Leora was er geen sprake van 'werk', van 'kwesties', van 'compromissen', en zelfs niet van een 'relatie'. Leora was gewoon een licht. En hij was een dia, en ze scheen zichzelf door hem heen en maakte alles in hem zichtbaar, niet als verspreide stenen rond zijn voeten maar als een helder beeld geprojecteerd op het scherm van zijn leven, iets waar hij eindelijk naar kon wijzen, na zo veel jaren van duisternis, en zeggen, zonder erbij na te denken: 'Hier ben ik.'

'Hier ben ik,' hoorde Yehudah zijn eigen vaste stem aankondigen. De klant keek op en zag hem de kamer binnen paraderen, zijn handen vol zwarte leren zakjes met witte etiketten. 'Ik heb hier een hele serie slijpvormen, dus zul je het verschil kunnen zien.'

'Niet de meest geslepen vormen, hoop ik,' grijnsde Jake.

Yehudah glimlachte, maar was licht ontstemd omdat hij de grap niet begreep. Hij haalde tien verschillende stenen te voorschijn en legde ze op het zwarte fluweel. Toen pakte hij de laatste en zette hem vast in een juwelierstang.

'Niets is belangrijker dan de slijpvorm,' zei hij terwijl hij een grote loep uit zijn zak haalde. Hij voelde een diepe voldoening toen hij de loep voor de klant op de tafel legde, een voldoening die elke ergernis deed verdwijnen die hij mocht hebben gevoeld over grappen die hij niet snapte. De klant kon zeggen wat hij wilde, maar hij, Yehudah, was de baas. Hij bespeurde een golf van bekwaamheid, meesterschap, macht in zichzelf. Voordat hij daar begon te werken, had hij dat gevoel niet meer gehad sinds hij in zijn studententijd zijn laatste doelpunt op het voetbalveld had gescoord. Hij had het gemist.

'Waar je vooral naar moet kijken,' vervolgde hij, op weg naar het doel, 'is de verhouding tussen de kruin en het paviljoen... dat is het onderste deel, en ook naar de breedte van de tafel, dat is het vlakke deel bovenaan. Dat zijn de twee belangrijkste dingen voor de slijpvorm van de steen. De eerste is de schittering… hoe goed de steen wit licht reflecteert. De tweede is vuur, dat is de manier waarop de steen licht in regenboogkleuren verdeelt. Waar je naar zoekt is een evenwicht tussen schittering en vuur.'

Jake was bezig de diamanten door de loep te onderzoeken. Het was verbazingwekkend hoeveel je kon zien als je echt keek. Diamanten die op de tafel precies hetzelfde leken, veranderden als je ze door het vergrootglas zag in fantastische, verschillende vormen, als een rij gezichten die stuk voor stuk uniek waren. 'Schittering en vuur,' herhaalde hij. 'Zou een van beide niet goed genoeg zijn? Alleen schittering, of alleen vuur?'

'Nee.' Yehudah haalde een kleine zaklantaarn uit zijn zak en scheen ermee op de steen die Jake in de tang hield. 'Kijk naar deze steen. Zie je? Veel reflectie van wit licht, maar niet veel regenbogen in de diamant.' Jake tuurde door de loep. De diamant gloeide als een verflauwend lichtpeertje. Yehudah knipte het zaklantaarntje uit. 'Uiteindelijk wordt hij dof. Vergelijk hem eens met deze,' zei hij terwijl hij de tang open schroefde en er een andere steen in bevestigde voordat hij de zaklantaarn weer aanknipte. 'Zie je de kleuren? Mooi, maar het licht wordt nauwelijks gereflecteerd. Hij gaat er glasachtig uitzien. De meeste hebben te veel schittering en niet genoeg vuur, of te veel vuur en niet genoeg schittering. Op die manier krijg je veel minderwaardige stenen.'

'Mijn eigen probleem is niet genoeg vuur,' waagde Jake, zich afvragend of de Gekke Hoedenmaker het zou oppikken.

Yehudah pikte het op. 'En dat van mij niet genoeg schittering.'

Rivka, Yehudahs vrouw, was op hun trouwdag geschokt geweest toen haar kerverse echtgenoot, toen hij haar in hun privé-kamer voor het eerst aanraakte, zijn tong zachtjes tussen haar lippen liet glijden. Ze hield hem niet tegen, maar hoewel ze haar best deed haar schrik niet te laten merken, voelde Yehudah het: het verstijven van haar lippen, de manier waarop haar mond opzij bewoog, alsof ze meer zoiets als een kus op haar wang had verwacht. Die avond kleedde hij haar met trillende vingers uit, waarbij hij de drang om haar jurk van haar af te scheuren en zich in haar te boren weerstond en in plaats daarvan haar lichaam langzaam onthulde alsof hij de schaal van een hardgekookt ei pelde voordat hij zijn tanden in de dooier zou zetten. Hij kuste haar herhaaldelijk terwijl hij zich boven op haar liet zakken, voorzichtig om haar niet te verpletteren, hield haar gezicht bezig met kussen, streelde haar haar en hield haar handen vast toen ze gilde van pijn terwijl hij voor het eerst van zijn leven de liefde probeerde te bedrijven in plaats van seks te hebben.

Ze wist dat hij eerder vriendinnen had gehad. Maar pas op hun trouwdag drong het tot Jason door dat ze waarschijnlijk dacht dat hij iets heel anders met zijn oude vriendinnen had gedaan dan in werkelijkheid was gebeurd. Als hij haar ernaar had gevraagd, had ze wellicht gezegd dat hij het gewaagd had hun hand vast te houden of ze misschien goedenacht had gekust op de stoep van hun ouders. Ze zou in geen drieduizend jaar hebben geraden dat zij de zevende vrouw was met wie haar kersverse echtgenoot in zijn korte leven had geslapen.

Minstens een van hen telde niet echt mee, redeneerde hij, want ze waren toen allebei dronken geweest en hij herinnerde zich amper haar naam. Maar de anderen hadden iets betekend, al was het maar de stommiteit van een te ver gaande vriendschap geweest, van grenzen die overschreden waren en soms, maar gewoonlijk in het geheel niet, betreurd. Eén keer was het gewoon de stommiteit geweest om te denken dat een rijbewijs een diploma van volwassenheid was, in combinatie met het wonder de achterbank van een busje ter beschikking te hebben en een leeg parkeerterrein bij Costco om het te bewijzen. In de laatste drie gevallen was hij zelfs verliefd geweest.

Leora was een van die drie geweest en ze was het enige geval dat hij betreurde. Hij had haar gedwongen met hem te slapen. Niet echt 'gedwongen'. Hij zat in het voetbalteam, niet in het rugbyteam of het boksteam. Maar 'overgehaald' was een te zacht woord.

'Onder druk gezet' kwam meer in de richting, hoewel hij ook die term haatte. Die herinnerde hem aan iemand die in een van de lagere klassen van de middelbare school tegen hem gepreekt had over drugs. (Waarom had niemand, naast al die lessen over niet toegeven aan druk, dacht hij, hem nooit geleerd geen druk uit te oefenen?) Het meest passende woord was misschien wel 'misleiding', hoewel die poging geen succes had gehad. Ze was een beetje naïef toen. Ze had zijn bed vele malen gedeeld, waarbij ze letterlijk bij hem sliep als ze om drie uur 's nachts in zijn kamer was en te moe om naar huis te gaan. Het was op zo'n avond geweest dat hij haar, in het vuur van het moment, had gevraagd niet naar huis te gaan en bij hem te blijven. Hij wist wat zij dacht dat hij bedoelde, en hij wist wat hij echt bedoelde, en hij wist dat die twee dingen niet gelijk waren, maar hij hoopte dat ze hem niet om opheldering zou vragen – en voelde een ruwe, onbeheerste kracht door zijn lichaam gaan toen ze dat niet deed. Hij had haar al op het bed gedrukt toen ze hem zei te stoppen.

Hij stopte, natuurlijk. Hij zat niet in het rugbyteam. Maar 'stopte' was ook een misleidend woord, want in werkelijkheid was die avond nog maar het begin geweest, de eerste van een lange serie avonden van druk op haar uitoefenen, beetje bij beetje, zodat ze het nauwelijks merkte, tot seks hebben weinig meer was dan een technisch detail. Wat de zaak er ook niet beter op maakte was dat het hele voetbalteam zijn voortgang bijna net zo scherp volgde als ze Brazilië volgden op weg naar de beslissingswedstrijden voor het wereldkampioenschap. Hij kende zijn teamgenoten tenslotte langer dan hij haar kende, en helaas was hij de enige in het team die met geen mogelijkheid kon liegen. Maar de dag waarop hij naar de kleedkamer kwam – het was buiten het seizoen, maar een groepje van hen vond het prettig om samen te blijven trainen en zo in vorm te blijven – met het langverwachte nieuws, voelde hij zich misselijk zodra hij het zei. En hij voelde zich nog beroerder toen de hele groep in geschreeuw en gejuich losbarstte en hem de hand schudde alsof hij het ultieme doelpunt had gescoord, wat hij in feite ook had gedaan. Hij bleef nog een ogenblik in de kleedkamer zitten toen de anderen naar de sportzaal gingen. Straalmisselijk hing hij met zijn mond open boven de wc, maar er kwam niets uit. Dat was het probleem, besefte hij terwijl hij zich schrap zette tegen de wc-pot en zijn sterke handen over de gladde porseleinen rand gleden. Het zou er niet uit komen. Alles wat hij haar had aangedaan, verhardde in zijn binnenste als een loden kogel die vastzat in zijn buik.

Hij sliep daarna nog vaak met haar, maar niet zonder dat dat beeld van die dag in de kleedkamer, toen hij zichzelf had schrap gezet tegen de wc, door zijn hoofd flitste, niet zonder dat hij aan dat lelijke ding in zijn binnenste dacht dat hij nooit zou kunnen verwijderen, niet zonder eraan te denken dat hij nooit meer degene kon worden die hij was geweest, niet verbrand door egoïstisch vuur; dat de Jason die hij daarvoor was geweest, voor altijd geschroeid en vernietigd was. Hij negeerde dat beeld een jaar, langer misschien, tot het hem niet meer lukte. Hij begon zichzelf te haten. En toen viel hij in zijn nieuwe wereld als een duiker die zich in levend, zuiverend water stort, nadat dat gat op het voetbalveld hem had laten struikelen als bewijs van Gods aanwezigheid op de wereld. Als hij nu zijn gebeden opzei, zong hij luid de woorden die in het gebedenboek geschreven stonden, zijn geheime belofte aan God: 'Breng ons, Here, tot u weder, dan zullen wij wederkeren. Vernieuw onze dagen gelijk van ouds!'

'Hoe oud ben je?' vroeg Jake ineens terwijl hij opkeek van de juweliersloep. Hij werd verrast door zijn eigen vraag. Zijn omgang met Leora had hem een paar slechte gewoonten opgeleverd, niet in het minst de gewoonte om vreemden vrijpostige vragen te stellen.

Yehudah snoof; hij voelde zich aangevallen. Die vent was gewoon een klant, zijn afspraak voor tien uur. Waarom zou hij verdomme vragen stellen die niets te maken hadden met helderheid en slijpvorm? 'Achtentwintig,' verklaarde hij, een beetje naar boven liegend.

'Dat ben ik ook,' antwoordde Jake, een beetje naar beneden liegend.

Yehudah geloofde hem en snoof weer, eerder vaag tevreden dan beschaamd over zijn echte leeftijd. Hij bekeek de klant die voor hem zat. Een jood, uiteraard, maar duidelijk een van die joden die absoluut niet geïnteresseerd waren in het judaïsme, die het waarschijnlijk beschouwden als een soort verouderde code die niets van waarde meer bevatte, het type dat sinds de lagereschooltijd geen enkele feestdag meer had gevierd – een ketter, waarom zou je er niet voor uitkomen? En deze vent was ook het type, concludeerde Yehudah, dat al jaren en jaren met zijn vriendin samenwoonde, en nog langer met haar sliep, dat er niet over had gedacht met haar te trouwen voordat hij voornoemde dingen had gedaan, en zelfs niet had overwogen zichzelf bloot te geven voordat ze een belachelijk aantal jaren verder waren. God verhoede dat je een ander zou vertrouwen. Een ogenblik voelde hij zich bedroefd en oprecht moedeloos bij de gedachte dat elke man die hij op straat passeerde dezelfde fouten maakte die hij had gemaakt, steeds opnieuw. Waar wachten die mensen op, dacht hij, het moment waarop ze al hun haar kwijt zijn?

'Wat denk je, is dat ongeveer het gemiddelde?' vroeg Jake. Ongelooflijk hoeveel hij op Leora was gaan lijken.

Yehudah snoof voor de derde keer. Die vent begon hem aan iemand te herinneren, iemand aan wie hij niet herinnerd wilde worden. Maar wie?

'Het gemiddelde waarvoor, een verloving? Dat is mogelijk,' antwoordde Yehudah terwijl hij over zijn baard streek. 'Eerlijk gezegd zijn de meeste mannen die wij hier zien iets ouder, meer zoiets van tweeëndertig, drieëndertig.'

Jake bespeurde iets zelfvoldaans in Yehudahs stem, iets wat hij op de een of andere manier had verwacht. Dat was wat hem dwarszat, besefte hij. Gekke Hoedenmakers leken altijd zo zelfvoldaan, alsof het ontbreken van twijfels ten aanzien van je eigen leven op zich de hoogste deugd was. Als wetenschapper geloofde Jake, in de diepste betekenis van geloven, dat dat niet waar was, dat twijfel op zich de kracht had de waarheid voort te brengen. Hij wist dat de mensen die het joodse leven beter hadden gemaakt, niet de mensen waren geweest die geen vragen stelden bij het leven zoals het was, maar degenen die dat wel deden en daarom verbeteringen wilden: de broerloze dochters in het boek Numeri die ondanks hun geslacht hun vaders erfenis hadden opgeëist, de profeet Jeremia die erop stond dat mensen, ook in ballingschap, tot God zouden bidden, huizen zouden bouwen en tuinen zouden aanleggen, de rabbi's die wilden dat de godsdienst van de moeder, niet van de vader, zou bepalen of een kind joods was om de kinderen die uit verkrachting waren voortgekomen niet in de steek te laten, de koppig seculiere Theodor Herzl die, precies vijftig jaar voor de stichting van de staat Israël, had gezegd dat er vijftig jaar later een staat Israël zou kunnen zijn. En ondanks alles doolden er nog steeds Gekke Hoedenmakers op de wereld rond, overblijfselen van een zeventiende-eeuwse religieuze opleving in de Karpaten, die het om de een of andere reden nodig vonden om zelfvoldaan te doen terwijl ze een diamant verkochten aan docenten joodse geschiedenis. Dat maakte hem woest.

Maar er was iets waarin Yehudah anders was, dacht Jake, iets wat een beetje afweek van de gewone Gekke Hoedenmaker. Wat was het? Hij had natuurlijk al naar Yehudahs ringvinger gekeken, zoals hij de laatste tijd naar alle ringvingers van mannen keek, op straat, op de universiteit, in de bus. Brede ringen, smalle ringen, ronde ringen, platte ringen, goud, zilver, platina; het maakte Jake niet zoveel uit wat ze waren als wel waaróm ze er waren. Achter de ringen van deze legioenen onbekende mannen, dacht hij steeds als hij er een in de bus zag, stonden legioenen vrouwen, één vrouw op elke ring van een man, met elkaar verbonden door kleine, onzichtbare draden tussen haar ring en de zijne, een net van miljoenen onzichtbare draden die kriskras door de hele stad liepen, door het hele land, over de hele wereld. Maar toen herinnerde hij zich dat sommige religieuze joodse mannen geen trouwring dragen, dat alleen de vrouwen dat doen.

'Ben je getrouwd?' vroeg Jake, met een blik op de baard van de Gekke Hoedenmaker. Toen herinnerde hij zich plotseling met wie hij praatte: de schóónzoon van Abramovitch. God, wat voelde hij zich een oen.

Maar Yehudah merkte de vergissing niet op. Hij snoof weer en antwoordde vervolgens op zijn meest nonchalante toon: 'Natuurlijk.' Zijn antwoord maakte hem oprecht trots, alsof de man hem net gevraagd had of hij cum laude was afgestudeerd. Maar deze klant begon hem wel op zijn zenuwen te werken. Het was alsof de man over hem oordeelde, zoals hij naar zijn baard staarde alsof hij echt wist waar hij naar keek. Wat hij niet zag, dacht Yehudah, was de schoonheid van de wereld die verborgen was onder de zwarte hoed die achter hem op het bureau rustte – een wereld waarin elk moment als heilig kon worden beschouwd, een wereld waarin je oprechtheid belangrijker was dan waar je naar school was gegaan en hoeveel je verdiende, een wereld waarin niets als slechter werd beschouwd dan roekeloos spelen met het hart van een ander, een wereld waarin mensen wisten wie ze waren en niet jaren nodig hadden om erachter te komen, een wereld waarin grote aantallen mensen hele carrières bouwden rond de wetenschappelijke studie hoe je een beter mens werd, een wereld waarin je geen studie medicijnen achter de rug hoefde te hebben om elke zondagmiddag vreemde mensen in een verzorgingstehuis te bezoeken. Hoe kon deze klant zo aandachtig kijken en erin slagen niets te zien?

Geen bril, besefte Jake. Daardoor leek deze man anders. Hij had nog nooit een chassidische man gezien die geen bril droeg.

'Dus jij weet hoe dit allemaal voelt, hè?' zei Jake met een gemaakt glimlachje. Toen besefte hij dat hij mogelijk weer iets verkeerds had gezegd en raakte even in paniek. Hij keek naar het voorhoofd van de Gekke Hoedenmaker en zag dat zich daar zweetpareltjes verzamelden als dauwdruppels op een blad. Het was waarschijnlijk zo'n gearrangeerd huwelijk, dacht Jake. De man had waarschijnlijk zelfs geen meisje gekust voordat hij trouwde. Als hij nu achtentwintig is, is hij waarschijnlijk al jaren getrouwd en heeft hij een hele rist kinderen. Toch, dacht hij bij zichzelf, was zijn opmerking misschien niet zo heel raar geweest – het kon tenslotte een vriendelijke opmerking zijn over trouwen op zich, niet over de extases en kwellingen van romances of de grenzeloze, onvoorstelbare, onverwachte vreugde van plotseling, verbijsterend ingemaakt zijn.

Jake voelde dat hij rood begon te worden en vroeg zich af wat Yehudah zou zeggen.

Maar de Gekke Hoedenmaker zag er niet geschrokken uit. In plaats daarvan glimlachte hij. 'O, ja,' lachte hij. 'Jij dacht dat dit moeilijk was? Probeer maar eens een verlovingsring te kopen voor een meisje met een vader die diamantair is. Een meisje dat een één-en-een-kwart karaat, G-klasse VS1 herként. Dat was een nachtmerrie die ik liever niet nog eens meemaak.'

Jake lachte om beleefd te zijn. Met de glimlach nog rond zijn lippen hangend, legde Yehudah de drie stenen naast elkaar die beoordeeld waren als de stenen met de beste slijpvorm en schoof de andere op de tafel opzij en tot een constellatie. Drie sterren van Orions riem flonkerden in een firmament van zwart fluweel. 'Nu zul je zien wat we bedoelen met kleur,' zei Yehudah met zijn schoonvaderstem: neerbuigend, zakelijk, als een mes op een hakblok. 'Kijk eens naar deze drie. Welke is de witste?'

Jake keek naar de drie blinkende stenen. De diamanten, identiek tegen het diepzwarte fluweel, knipoogden om de buurt naar hem en fluisterden: kies mij, kies mij, kies mij. Eerst schitterde een ervan het witst, toen de andere, toen de derde. Plotseling kreeg Jake een ongemakkelijk gevoel, alsof hij meedeed aan een wedstrijd en hem net gevraagd was een woord te spellen dat hij nog nooit had gehoord. Het onuitspreekbare woord bleef haken in zijn keel. Maar hij keek niet op. Hij staarde naar de stenen en smeekte ze zwijgend om een antwoord. Ze lachten.

'Je weet het niet, hè?' vroeg Yehudah.

Jake voelde weer dat hij een kleur kreeg. 'Nee.'

Yehudah glimlachte tegen hem. 'Ik ook niet. Maar nu wel.' Hij reikte naar het bureau achter hem en pakte een wit kaartje dat gevouwen was in de vorm van de letter M. Hij legde de stenen in de vouw van het witte papier. Jake zag de diamanten om de beurt in de vouw vallen en keek gefascineerd toe. De drie diamanten, die tegen de zwarte stof hun identieke knipoogjes hadden geknipoogd, vielen op het witte papier en veranderden van kleur alsof ze van hun kleren waren ontdaan. De eerste lag dof kloppend, gekneusd en bruingeel op het papier; de tweede gloeide mat geel, als een uitdovende gaslamp op een oud schilderij. De laatste, blootgelegd en onthuld, gloeide intens wit.

'Zie je, zonder de goede omgeving weet je het gewoon niet,' zei Yehudah. 'Je hebt geen idee.'

Jake keek van de schitterende stenen op naar de blauwe ogen van de Gekke Hoedenmaker en was het met hem eens.

Voordat hij haar had leren kennen, voelde Jake zich als het mikpunt van die oude grap over een rhodesstudent: een intelligente jongeman met een mooie toekomst achter zich. Ha ha. Zij was de eerste in jaren die hem anders zag. Hij kon haar voeten wel kussen.

Het was een avond waarop ze behoorlijk intiem waren geworden, een vrijdagavond. Leora's huisgenootjes waren de stad uit en ze hadden de avond bij haar doorgebracht met hun eigen sabbatentje en hadden samen de gebeden gezongen voordat ze zich in haar kamer terugtrokken voor een voorstelling van de oorspronkelijke *Planet of the Apes*. Nadat ze de apen hadden nageaapt, samen met de mens onder hen die verdwaald was op zijn eigen planeet, trokken ze de meeste van hun kleren uit, maar niet alles. Jake vroeg het haar weer, maar Leora wilde nog steeds niet met hem slapen.

'Ik vind het behoorlijk beledigend,' zei hij voor de zevende keer in voor zijn gevoel net zo veel maanden en inmiddels met meer humor dan verontwaardiging, 'dat je wel met een of ander willekeurig studievriendje slaapt maar niet met mij.'

'Je zou gevleid moeten zijn,' zei ze tegen hem. 'Jason was gewoon het soort jongen waar je mee slaapt, dat is alles.'

Jake keek haar dreigend aan. 'O, dus ik ben het soort jongen waar je niet mee slaapt?'

'Ja, dat klopt,' antwoordde Leora.

'Je bent bijzonder Leoriddelijk, weet je,' zei hij na een moment waarin hij probeerde te beslissen of hij wel of niet zou zeggen wat hij dacht. Hij besloot voor het indirecte te kiezen in plaats van het sentimentele.

'Wat is dat?'

'Het tegenovergestelde van aanbiddelijk.'

Ze gooide een kussen naar hem. Hij dook, de mens gevangen door apen na-apend, in elkaar in een hoek van het bed tot ze weer in apengeluiden begonnen te communiceren. Met haar bijna onbegrijpelijke apenstem gromde ze: 'Zou je mij m'n pyjama aan willen trekken, en dat ik je dan naar huis stuur? Hij ligt in de onderste la.'

Het was een ongelooflijke verleidingstruc en ze wist het. Met gefronste wenkbrauwen stak Jake zijn hand uit naar de la waarin ze haar pyjama's opborg, belachelijke flanellen pyjama's met rode en blauwe ruiten, zoiets wat een kind van zes zou dragen. Terwijl hij zijn begeerte met alles wat in zijn vermogen lag bestreed, draaide hij zich naar haar om. Ze zat halfnaakt op het bed en strekte haar armen uit voor haar pyjamajasje. Hij trok een gezicht als een gestoorde buitenaardse aap en trok de pyjamabroek over haar hoofd.

Leora begon zo hard te lachen in de pyjamabroek, dat hij hem van haar hoofd moest trekken om te voorkomen dat ze zou stikken. Maar toen de elastische band om de kruin van haar hoofd zat en het haar weghield uit het gezicht dat niet ophield hem te fascineren met zijn imiterende uitdrukkingen, keek ze hem aan met een gapende glimlach die hij nooit eerder had gezien. Jake zag die glimlach en wist, alsof hij haar gezicht in een reusachtig beeld op een kale muur geprojecteerd had gezien met een achtergrondstem die een bijschrift voorlas, precies wat ze dacht. En hij vergat zijn gevoelens van beledigd of gevleid zijn, vergat hoe hevig hij naar haar verlangde, want hij begreep ineens dat ze de zijne zou zijn: op een dag, hoorde hij een stem de gedachte uitspreken die op haar prachtige voorhoofd stond geschreven, zul je onze dochter in bed stoppen, en je zult haar pyjamabroek over haar hoofd trekken en haar aan het lachen maken, en ik zal in de deuropening staan en wachten tot je mijn glimlach indrinkt, en mijn geluk niet kunnen geloven.

'De juiste steen vinden is eigenlijk een kwestie van geluk,' zei Yehudah terwijl hij de vs2's en sii's, al gekozen uit de eerdere selecties van kleur, karaat en slijpvorm, op het zwarte fluweel voor zich leg-de. Jake nam ze stuk voor stuk in de strakke tang en begon ze door de loep te bekijken op 'insluitsels', kleine smetten of onvolkomen-heden onder het oppervlak van de steen. Dingen die mensen liever niet ingesloten zagen. Yehudah draaide een slaaplok rond de vin-gers van zijn linkerhand en zei: 'Soms heb je twee stenen die tech-nisch dezelfde waarde hebben en hetzelfde aantal natuurlijke in-sluitsels. Maar in de ene zullen de smetten zo gesitueerd zijn dat sommige mensen ze onmiddellijk zullen zien, terwijl de andere smetten heeft die je niet ziet als je er niet naar zoekt. Smetten aan de onderkant van de steen worden negentien van de twintig keer verborgen door de tanden van de zetting. Gewoon geluk, eigen-lijk.'

Jake onderzocht elke steen naar Yehudahs gevoel dagen achter-een en tekende van elke steen de insluitsels op een vel papier dat voor hem lag. Zonder de loep zagen ze er allemaal min of meer vol-maakt uit. Pas wanneer je door glas naar ze keek, vergroot met een factor tien, zag je de lichte schaving op de kruin, het krasje aan de zijkant van het paviljoen of, het meest ergerlijk, de insluitsels, de onbereikbare smetten begraven in de diepte van de steen, de klei-ne, inwendige tekortkomingen die de ene diamant van de andere onderscheidde. Hij liet geen steen onbeproefd, geen facet onbeke-ken, plotseling overweldigd door het wanhopige verlangen het volmaakte juweel te vinden. Zou het op de een of andere manier, zo klein dat de tanden van de volgende paar jaar het zouden ver-bergen, een ander huwelijk zijn als hij een andere steen zou kiezen?

Yehudah zuchtte de diepe, geduldige zucht van een man die veel ouder was dan hij. 'Luister,' zei hij, 'neem de tijd, maar je vindt in deze klasse geen steen zonder insluitsels. En weet je? Dat is maar beter ook. Als alle diamanten volkomen gaaf waren, zou alleen de kwantiteit hun waarde nog bepalen. Er zou in elk geval geen ma-nier zijn om ze op basis van hun natuur te onderscheiden. Niet elk natuurlijk element is mooi om te zien, maar als het onderdeel is van iets moois moet je de hele handel nemen.'

Jake keek hem aan met ogen die vergroot werden door de loep.

'Wou je zeggen dat ik niet moet kijken? Want ik kijk wel,' zei hij. Hij glimlachte om de Gekke Hoedenmaker te laten weten dat hij het niet gemeen bedoelde. Maar het wantrouwen was wel echt.

'Nee, ik ben gewoon eerlijk tegen je,' zei Yehudah terwijl hij zich naar voren boog. 'Je kiest een steen met tekortkomingen. En als je die eenmaal koopt, moet je alles eraan mooi vinden. Als je daar maar op voorbereid bent.'

Jake dacht aan de eerste keer dat hij Leora had ontmoet, in het museum, alle afschuwelijke vragen die ze hem had gesteld, de vervelende manier waarop het haar gelukt was hem recht in zijn hart te raken. Ze was nog steeds nukkig.

Hij keek weer naar de diamant onder de loep. Er was een groepje insluitsels bij een van de facetten van het paviljoen, onzichtbaar voor het blote oog, waarschijnlijk zelfs met vergroting niet te zien als de steen eenmaal gezet was. Maar door het vergrootglas zag hij iets wat op kleine stukjes grond leek, gevangen in de steen, als ingepakte schatten begraven in een kast, een aandenken aan waar hij vandaan was gekomen. 'Ik neem deze,' zei hij en hij legde de tang op de tafel.

Ze waren ruim een jaar getrouwd toen Yehudah haar erop aansprak. Aanvankelijk had hij het niet erg gevonden. Yehudah wist, zoals iedereen in zijn nieuwe omgeving wist, dat zijn vrouw zwanger zou zijn voordat ze een jaar getrouwd waren. Eerlijk gezegd had hij er eerst niet aan moeten denken. Maar toen had hij zich gerealiseerd dat het Jason was – en overblijfsel van de oude Jason – die er niet aan moest denken, en niet Yehudah, de nieuwe man die hij was geworden. Yehudah, de nieuwe Yehudah, wilde kinderen, veel kinderen; kinderen waren de grootste zegen, wist hij. (De oude Jason had dat ook geweten, maar hij was niet het soort man geweest dat het zou hebben toegegeven. En al helemaal niet als hij nog geen jaar getrouwd was geweest.) Dus wachtte Yehudah op het onvermijdelijke. Maar de maanden gingen voorbij – vreugdevol, dagen die in vervoering verstreken terwijl Yehudah nog steeds versteld stond van het idee dat hij nu een echtgenoot was, en nog meer versteld stond van deze vrouw, die in zijn appartement op hem wachtte wanneer hij 's avonds thuiskwam, van haar lieve stem die hem aanmoedigde, van haar onverwachte grappen die ze slechts in hun afzondering met hem deelde en die hem zo aan het lachen maakten dat hij bijna stikte, van de vreemde verandering in zijn stem wanneer hij de magische woorden 'mijn vrouw' uitsprak. Het duurde lang voor zijn verbazing voldoende was afgenomen om zich zorgen te gaan maken.

De gedachte kwam voor het eerst bij hem op toen een klant op zoek naar een verlovingsring – de meeste van hun klanten waren winkeliers, maar zo nu en dan kwamen mensen op verwijzing, op zoek naar één enkele steen – met een baby was binnengekomen. Van wie was die baby? Een zus? Een vriendin? Van hemzelf, van een ex-vrouw? Van een overleden vrouw? Van de vrouw die hij later die week met een diamanten ring zou verrassen? Yehudah vroeg het niet en hield het gesprek zorgvuldig zakelijk. Maar toen hij die avond in de metro stond, en zijn best deed niet naar de man en vrouw van zijn eigen leeftijd te kijken die samen rond een paal op een meter afstand hingen, kwam de vraag zijn mond binnendrijven, woorden geschreven op een perkamentrol onder zijn tong in een vergeten taal: 'Rivka, wil je kinderen?'

Het was een bespottelijke vraag. Niet als Jason hem had gesteld, maar gesteld door Yehudah was het alsof hij vroeg of de mens geschapen was naar Gods beeld en gelijkenis – iets wat zo voor de hand lag dat niemand erover nadacht. Maar toch was Yehudah zich de laatste maanden de onvraagbare dingen gaan afvragen. Misschien, heel misschien, geloofde Rivka niet in de goddelijke gelijkenis en wilde ze die ook niet voortbrengen. Misschien was het allemaal haar schuld.

'Rivka, wil je kinderen?'

Yehudah begon argwaan te koesteren. Hij begon op alles te letten wat Rivka zei en deed, als een jaloerse man die gelooft dat zijn vrouw achter zijn rug om met andere mannen slaapt. Hij ving elk woord op dat uit haar mond kwam, vooral als ze in vloeiende babytaal met haar neefjes en nichtjes brabbelde, en bewaarde het omzichtig in zijn hoofd, als een juwelier die een losse steen in een aangedraaide tang houdt en deze door de loep van zijn hersenen op de geringste smet onderzoekt. Het miniemste insluitsel in haar spraak of gebaren – haar vreemde glimlach toen ze hoorde dat haar zuster in verwachting was van de vierde, de intense aandacht die ze plotseling wijdde aan haar kokende groenten toen hij een grapje maakte over hun eigen toekomstige kinderen, de samengeknepen ogen waarmee ze naar de kinderen van de buren keek wanneer ze op de lift stonden te wachten, alsof ze hun moeder was – gaven hem een reden om haar te herclassificeren naar een lagere klasse juwelen, met meer tekortkomingen. De mogelijkheid bestond, en werd voor hem met de dag groter en duidelijker, dat hij haar had overgewaardeerd.

Nadat Yehudah haar een paar weken op die manier had gadegeslagen en naar haar had geluisterd, weken waarin hij haar helderheid en slijpvorm testte, ging hij in de aanval. Hij doorzocht de laden in de slaapkamer en in de badkamer en wist precies – op een manier die haar zou schokken als ze het wist – hoe de verschillende dingen waarnaar hij op zoek was eruitzagen. Hij pijnigde zijn hersenen in een poging zich te herinneren waar de vorige zes meisjes die dingen hadden bewaard, tegen zowel de werkelijkheid als de logica in hopend dat minstens een van hen iets gemeen had met Rivka. Het medicijnenkastje was te voor de hand liggend. Kim, Liz en Katie hadden die van hen in een lade in de slaapkamer bewaard, maar nooit in dezelfde lade. Katie had die van haar in een paar sokken verborgen, waarvan hij in zijn schooljongenpaniek had gedacht dat ze te gemakkelijk te vinden waren. Liz, brutaler en met hippieouders die het niet uitmaakte, bewaarde die van haar in een la vol met, wat zij noemde, 'belangrijke dingen', waarvan het grootste deel uit controlestrookjes van bioscoopkaartjes leek te bestaan. (Voornamelijk films die ze met haar vroegere vriendje Chris had gezien. Daar had hij behoorlijk de pest over in gehad.) Kim bewaarde die van haar naast de tampons, of soms gewoon boven op de ladekast in haar studentenkamer, wat een achterbakse manier was om op te scheppen tegen haar huisgenootjes. Hij walgde bij de herinnering.

Maar Rivka, zo redeneerde Yehudah, zou het subtiel moeten aanpakken. Toen ze op een dag op bezoek was bij haar zuster, kwam Yehudah vroeg thuis en haalde het hele kleine appartement ondersteboven; hij keek in elke zak van elke rok, onder elke plooi van elke handdoek, achter en tussen de boeken in de volle boekenkasten die van vloer tot plafond liepen. Nadat ze thuisgekomen was, keek hij terwijl ze stond te koken zelfs in haar portemonnee. Niets. Maar er waren ook dingen die een dokter kon voorschrijven zonder dat hij er iets van wist, allerlei dingen, dingen waar hij nooit meer aan had gedacht sinds de lessen erover op school. Misschien had Rivka verborgen geheimen, dingen die meisjes niet in laden bewaarden maar ergens in zichzelf.

Misschien ging ze zelfs wel bij familie en vrienden langs, glimlachte ze haar verontrustende glimlach en deed ze alsof er niets mis was als mensen vragen stelden. Dat betekende, dat vloeide eruit voort – besefte Yehudah plotseling – dat er iets mis was met hém. Hij kreeg het benauwd van ontzetting. Was dat zo? De volgende dag ging hij naar zijn werk en luisterde aandachtig naar Abramovitch, die achter zijn bureau zat te telefoneren, en stelde zich voor dat diens duidelijke, zakelijke stem in feite een gefabriceerde stem was, een valse stem die in code sprak en bevestigde: ja, dat is juist, we zijn niet geaffilieerd met die winkel, ja, inderdaad, ik heb uw bestelling hier voor me liggen, terwijl hij in werkelijkheid bedoelde: ja, dat is juist, u bent niet wat u meende te zijn – en ja, inderdaad, ik weet dat.

Yehudah was nog steeds ontzet toen hij naar huis ging, een razend vuur verteerde hem in de metro die vol zat met oververhitte geliefden. Het vuil van de stad kronkelde langs de rails en wakkerde zijn woede aan als lappen die in een brandende gaslamp worden gestopt. Toen hij bij hun appartement kwam, draaide hij de sleutel bewust langzaam om in het slot en duwde de deur met zijn vingertoppen heel zachtjes open. Hij moest alles in kleine, zachte bewegingen doen. Anders zou hij keihard schreeuwend zijn appartement zijn binnengestormd, zoals hij eens een klant die een grote juwelierszaak vertegenwoordigde als een razende het kantoor had zien binnenstormen onder het roepen van: 'Jullie hebben me afgezet!'

Rivka stond in de keuken het eten klaar te maken. Iets kookte in een grote pan en ze stond, met haar rug naar hem toe, aan het kleine aanrecht ernaast groenten te snijden. Het geluid van het kokende water rimpelde de lucht in het appartement als golven op de kust die droog land liefkozen. Hij sloeg haar een ogenblik gade, volgde met zijn ogen de denkbeeldige rondingen van haar lichaam onder haar lange donkere rok. Hij had mooiere meisjes gehad. Maar Rivka had iets stevigs, iets statigs, iets vastberadens en moedigs dat haar, met haar voeten nog op de grond, boven hen allen verhief. Alsof ze een krachtige, onverzettelijke zuil was die de hemel omhooghield.

Ze merkte dat hij was binnengekomen. Hij zag de lichte verstrakking van haar rug, de deining van beweging door de stof van haar blouse, haar ellebogen die een fractie van een seconde roerloos bleven voor de volgende haal van het mes. Ze merkte dat er iets mis was, dat zag hij meteen. Maar ze bleef aan het aanrecht paprika's staan snijden en weigerde zich om te draaien.

'Rivka.'

Hij hield zich in, iets te veel. Ze bleef doorgaan met snijden en voerde het tempo van het mes zelfs op. Hij probeerde het opnieuw, met minder terughoudendheid.

'Rivka, ik heb een vraag voor je.'

Ze draaide zich nog steeds niet om, hield niet eens even op met snijden. Het mes ging met ritmische regelmaat heen en weer, en het tempo versnelde exponentieel. Yehudah stapte iets opzij en zag het lemmet een waas worden tussen haar handen, sneller, sneller, sneller op de snijplank slaan. En toen stelde hij de vraag.

'Rivka, wil je kinderen?'

Het mes bleef tussen haar vingers heen en weer vliegen en het tempo werd nog hoger, sneller, ongecontroleerd. Het lemmet viel in een flits, en Yehudah, die schuin achter haar stond, zag het in de zijkant van haar vinger terechtkomen. Ze gilde.

Hij dook op haar af toen ze het mes liet vallen en greep haar bloedende hand in de zijne. Ze boog haar hoofd over de kleine wond, haar gil onwaardig, en ze stonden beiden een ogenblik stil, staarden naar haar hand en zagen het stroompje bloed langzaam stelpen. Maar toen ze opkeek, schrok hij. Haar gezicht, vuurrood, was vertrokken en besmeurd met tranen – niet de tranen van een vrouw die zich in haar vinger heeft gesneden, maar grotere tranen, oudere tranen. Toen begon ze praten, een stortvloed van woorden kwam uit haar mond als een rivier die gezwollen is en buldert van water van een regenbui over hoe ze als kind ziek was geweest, niet gewoon ziek, maar dodelijk ziek, hoe de dokters, tientallen dokters, haar ouders hadden verteld dat ze zeker zou sterven. Ze stierf niet; maandenlang ging ze het ziekenhuis in en uit, en tot ieders verbazing gebeurde er een wonder en werd ze gered. Maar de ziekte had zijn schade aangericht; ze bleef in leven, maar kon geen leven meer geven. De artsen vertelden haar ouders dat ze vrijwel zeker geen kinderen zou kunnen krijgen. De afgelopen zes maanden was ze bij een vruchtbaarheidsspecialist geweest, maar niets had geholpen. Het speet haar. Het speet haar verschrikkelijk.

Yehudah luisterde verbijsterd. Even kon hij geen woord uitbrengen; alle woorden die hij wilde zeggen bleven hangen onder zijn tong. Ten slotte opende hij zijn lippen, geschroeid door de druk en het vuur van haar stem.

'En je hebt me er nooit iets over verteld?' zei hij effen, zijn woede beheersend. 'We zijn al zo lang getrouwd en je hebt me er nooit iets over verteld.'

Rivka ontweek zijn ogen. 'Nee, ik heb het je nooit verteld.'

Yehudah hield het niet meer. Hij schreeuwde tegen haar zoals hij in jaren niet had geschreeuwd, keihard: 'Waarom niet, verdomme?'

Rivka keek hem aan, knijpend in haar gewonde vinger. Zelfs in tranen zag ze er voor hem nog uit alsof ze de hemel omhooghield. 'Omdat ik dacht…' begon ze, maar al snel namen haar snikken het weer over.

Zijn fantasie maakte de zin voor haar af. Ik dacht dat je er nooit achter zou komen. Ik dacht dat ik het wel aankon. Ik dacht dat ik je daar niet mee lastig moest vallen. Ik dacht dat je toch nog geen kinderen wilde.

Ze probeerde het opnieuw. 'Ik dacht...'

Zijn fantasie bleef de rest invullen. Ik dacht dat je geen zwangere vrouw wilde. Ik dacht dat het misschien wel beter zou worden. Ik dacht dat het misschien niet beter zou worden. Ik dacht dat het je niet veel zou uitmaken. Ik dacht dat het je heel veel zou uitmaken. Ik dacht dat het niet belangrijk was.

Ze zweeg even en wachtte deze keer tot haar snikken afnamen. Hij wachtte met haar. Toen haar ademhaling ten slotte rustiger werd, zei ze, met verbazingwekkende, scherpe duidelijkheid: 'Ik dacht dat je me niet meer zou willen als je het wist.'

Yehudah staarde haar geschokt aan.

'Maar Rivka, waarom zou ik je ooit niet willen?' vroeg hij. Hij voelde zijn stem door de lucht snijden als de precisiezaag van een diamantsnijder, die de onafgewerkte randen en het ruwe bedrog uit de ruimte tussen hen slijpt tot hij plotseling verscheen, glanzend, de volmaakte vorm.

'Hoe zou ik je ooit niet willen, Rivka? Rivka, ik hou van je!'

Hij had het eerder gezegd, zo vaak, tegen zo veel mensen. Maar dat was de eerste keer dat hij wist wat het betekende om het te menen.

'Ik meen het als ik tegen je zeg dat je me geweldig hebt geholpen,' zei Jake terwijl hij zijn chequeboekje te voorschijn haalde. 'Ik ben je echt erkentelijk voor je eerlijkheid.' De gekozene, de nog niet gezette, prachtig geslepen, 1-kleur, vs2, .78 karaat diamant, lag voor hem op de tafel, en kon de volgende week, nadat de cheque geïnd was, in zijn gladde, eenvoudige, glanzende zetting door hem worden opgehaald. Hij zag hem al om haar vinger.

Yehudah gaf hem een pen. 'Als je hem ergens laat taxeren en er is een probleem, laat het me dan weten. Ze zal hem schitterend vinden, dat weet ik zeker. Je hebt een bijzonder mooie gekozen.'

'Ik weet het, dankzij jou.'

Met een vorstelijk gevoel, veroorzaakt door de hoogte van het bedrag erboven, zette Jake zijn naam onder op de cheque. Hij keek naar zijn handtekening en voelde zich alsof hij zojuist een huwelijkscontract had getekend, geschreven in vuur op een gloeiende kool die mijlen onder de grond lag begraven en die Leora pas na verloop van tijd zou ontdekken, nadat hij in een luisterrijk juweel was veranderd – een juweel brandend met verblindende helderheid, verbonden door schittering en vuur.

De twee mannen stonden op en schudden elkaar weer de hand. Jake liep de kamer uit, zong zijn groet tegen Peter, de bewaker, en slenterde het gebouw uit. Yehudah liep naar de kluis, met iets lichts in zijn stap terwijl hij de ongewenste stenen terug legde. En de rest van de dag glimlachten beide mannen bij zichzelf want elk van hen geloofde, met het geloof van kool die diep onder het aardoppervlak hard is geworden, dat hij de beste deal had gesloten.

9

Sluizen

De poppenhuismensen wachten. Ze hebben vele jaren in stilte gewacht, maar pas nu is hun wachten echt geworden, is het het wachten op een bepaald iemand geworden in plaats van gewoon wachten. Ze wachten tot Leora thuiskomt.

Met iemand samen zijn, gelooft Jake, lijkt niet zozeer op een tijd
als wel op een plaats. Een moment doorgebracht met Leora voegt
zich niet bij de andere momenten van zijn leven, glijdt niet als een
kraal aan het koord van zijn leven om op zijn plaats te klikken naast
het moment dat hij heeft doorgebracht met lopen om haar in een
restaurant te ontmoeten, gevolgd door het moment waarop hij later die avond zoekend naar een ster naar de hemel tuurt. Nee, een
moment doorgebracht met Leora zondert zich af, weigert zich te
verenigen met de kleurloze omgeving van herinneringen, om-
muurt zichzelf als een oud deel van een stad vol bochtige straatjes,
waar je niet hoeft te weten waar je heen gaat want je bent er al. Hij
droomde een keer dat ze een boom was geworden, met haar voeten
diep in de aarde geworteld en haar armen hoog opgeheven; aan
haar vingertoppen ontsproten bladeren en aan haar polsen bloei-
den rijpe, zoete vruchten. Bang om de vruchten te plukken, zette
hij zijn tanden erin terwijl ze nog aan haar polsen bungelden. Natuurlijk kan hij haar deze droom nooit vertellen. In plaats daarvan
besluit hij haar poppenhuis te restaureren.

Hij had het idee gekregen op zijn werk, toen hij Jim, de afde-
lingsassistent, hoorde zeggen dat hij in het weekend naar het noor-
den zou gaan voor een tentoonstelling van miniaturen.

'Miniaturen?' vroeg de studente op kantoor. 'Heb je een dochter-
tje met een poppenhuis thuis?'

'Was het maar zo normaal,' zei Jim, half fronsend, half glimlachend, met een goedaardige verontwaardiging die Jake altijd wenste zelf te hebben. 'Nee, het is mijn vrouw die erdoor geobsedeerd is.'

'Je vróuw?'

'Ja. Tweeëndertig en ze lijkt wel tien!' zei hij lachend. 'Ze is een verzamelaar, eigenlijk. Ze heeft drie van die poppenhuizen en ze is altijd op zoek naar uitbreiding. Het is een prima hobby als je in een klein appartement woont.'

Jake stond even op achter zijn bureau en ving door de smalle opening van zijn deur die op een kier stond een glimp op van de openhangende en met lippenstift bewerkte mond van de studente. 'Wat koopt ze dan op die tentoonstellingen?' vroeg ze gefascineerd. 'Meubelen?'

'O, je gelooft niet wat ze hebben op die tentoonstellingen,' antwoordde Jim met de diepe stem van de kenner. 'Ik bedoel, je vindt er niet alleen van die kleine stoeltjes en tafeltjes. Waar we het over hebben zijn barbecues, tapijten, gazonmaaiers, lijstwerk, tegelwerk, elektrische verlichting, trampolines…'

Trampolines? dacht Jake. Op de een of andere manier bracht het woord hem iets in herinnering. In de afgelopen paar weken had hij ergens een trampoline gezien. Maar waar?

Hij ging weer aan zijn bureau zitten en probeerde zich de trampoline die hij had gezien voor de geest te halen. Het was een reusachtige geweest, van zo'n tien bij tien meter, maar het was in een soort winkel geweest, met reusachtige stapels dozen en andere reusachtige dingen ernaast – en toen wist Jake het weer. Costco.

Twee weken geleden was hij met Leora bij haar ouders geweest en haar moeder had hen voor een boodschap naar Costco gestuurd. Leora had achter het stuur gezeten en de gezinsauto snel naar het soort te vol gebouwde winkelpromenade in een buitenwijk gestuurd waar zijn moeder hardop om zou hebben gelachen, en hem door de garageachtige deuren begeleid naar een Amerikaans wonderland van consumentenproducten waar zijn moeder nog harder om zou hebben gelachen. Jake lachte ook, terwijl ze door elk Grand Canyon-achtig gangpad liepen, maar niet om de winkel. Hij lachte om Leora, die meedeed aan een Costco-triatlon: ze hees een wagonlading Poland Spring-flesjes in de kar, stormde het kilometerlange gangpad door om vooraan in de gratis-monsterrij te komen en beklom de warenhuisklippen om een doos met tweeëndertig rollen wc-papier te bemachtigen. ('Waarom neem je niet gewoon een doos van de onderste plank?' vroeg hij, om vervolgens op afkeurende toon te horen te krijgen: 'Twee lagen, Jake, twee lagen!') Hij vond haar uitbundigheid in dat reusachtige wonderland betoverend, te meer omdat hij eigenlijk alleen haar kleine kant kende, haar obsessie met niet alleen miniaturen, maar met de miniatuurkamers van de tijd zelf. Ze had zijn uren en dagen gemeubileerd met haar stem, decoreerde ze met de miniatuurdetails die ze hem aanwees – een sleutel ingebed in een stoep, een bepaalde tint blauwe lucht op een bepaald moment van de schemering, een zakspiegeltje dat hem werd voorgehouden om hem de uitdrukking op zijn gezicht te laten zien – en leerde hem, op elk moment, hoe hij zijn leven in de tegenwoordige tijd moest leiden.

Jake haalde zich Leora's poppenhuis voor de geest, dat hij één keer, achter Leora's rug om, in staat van verval in de kelder van haar ouders had gezien, en plotseling plaatste hij zichzelf in het beeld. Hij pakte de telefoon, reserveerde een huurauto, en ging die zondag op weg naar de miniaturententoonstelling.

De voorwaarde voor succesvolle miniaturen, besefte Jake toen hij die zondagmiddag vol verwondering zijn weg door de Costco van poppen zocht, was niet zozeer de mate van detail, maar meer de mate van *waarschijnlijkheid*. Neem bijvoorbeeld een van de stukken die Jake daar zag, een mannenoverhemd in een doos. Als het alleen om detail zou gaan, zouden de miniaturenmakers op de doos hebben gezwoegd en zich hebben afgevraagd: staat het logo van de juiste winkel erop? Maar deze vaklieden hadden een andere prioriteit. In plaats daarvan vroegen ze zich af: ten eerste, als het overhemd in een doos zit, kan de doos dan worden geopend? Als dat zo is: zit er een echt overhemd in – niet zomaar een lapje stof, maar een echt, gedistingeerd miniatuuroverhemd, compleet met knopen, manchetten en een echt borstzakje? Als dat zo is, kan het overhemd uit de doos worden gehaald? Als dat zo is, kan een pop het in principe dragen? Dat was de mate van werkelijkheid die Jake op de Internationale Miniaturententoonstelling zag. Het was precies wat hij zocht.

Eerst kocht hij de volledige werken van Spinoza, stuk voor stuk met miniatuurtekst erin. Toen een kleine tv – die niet echt werkte, tot Jakes grote spijt, hoewel er een blanco scherm oplichtte als je op een klein knopje drukte – en een videorecorder die echte miniatuur-, maar niet-werkende, videobanden accepteerde en ze weer uitbraakte met een tikje op een miniatuur-'Eject'-knopje. Jake schafte kleine, namaakexemplaren aan van, onder andere, *Gandhi*, *Chariots of Fire* en *The Ten Commandments*. Hij kocht een stel verzilverde kandelaars met witte miniatuurkaarsen erin (hoewel aansteken niet werd aangeraden, waarschuwde de verkoopster), een verzilverd wijnglas en een blauw-wit porseleinen servies om op een prachtig geborduurd wit tafelkleed te zetten. Hij kocht een houten miniatuurezel en vervolgens paletten, penselen en een doosje olieverf, allemaal in miniatuurformaat en echte verf, uiteraard, op wonderbaarlijke wijze in ongelooflijk kleine verftubes geperst, hoewel alleen een pop de behendigheid zou hebben om de verf met een penseel op een doek aan te brengen.

Maar Jake was niet op zoek naar een doek. Hij ging op zoek naar de meer technische afdeling van de tentoonstelling – stalletjes waar miniatuurdingen werden verkocht als sanitair, deurknoppen, raamschermen, veranda's met plavuizen en, het belangrijkste, elektrische verlichting. Het duurde even, maar ten slotte vond Jake, in een stalletje dat uitsluitend miniatuur-lichtarmaturen verkocht, precies wat hij nodig had: een klein lichtpaneel dat op de miniatuurezel kon worden geïnstalleerd. De perfecte maat voor een dia.

Frances was ongeveer tien jaar ouder dan Nadav, niet meer, en dat deprimeerde hem. Voor hem was ze een oude, dikke, verlopen vrouw, zo'n vrouw voor wie hij zich op een feestje in Wenen had gegeneerd. Maar in haar rommelige Amerikaanse twee-onder-één-kapwoning was ze de onbetwiste heerseres en was Nadav

Landsmann – samen met zijn zoon Wilhelm, of Bill, zoals Wilhelm nu werd genoemd – haar gevangene. Op de betreffende avond, een kleurloze winteravond eind 1946, had de kleine familie zich verzameld in de afschuwelijke gele 'ontbijthoek' in de verblindende linoleumkeuken. Alleen Nadav zat te eten; hij werkte vettige kippensoep naar binnen terwijl Frances, zijn redding uit het Dal van diepe Duisternis, wie hij voor altijd en altijd eeuwige dankbaarheid verschuldigd was in het land van het licht, hem gadesloeg. Wilhelm was uit, zoals gewoonlijk – uit met een meisje, een Amerikaans meisje met wie hij al een tijdje ging, hoewel Nadav nog steeds haar naam niet kon onthouden. Frances en haar man Joe, een dikke, zwijgende man met meer vet dan hersenen, aten niet samen met hem want ze gingen naar de bruiloft van een neef. Nadav was niet uitgenodigd en keek daarom al weken naar deze bepaalde avond uit.

'Eet al je soep op voor hij koud wordt,' zei Frances op hoge toon. 'Moet je hem zien, Joe, hij lijkt steeds meer op een stapel uitgedroogde botten.'

Joe wist een snuivend geluid in te slikken en glimlachte halfhartig.

Frances maakte een snuivend geluid. 'Heeft niemand je daar leren eten? Kijk toch, Joe, er blijft niks van hem over.'

Nadav zei niets, maar hij begon de soep wat sneller op te slurpen, alsof elke mondvol hem dichter bij het moment zou brengen waarop Frances en Joe, al gekleed voor de avond, hem eindelijk alleen zouden laten.

Hij had gelijk. Zodra hij de bodem van de soepkom bereikte, stond Frances op, waarna Joe haar onmiddellijk volgde, en liep naar het aanrecht om haar tas te pakken – waar het oude, ingelijste sepia portret van een baby met lichte ogen achter vandaan kwam, een foto die Frances van de ene naar de andere kamer leek te verplaatsen zodat hij nooit uit Nadavs gezicht was. Nadav haatte dat. Maar deze keer grijnsde hij licht toen hij het portret zag en legde zijn grijzende snor in zijn hand terwijl Frances zonder ook maar één goede reden bedrijvig door de keuken liep. Het was het begin van het einde.

'We zijn uiterlijk rond middernacht terug, dus maak je over ons geen zorgen. Als je naar bed wilt voordat we thuis zijn, is dat prima,' zong Frances. Joe glimlachte naar haar en even vroeg Nadav zich af: glimlacht Joe omdat ze zo belachelijk is of is hij net zo belachelijk als zij? Onderschat Amerikanen nooit als het gaat om belachelijkheid, dacht hij. Een paar seconden later bevestigde Frances zijn gedachte door te vragen: 'Denk je dat je het wel redt, zo alleen thuis, of moet ik de buren laten weten dat je hier bent?'

Nadav snoof, wat Frances godzijdank opvatte als een teken van zijn welzijn. Joe deed de deur voor haar open en ze zong haar groet terwijl ze de deur uitliep. Terwijl de deur al dicht ging, draaide ze zich nog een seconde om, en haar gestifte mond hing open.

'Vergeet niet de afwas te doen...' begon ze, maar de deur sloeg dicht voordat ze haar zin had afgemaakt. En maar goed ook, want de afwas doen stond niet op Nadavs agenda voor die avond.

Eindelijk alleen bleef Nadav nog een ogenblik op zijn stoel zitten, een van Frances' afschuwelijke met chroom afgewerkte stoelen. Hij liet zijn ogen op het portret van de baby rusten en voelde zich ineens het beeld inglijden, alsof hij weer een baby was geworden die zich nergens zorgen over hoefde te maken.

Zijn bezittingen waren grotendeels achtergebleven of geconfisqueerd. Al zijn contante geld was in steekpenningen gaan zitten, eerst om Wenen en daarna om Amsterdam uit te komen. Hij had de steekpenningen met verbijstering benaderd, alsof de pachttermijn van zijn leven er bijna op zat en de rente tot een buitensporige hoogte was opgedreven, maar nog wel betaalbaar voor hem. Hij had nooit erg zijn best gedaan om geld te verdienen, maar als jongeman had hij ontdekt dat hij een van die zeldzame mensen was die geld aantrekken zonder dat ze dat proberen, zoals een magneet ijzer aantrekt. Hij had een soortgelijk effect op vrouwen. Maar toen hij in Amerika was gearriveerd, had hij met een schok ontdekt dat hij geen natuurlijke maar een kunstmatige magneet was, een elektromagneet waarvan iemand langzaam, geleidelijk de stroom had uitgezet. Toen hij voor het eerst een voet over Frances' drempel zette, wist hij dat zijn magnetische kracht voor altijd verloren was gegaan.

Het was moeilijk om precies het tijdstip aan te geven waarop hij wanhopig was geworden. Maar als hij het moest doen, moest het die avond zijn geweest waarop hij, na maanden te hebben verondersteld en vervolgens alleen nog te hebben gehoopt dat zijn vriendschappen met hooggeplaatsten voldoende zouden zijn om hem te redden, of dat een of andere mysterieuze Zuid-Afrikaanse vrouw die op bezoek was verliefd op hem zou worden en hem met zich mee zou nemen, of dat degenen die zouden slagen voor een soort schriftelijk examen in de Duitse geschiedenis op magische wijze tot niet-joden zouden worden verklaard, eindelijk de knoop had doorgehakt, zijn vulpen had gepakt en een brief had geschreven aan de broers en zusters van zijn moeder in de Verenigde Staten.

Hij had ze geen van allen ooit ontmoet. Hij herinnerde zich niet eens hun namen. Hij moest duizenden pagina's documenten doorzoeken in de diepe laden van zijn bureau om de lijst met adressen te vinden die zijn moeder hem ongeveer vijf jaar daarvoor had gegeven, waarop ze vergeten was de nieuwe achternamen van haar zusters te vermelden. De Nederlandse klanken van de namen op de lijst verbaasden hem. Stuyvesant. Hoboken. Bronx. Hij was die avond alleen in het kale appartement in Amsterdam en zat aan het volle bureau voor het raam. (Waar was Wilhelm die dag? Nadav dacht diep na, maar kon het zich niet herinneren.)

'Beste ———,' schreef Nadav in een Jiddisch dat hij zich nauwelijks herinnerde – hij vulde de namen pas later in, nadat hij de lijst van zijn moeders verloren zusters en broers had geraadpleegd – 'het spijt me dat ik geen contact heb gehouden.'

Zich verontschuldigen omdat hij geen contact had gehouden? Sinds wanneer was het zijn verantwoordelijkheid om contact te houden? Hij streepte dat door. Zelfs iemands kont likken om zijn leven te redden, was geen vernederende leugen waard. Hij deed een nieuwe poging.

'Groeten van jullie Europese neef. Ik heb begrepen dat...' Dat wat? Dat hij in het nauw gedreven was als een rat in de val? Dat al zijn successen uiteindelijk niets bleken te betekenen? Dat zijn moeder er op haar zeventiende voor gekozen had haar eigen leven te ruïneren, samen met het zijne?

Nadav, die gewend was in een oogwenk pagina's bedrijfsrapporten te produceren, besteedde uren en uren aan deze brieven, zwoegend op elk woord voordat hij ze ten slotte op de post deed.

Maanden nadat hij ze gestuurd had – maanden waarin hij hen allevijf bleef schrijven, altijd dezelfde brief, keer op keer – werd echter duidelijk dat zijn inspanningen grotendeels vergeefs waren geweest. Van zijn moeders drie jongere broers (en, wie weet, hun vrouw en kinderen, of zelfs kleinkinderen inmiddels, misschien wel tientallen mensen in totaal, van wie toch wel één de beleefdheid had kunnen hebben om de pen op te pakken en hem terug te schrijven) kreeg hij geen antwoord. Geen aanbod om gered te worden, geen brieven in het belang van hun neef naar vertegenwoordigers in Washington, ook geen telegrammen die hem verzekerden dat ze nog leefden. Zelfs geen ansichtkaart met de tekst: 'Ja, ik besta, maar het spijt me, ik ben niet in de stemming.' Voorzover Nadav wist, konden deze Amerikaanse verwanten van zijn moeder net zo goed producten van haar verbeelding zijn. Na enige tijd werd een stapeltje brieven, die Nadav aan zijn moeders oudste zuster Rachel had gestuurd, geretourneerd aan de afzender met een stempel erop: OVERLEDEN. Hij staarde naar de enveloppen, het enige bewijs dat hij had dat een van deze mensen had bestaan, en vroeg zich af: hadden ze ze niet door kunnen sturen naar haar kinderen? Die Rachel moest toch ergens kinderen hebben? Ze zouden waarschijnlijk ook van Nadavs leeftijd zijn – oud genoeg om hem terug te schrijven, zelfs om iets voor hem te doen. Terwijl de tijd voortkreunde zonder dat er een reactie kwam, begon Nadav het gevoel te krijgen dat hij het was, niet zij, die niet bestond. Alsof hij nooit had bestaan.

Op een dag, toen hij de hoop allang had opgegeven, ontving Nadav een brief met het retouradres 'Irvington, New Jersey'. In een jolig keuvelend Jiddisch, doorspekt met willekeurige Engelse woorden als 'college' en 'retail', die Nadav in een van Wilhelms woordenboeken moest opzoeken, schreef zijn moeders jongste zuster Freydl dat ze hem zich natuurlijk herinnerde, of misschien niet precies 'herinnerde', aangezien ze elkaar nooit hadden ontmoet, maar ze kende hem, of had het gevoel dat ze hem kende, want sinds zijn moeder het huis uit was gegaan, hadden ze, toen zij nog een jong meisje was, over niets anders gepraat dan over haar zuster en dat ze zo ver weg een baby had gekregen en dat het zo'n tragedie was dat de vader was gestorven voordat de baby ook maar geboren was, voordat iemand van de familie hem zelfs maar had ontmoet, en haar zuster had haar een foto van de baby gestuurd, die eerlijk gezegd nu op haar ladekast stond, stel je voor, Nadavs foto die al die jaren al op haar ladekast stond, en nu, als bij toverslag had hij haar geschreven, en ze kon nauwelijks geloven dat ze iets van hem had gehoord, volwassen natuurlijk nu, en nog een zoon ook (en hier was iets doorgestreept met dikke zwarte inkt: een verwijzing naar zijn niet-genoemde vrouw? Nadav zuchtte van verlichting om het zweempje hoffelijkheid dat Freydl ervan had weerhouden naar haar te vragen) en het speet haar dat ze niet eerder terug had geschreven, ze wist hoe dringend de omstandigheden waren, maar haar jongste dochter was net getrouwd en ze was daar nogal door in beslag genomen geweest en ze had geen seconde over gehad om te schrijven want ze had het zo druk gehad met het organiseren van het eten en de bloemen en de gastenlijst en de muziek en met het nieuwe appartement van haar dochter, maar nu dat voorbij was, kon ze hem helpen, ze zou alles doen wat in haar vermogen lag, en eigenlijk was het maar beter dat ze had gewacht tot de bruiloft voorbij was want nu kon ze hem en zijn zoon de voormalige kamer van haar dochters aanbieden, nu de meisjes volwassen waren, en dat gaat snel, nietwaar, hij was een vader en moest wel weten wat ze bedoelde, de ene dag zijn het baby's en de volgende dag, nou, ze dacht zelfs aan hem nog als een baby want dat was het enige wat ze van hem had, die oude babyfoto, is het niet ongelooflijk hoe de tijd verstrijkt, maar ze kon hem zelfs een baan geven in de zaak die haar man en zij hadden, in elk geval tot hij weer op eigen benen kon staan – o, ze kon zich amper voorstellen dat hij op eigen benen stond, want het enige wat ze zag wanneer ze aan hem dacht was die baby, dat arme kleintje! – en het zou het veel gemakkelijker voor hem maken, naar een nieuw land gaan en zo, als hij in elk geval bij de familie zou zijn. Ze had de brief ondertekend in Engels schrift, 'Frances'. Onder haar handtekening had ze geschreven, in gespatieerde Hebreeuwse letters als die van een kind, 'Freydl'. Tussen aanhalingstekens.

Het is niet eenvoudig om een huis te restaureren, vooral niet als het zo lang verwaarloosd is geweest als dit huis. Stoelen en tafels met afgebroken poten neergezakt op de poppenhuisvloer; speelgoed uit andere domeinen – auto's, robotten, buitenaardse wezens – ontwijden de gangen; kleine wijnglazen zijn kapot gegooid. Veel herschikking, reparatie en verplaatsing is nodig waar dingen verduisterd zijn door een dikke laag stof en vergeetachtigheid, soms zozeer dat de taak zinloos lijkt, hopeloos. Maar het is mogelijk. Jake werkt zich kamer voor kamer door het huis heen; hij verwijdert de vreemde accessoires, verzamelt de gebroken potten, boeken en speelgoedjes, lapt de ramen, klopt het stof uit de tapijten, poetst het vuil van de planken- en tegelvloeren, repareert de gebarsten vaten.

Verscheidene uren later, nadat alle onzuiverheden zijn verwijderd, brengt Jake ten slotte zijn eigen offergaven binnen. De miniatuurboeken die hij heeft gekocht, worden uitgestald op een plank in de studeerkamer, waar een van de poppen nu volkomen opgaat in een studie van Spinoza's *Ethica*. Op de bovenste verdieping, in een kamer die half slaapkamer, half speelkamer is, zijn de tv en de video geïnstalleerd, en een andere pop staat naast dit amusementscentrum met een videoband in zijn miniatuurhand. Beneden in de eetkamer zitten twee poppen aan de eettafel die beladen is met een miniatuurfeestmaal. In een slaapkamer ligt een pop in een luxueus bed genesteld en wacht op haar miniatuurdromen.

Buitenshuis – buiten het echte huis dus: het huis van Leora's ouders – stroomt de regen in uitgestrekte, doorzichtige vlagen omlaag, gordijnen van regen, dichtgetrokken over de hele wereld. Terwijl Jake aan het werk is, rammelt het raampje bij het plafond van de kelder zo nu en dan hevig heen en weer, geteisterd door de wind en de regen die op de ruiten beuken alsof ze smeken het huis binnen te mogen. Na enige tijd begint het zo hard te regenen dat het water dat vastzit in de goot langs het huis een paar centimeter voor het raam begint te rijzen. Door het raam ziet Jake een soort klein aquarium. Bladeren, voortgedreven door de wind, duiken de diepte in. Het geluid van de regen omhult het huis als een dichtgetrokken gordijn.

De trein die Jake die dag naar het huis van Leora's ouders nam, was bijna leeg. Jake, een van de weinige mensen in het grootstedelijke gebied die nooit naar het journaal kijkt, geen nieuwssites bezoekt en geen krant leest, is niet op de hoogte van de waarschuwingen voor de orkaan die die middag wordt verwacht en de ergste orkaan zou zijn in de afgelopen vijftien jaar in het gebied. Jake vermoedt vaak dat hij het leven heel anders ervaart dan de mensen om hem heen. Dagelijks ziet hij, wanneer hij door de stad loopt, mensen met mobiele telefoons die versmolten zijn met hun oor, en met kleine elektronische organizers in hun handen. Mensen zijn altijd bezig afspraken te maken, hun volgende vijftien uur te plannen, uit te rekenen hoeveel geld ze nodig hebben om met pensioen te kunnen gaan. Jake heeft geen probleem met technologie. In tegenstelling tot waar zijn vader hem van beschuldigt, leeft hij niet in het verleden. Hij leeft alleen in het heden terwijl iedereen om hem heen in de toekomst leeft.

Maar deze keer zou leven in de toekomst niemand hebben geholpen. Een orkaan is een van de weinige overgebleven dingen op aarde waar niemand iets aan kan doen. Dus geniet Jake op dit moment; de roffelende geluiden versterken het gevoel dat hij droog en warm en veilig is in de kelder van Leora's ouders terwijl hij de poppen op hun plaatsen zet. Op de bovenste verdieping, in een van de slaapkamers, zet hij de miniatuurezel met het lichtpaneel op, waarop hij een dia van Jan Vermeers *Brieflezende vrouw* heeft gelijmd. Daarnaast zet hij de pop die het meest op Leora lijkt en bevestigt een palet en penseel in haar handen. Op het hoofd van de pop plaatst hij als een kroon de diamanten ring.

De avond waarop Frances en Joe naar de bruiloft van hun neef gingen, had Nadav er zoals gewoonlijk acht uur werk opzitten dat Frances hem had gegeven: achter de toonbank van haar snoepwinkel, met de felle luifels die de naam van de winkel schreeuwen: COLUMBUS CANDIES.

'Omdat wij als eersten in de familie Amerika hebben ontdekt… de grootste ontdekking uit de geschiedenis!' antwoordde Frances, met een stem die snerpte met het nasale enthousiasme van de soapactrices die dagelijks uit de radio schalden, toen Nadav een keer naar de naam vroeg. Ze liet een weloverwogen gesnuif horen. 'Ik was nog maar tien toen we weggingen, weet je, maar toch wist ik dat dat dorp van ons daar een vuilnisbelt was. Het is nu meer dan veertig jaar geleden, maar ik vind het nog steeds ongelooflijk dat jouw moeder terug is gegaan naar Europa. Weet je hoe ik dat noem? Zelfmoord! Ze was een stommeling met zelfmoordneigingen! Ik zal nooit begrijpen wat haar bezielde. En dan die brief die we van een of andere instantie kregen toen we naar haar informeerden, waarin stond dat ze gestorven was aan een hartaanval! Alsof we dat zouden geloven!'

'Ze is gestorven aan een hartaanval,' zei Nadav terwijl hij zijn nagels in zijn handpalmen begroef, die vochtig werden. 'Ik heb een telegram van het ziekenhuis gekregen toen we in Amsterdam zaten.'

Verder wauwelend in haar met Engels doorspekte Jiddisch weigerde Frances het op te geven. 'Nou, misschien ben jij gewend om alles maar te geloven wat ze je daar vertellen, maar hier in Amerika noemen we dat klinkklare onzin. Het zou mij niet verbazen als elke jood in dat ziekenhuis op dezelfde dag een zogenaamde hartaanval heeft gekregen. Ik wed dat het gewoon een grote hartaanvalronde was. God, ik word er niet goed van. Het is een wonder dat Bill en jij thuis hebben weten te komen.'

Thuis hebben weten te komen, dacht Nadav terwijl hij achter de kassa stond in Columbus Candies, met zijn bespottelijke verblindend rode drop en zijn diamantachtige kandij, alsof iemand zijn tanden wilde breken op dat spul. Nadav Landsmanns bedrijf in

Wenen was miljoenen waard geweest. Hij had de namen en data van elke Habsburgse heerser gekend, kon aan de hand van de eerste vier maten elke symfonie van Mozart herkennen, had de libretto's van Wagners opera's uit zijn hoofd geleerd om vanuit zijn loge alles te kunnen volgen. Hij had voor zijn plezier geschiedenissen van het Congres van Wenen gelezen. Hij had voor zijn land gevochten toen hij nog een tiener was. Hij had Amerikanen gedóód! Hoe kon ze hem achter de toonbank van haar stupide Columbussnoepwinkel zetten en doen alsof ze het niet doorhad? Wat was die onzin over 'thuis hebben weten te komen'?

Terwijl Nadav achter de rammelende kassa stond, naar de klok aan de muur starend en biddend om het uur van sluiting, kwamen vier jongens de winkel binnen. Dikke Amerikaanse jongens, met pupillen die verwijd waren van te veel tekenfilms, en rode, bolle wangen van te veel snoep. Nadav sloeg ze vanuit zijn ooghoeken gade terwijl ze hun dikke handen met lolly's en chocoladerepen vulden. Terwijl hij naar hun hebzuchtige gezichten keek, die een blik op de open deur wierpen, bedacht hij dat zijn plaats achter de kassa het bijna onmogelijk voor hem maakte om achter ze aan te rennen als ze zouden besluiten er met de spullen vandoor te gaan. Niet dat het hem echt iets kon schelen.

De jongens kwamen naar de kassa en legden giechelend hun snoep op de toonbank alsof ze hun eigen grapje hadden. Nadav sloeg de snoepartikelen zorgvuldig aan, zoals hij nog altijd deed, met al zijn aandacht bij de helse machine om niet op de verkeerde knop te slaan.

'*Twenty-seeks cents*,' verklaarde hij, pauzerend voor hij het zei om zijn lippen te tuiten voor de *w*-klank en vervolgens zijn tong vlak achter zijn boventanden te plaatsen en tegen zijn gehemelte te duwen om de lucht te vangen voor de *ih*-klank in *six* voordat die ontsnapte.

De jongens keken hem aan, een volmaakte rij van acht geesteloze ogen, wisselden een blik uit en stopten hun dikke kinnen in hun jasjes om hun stiekeme grijns te verbergen. Toen staken ze ineens hun rechterarm de lucht in in een spottende groet. Met zijn andere arm veegde de dikste het snoep in zijn schooltas voordat Nadav ook maar de tijd had om met zijn ogen te knipperen. Terwijl ze de winkel uitrenden draaiden ze hun dikke lippen naar hem om en schreeuwden: 'Nazi!'

Er zijn zeven poppen in Leora's poppenhuis: een vader, een moeder, twee jongens en drie meisjes. Jake kent hun namen niet. Maar terwijl hij ze hun plaats geeft, elk in een afzonderlijke hoek met een afzonderlijke taak, kijkt hij naar het piepkleine gezin met de piepkleine broers en zusters en komt er een plotseling verlangen in hem op. Jake heeft geen broers en zusters doordat zijn moeder stierf. Niet doordat ze te vroeg stierf, maar doordat ze altijd zo druk bezig was met sterven. Toen hij zes was vertelde zijn vader hem dat ze ziek was. De rest van de week ontweek hij haar, schrok hij terug voor haar omhelzingen en kussen want zij had hem zelf aangeraden, toen de griep rondging, uit de buurt te blijven van mensen die ziek waren. Bovendien had een jongen uit zijn klas hem kort tevoren over de pest verteld, wat een ziekte was waar je aan doodging, en lang geleden hoefde iemand met die ziekte maar te niezen of de halve wereldbevolking ging dood. Toen hij zijn moeder vertelde over zijn ongerustheid, lachte ze en zei dat hij zich geen zorgen hoefde te maken. Ze had de pest niet. Maar later die avond hoorde hij haar huilen in de slaapkamer van zijn ouders en hoorde hij zijn vader tegen haar fluisteren. Daarna praatte hij niet meer met de jongen op school die hem over de pest had verteld.

Leora's moeder – Ellen, zoals Jake haar langzaam begint te noemen – had ook een moeder die gestorven was, had Leora hem een keer verteld. Niet toen Ellen nog een kind was, maar in hetzelfde jaar dat Jakes moeder was gestorven. Ze was net in de zestig toen. Ze spraken er nooit over, Ellen en hij, maar hij vermoedde dat het een van de redenen was waarom ze hem mocht. Ze hadden bepaalde dingen gemeen, merkte hij, als moederloze mensen: een koppige bekwaamheid en vindingrijkheid, een afkeer van praten over gevoelens, een gekmakend onvermogen om dingen als vanzelfsprekend te beschouwen, een onvermogen om onder de indruk te zijn van materiële prestaties van mensen, een hekel aan boos naar bed gaan, niet in staat zijn ergens weg te gaan zonder afscheid te nemen. De laatste moederdag, hadden ze, onder valse voorwendsels (een vroege verjaardagviering, een laat bedankje), elkaar een cadeautje gegeven. Een geheim verbond.

Jake kijkt weer naar het poppenhuis. Alles is klaar, zo te zien. Maar dan ziet hij de grootvaders klok, waarvan het deurtje naar de slinger – geen werkende slinger, merkt Jake bedroefd – aan één enkel scharnier hangt. Hij pakt de tube lijm die hij de hele middag al heeft gebruikt en begint, zo hard mogelijk knijpend, het einde op te rollen. Er komt niets uit. Hij kijkt op zijn horloge, raakt even in paniek en rent dan de trap op.

Ellen loopt de keuken in terwijl hij boven aan de trap komt. 'Heb je iets nodig?'

'Ja, lijm,' antwoordt hij, met de lege lijmtube in zijn ene en de klok in zijn andere hand. 'Deze is leeg.'

Ellen begint in een la te zoeken. In de plotselinge stilte tussen hen heeft Jake het gevoel dat hij iets moet zeggen.

'Wat een storm, hè?' vraagt hij zachtjes, voorzichtig.

'Weet je, je bent waarschijnlijk de enige in een straal van honderd kilometer die niet wist dat er vandaag een orkaan zou komen,' antwoordt ze terwijl ze nog steeds in de la rommelt. 'Je mag blij zijn als Leora's trein hierheen weet te komen voor je kleine verrassing.' Ze draait zich glimlachend om en geeft hem de lijm.

'Ik hoorde over de orkaan,' zegt Jake snel terwijl hij de lijm aanpakt en zijn blik van haar afwendt naar het raam. De regen valt zo dicht dat de bomen bij het huis amper te zien zijn.

'Ja ja, waarschijnlijk nadat je in de trein hierheen bent gestapt,' grijnst Ellen. 'Je ging waarschijnlijk in de trein zitten toen de lucht zo ongeveer groen werd en de regen met bakken uit de hemel kwam en dacht ineens: hé, 't kon wel 's gaan stormen... ja, ik voel 't in m'n knie.'

Ze laat haar ogen rollen en wacht een paar seconden voordat ze met hem mee lacht. Ellen heeft hetzelfde hardvochtige in zich als Leora: eerlijk, tot op het punt van komedie of pijn. Als hij niet beter had geweten, had hij het voor wreedheid kunnen aanzien.

'Weet je zeker dat Leora niet weet dat ik hier ben? Dat niemand het haar heeft verteld?' vraagt hij voor de derde keer die dag.

Ellen kreunt. 'Hoe vaak moet ik het nog zeggen? Niemand heeft haar iets verteld. Voorzover zij weet, komt ze gewoon een weekendje naar huis.'

Er klinkt een geweldige donderslag en de hemel buiten splijt open. Beiden draaien gebiologeerd het hoofd naar het raam.

'Weet je wat ik raar vind?' vraagt Ellen, nadat de roffelende regen is teruggekeerd. 'Ze geven die orkanen altijd een naam. Ik bedoel, ze geven aardbevingen of tornado's nooit een naam, toch? Of wel?'

'Nee, volgens mij niet,' zegt Jake langzaam. Ineens wil hij het praatje tot een minimum beperken. Beneden in de kelder wachten de poppenhuismensen.

Maar Ellen wil praten.'De laatste was Irma, dus moet deze een mannennaam met een *J* zijn... Jeff of Jonathan of zoiets? Nee, het was een vreemdere naam. Misschien Judah of Jeremiah of zoiets? Ik herinner me dat ik dacht dat het een meer etnische naam was, zoals Jorge of zoiets, maar ik kan me de naam op dit moment niet herinneren. Jij?'

'Nee,' zegt Jake.

Ellen glimlacht. 'Ben jij zo iemand die slecht is in namen?'

Frances weigerde Freydl te worden genoemd, zelfs wanneer ze Jiddisch spraken. En ze noemde haar man altijd Joe, hoewel er geen echte *J*-klank in het Jiddisch was, zodat je, wanneer ze Jiddisch sprak – wat puur voor Nadav was, want met elkaar spraken ze Engels, en ook met Wilhelm – de *J* eruit hoorde springen als een lichtflits in het donker. Het sprak voor zich dat ze Wilhelm 'Bill' noemde. In het begin had Nadav zich ingespannen. De eerste tijd dat hij bij hen was had hij zijn uiterste best gedaan om Wilhelm met Bill aan te spreken, Freydl met Frances en haar man, met zijn beste poging tot een *J*, met Joe. Maar kortgeleden – lang nadat hij zich, nou, niet op zijn gemak was gaan voelen, maar in elk geval gewend was geraakt aan het zich ongemakkelijk voelen – had hij

Frances in het Engels met Joe achter hun slaapkamerdeur horen praten. (Alleen die slaapkamerdeur zelf maakte hem al razend, met zijn vage suggestie van hun privacy erachter, terwijl Wilhelm en hij de kinderkamer deelden. Alleen Nadavs smalle bed was al genoeg om hem te laten kreunen van ellende, want hij voelde zijn oude magnetische kracht door zijn voetzolen weglekken.) Ze hadden het over hem, kon Nadav opmaken, ondanks zijn slechte beheersing van het Engels. Frances bevestigde zijn vermoeden toen hij haar, in een schrille imitatie van zijn stem en accent, hoorde zeggen: 'Biel' en 'Zho'. Vanaf dat moment had hij het niet meer geprobeerd.

Voor die tijd had hij het geprobeerd. Op een avond, een paar weken eerder, had Frances hem uitgenodigd voor een 'sociaal samenzijn' in haar synagoge. 'Er is een groep nieuwe mensen, die net uit Europa is gekomen,' zei ze terwijl ze iets uit zijn haar plukte alsof ze zijn moeder was en hij acht jaar oud was. Het gebaar maakte hem woest, maar Frances merkte het niet. 'Ik denk dat je veel met ze gemeen hebt, jullie komen tenslotte uit dezelfde buurt en zo,' kraaide ze. Dezelfde buurt, dacht Nadav. Wat, dezelfde kant van de planeet? 'Je moet gaan, je ontmoet nieuwe mensen, het zal leuk zijn.'

In weerwil van zichzelf liep Nadav die avond alleen naar de synagoge en vroeg zich af of ze gelijk zou hebben. Misschien was dat het hele probleem, dat hij te veel tijd met Amerikanen doorbracht – Frances en Joe, om te beginnen, en al die stomme vriendinnen van Frances, die elke week bij haar thuis kwamen om een of ander stom spelletje Chinees domino te spelen, en elk kind dat Columbus Candies binnenkwam en tegen zijn stompzinnige vriendjes fluisterde over de nazi achter de toonbank. Misschien had hij behoefte aan contact met mensen die andere zorgen hadden dan kandij. Terwijl hij elke pees in zijn niet meer magnetische lichaam spande, duwde hij de deur open naar de gemeenschapshal en dwong zichzelf tot een glimlach, klaar om zich onder de mensen te begeven.

Maar het 'sociale samenzijn', zoals het onmiddellijk op Nadav overkwam toen hij de gemeenschapshal van de synagoge betrad, was misschien wel de meest asociale bijeenkomst die hij ooit had meegemaakt. De hal – een misselijkmakende Amerikaanse ruimte, gehuld in een dikke laag 'moderne' vurenhouten lambrisering en linoleum – was spelonkachtig en maakte dat de ongeveer twintig aanwezigen eruitzagen als poppetjes. Maar deze popachtige mensen leken meer op dieren dan op poppen. In het midden van de hal stond een tafel met hapjes erop, en de mensen vielen erop aan als een troep gieren, propten zich vol met alles wat er stond en vulden hun zakken met wat ze niet in hun mond konden proppen. Pas toen het eten op de tafel tot de laatste kruimel was weggewerkt, voelde iemand de behoefte van de tafel weg te stappen en, haperend, in gestamelde zinnen en met afgewende ogen, te spreken.

Nadav ging voorzichtig op twee vrouwen af en probeerde aardig te doen. Terwijl hij het Duits in zijn Jiddisch probeerde af te zwakken, maakte hij een paar overdreven opgewekte opmerkingen en vroeg toen: 'Waar komen jullie vandaan?'

'Bergen-Belsen.'

Zoals Nadav later ontdekte, had de groep zich voor zijn komst in twee kampen verdeeld: er waren mensen die elkaar kenden uit Bergen-Belsen, er was een groepje uit Theresienstadt en er was een kliek partizanen die zichzelf als een soort bovenlaag zagen. Toen de tweede voedselronde op tafel kwam, maakte Nadav van de blinde vraatzucht gebruik om naar de donkere, vuile straten te ontsnappen. Terwijl hij door de straten met hun reusachtige telefoonpalen en reusachtige auto's terugliep naar Frances' huis, dacht hij aan zijn vrouw in de psychiatrische inrichting en vroeg zich af: Dachau? Auschwitz? Waar kwam zij vandaan?

De grootvaders klok uit de salon van het poppenhuis – en het is duidelijk een salon, geen woonkamer of studeerkamer, denkt Jake terwijl hij terugloopt door de gang en de trap af naar de kelder, de piepkleine klok in zijn hand – herinnert Jake een ogenblik aan een uitstapje naar Disney World met zijn ouders toen hij nog een kind was. Ze maakten met zijn drieën een rit in wat de saaiste attractie van het park moest zijn geweest: de 'Carrousel van de Vooruitgang'.

De Carrousel van de Vooruitgang was een relikwie, een overblijfsel van de Wereldtentoonstelling in New York in de jaren zestig. Hoe het ding in Florida terecht was gekomen, kon zijn moeder noch zijn vader uitleggen. Maar ze herinnerden zich de 'carrousel' wel, zoals ze zich tot in fantastisch detail de hele Wereldtentoonstelling herinnerden. Jakes moeder had er een baantje gehad: chocolade verkopen in het Nederlandse paviljoen, een dom vakantiebaantje om tijdens een jaar in het buitenland haar studie aan een universiteit in New York te helpen betalen. Ze moest een belachelijke papieren muts dragen, en Jakes vader had haar van helemaal achter in de chocoladerij opgemerkt. Zelfs terwijl hij vocht voor zijn plaats in de rij, op tien meter afstand, was het de pluk zwart haar, die onder het witte papier uitstak, die zijn aandacht trok. Zwart haar. Een krul onder een muts gestopt, alsof de mensen die het paviljoen runden haar gevraagd hadden die te verstoppen, dat kleine beetje Spaans dat vijfhonderd jaar eerder uit Spanje was verdreven en naar Amsterdam was gekomen, maar dat was hij, die ene glanzende, zwarte krul haar. Jakes vader moet die middag wel tien keer chocolade hebben gekocht, elke keer biddend dat haar muts iets meer zou afzakken terwijl ze hem de smeltende massa gaf (wie koopt er nou chocolade in de zomer?) en één lok meer van dat glanzende, mysterieuze haar zou onthullen. Toen ze, bij zijn tiende aankoop, lang nadat de rij was geslonken, tegen hem sprak, viel hij flauw. Maar dat kwam door de hitte.

Jake hoorde dit verhaal terwijl ze met zijn drieën in de eeuwige rij voor de Carrousel van de Vooruitgang wachtten en zijn moeder lachte, nee, zo was het helemaal niet gegaan, luister niet naar hem, Jake, hij zuigt het allemaal uit zijn duim, terwijl ze met een van de zwarte krullen speelde die nu tot net onder haar oor waren geknipt. Jake was toen acht en wist niet wie van beiden hij moest geloven. Hij dacht er pas weer aan toen hij veertien was en toen kon hij het niet meer vragen. Na al dat gespannen afwachten was de Carrousel van de Vooruitgang echter zo saai als de pest. Het was een rond-draaiend theater dat het publiek in dezelfde ruimte door vier ver-schillende taferelen voerde, elk geplaatst in een andere periode maar op miraculeuze wijze bewoond door dezelfde niet ouder wordende familie van audio-animatrons. De kleine grootvaders klok had hem aan het eerste tafereel herinnerd. Het was een tafe-reel in een blokhut, met een robotachtige, besnorde etalagepop die, met een pijp in zijn hand, in een krakende schommelstoel zat en verklaarde: 'HIER zijn we, bij de EEUWWISSELING.' Jake had niet be-grepen wat hij met 'eeuwwisseling' bedoelde, maar vermoedde dat het iets te maken had met de grootvaders klok aan de tegenover-liggende wand, waarvan de wijzers langzaam draaiden. De klok leek jaren te hebben getikt tegen de tijd dat het theater naar het volgende tafereel draaide, dat een keuken voorstelde in de stijl van rond 1920, vol met verspreide elektrische bedrading, gevolgd door een 1940-achtige keuken met een lomp televisietoestel en alles be-kleed met chroom. Het laatste tafereel speelde zich in het 'heden' af, maar het 'heden' had natuurlijk alleen een paar meubels in Jet-sons-stijl en een digitale klok, kort tevoren toegevoegd, die van 6:18 tot 6:24 knipperde.

Maar toen ging er iets mis en stond de draaimolen stil. Aan het eind van het tafereel, in plaats van hen naar een nieuw tafereel of bijvoorbeeld naar de uitgang te brengen, knipperde de digitale klok terug van 6:24 naar 6:18, en begon de niet ouder wordende man te praten over het leven en dat het zo heerlijk was met alle gemakken als vliegtuigen en diepvriesproducten en meisjes die broeken droe-gen, ha ha. Mensen in het publiek begonnen boos te worden. Eén man, duidelijk gek, stond op en begon te schreeuwen dat het tocht-te. Jake besefte dat de andere delen van het publiek herhalingen moesten krijgen van de jaren twintig en veertig en de eeuwwisse-ling. Maar ook als ze niet vast waren komen te zitten tussen 6:18 en 6:24 waren ze niet vooruitgegaan, realiseerde Jake zich met zijn achtjarige brein, want de rit bestond uit niet meer dan vier delen, en als zij weer waren omgedraaid zouden ze zijn teruggekeerd naar de eeuwwisseling. De enige manier om vooruit te komen op de

Carrousel van de Vooruitgang, daar kwam het op neer, was eraf te springen.

Als Jake onder aan de trap komt en met de gerepareerde grootvaders klok in zijn hand op de keldervloer wil stappen, merkt hij dat de vloerbedekking een beetje vochtig lijkt. Nee, niet een beetje vochtig – ongelooflijk vochtig. Doorweekt. Nee, meer dan doorweekt. Ondergelopen? Wanneer hij zijn gewicht behoedzaam op de keldervloer laat zakken, voelt hij zijn voeten in de oude vloerbedekking zakken en het water langs de zijkanten van zijn weinig stijlvolle canvas gympen in zijn sokken trekken. De deur naar de kamer waar het poppenhuis staat moet dichtgeslagen zijn toen hij wegliep, en Jake voelt een zekere onverklaarbare angst door zijn sokken sijpelen wanneer hij zijn hand naar de deurknop uitsteekt.

Hij opent de deur en een vloedgolf slaat tegen zijn benen. Water gutst in een onbeheerste waterval omlaag door het opengebarsten kelderraam en de kamer is een oceaan geworden, overstroomd door bijna twintig centimeter water. Twintig centimeter water is niet echt een overstroming voor een huis, maar voor een poppenhuis is het een zondvloed die Noachs Ark waardig is, en de benedenverdieping staat al bijna onder. Stoelen, tafels, videobanden, drie van de poppen en de bibliotheek met Spinoza's werken drijven, heen en weer gebeukt, in de golven. De pop die bij de ezel had gestaan, is van de tweede verdieping in de zondvloed gevallen en zwaait vanuit de diepte met haar miniatuurarmen om hulp terwijl haar kroon in de vorm van een diamanten ring op haar voorhoofd hangt.

Jake grijpt de met het juweel getooide pop uit het water, draait zich op zijn doorweekte hakken om, strekt zijn nek uit naar de bovenkant van de trap en roept om hulp. Hij slikt een woord in en schreeuwt dan: 'ELLEN!'

Het woord dat hij inslikte was 'mam'.

Nadav overwoog van een brug in de haven van New York te springen, maar wees dat idee bijna onmiddellijk van de hand. Om te beginnen wilde hij geen publiek spektakel met alle bijbehorende mogelijkheden van goedbedoelende mensen om een poging te doen hem ervan te weerhouden. Ten tweede was er een kans, als niemand hem ervan zou weerhouden, dat Frances, Joe en Wilhelm zouden denken dat hij gewoon was weggelopen of, erger, was vermoord. Die optie had hij al afgekocht, dank u. Hij wilde geen dubbelzinnigheid, niet het risico dat iemand zou beweren dat het een ongeluk was geweest of dat er een nieuwsverhaal van zou worden gemaakt dat de hele wereld ongeveer zes dagen zou lezen en vervolgens vergeten. Hij wilde dat er geen noodzaak zou zijn voor een of ander, een film waardig, welwillend briefje, waarin hij zich zou verontschuldigen en de volle verantwoordelijkheid zou nemen en iedereen vaarwel zou zeggen. Nadav wilde geen medelijden. Hij wilde niet van een brug springen. Hij wilde van die hele krankzinnige, vreemde planeet af.

Het touw dat hij gevonden had, gestolen van een bouwplaats in de buurt van Columbus Candies – hij kon wel kotsen bij de gedachte dat iemand nog meer van die snoepwinkels zou bouwen – moest korter. Veel korter. In zijn doorzakkende armen sleepte Nadav het zware opgerolde touw het huis in en sloot met moeite de deur achter zich. Bespottelijk, dacht hij. Alsof het hem echt iets kon schelen of iemand naar binnen zou glippen en de zaak leeg zou roven. Alsof er onder die troep van Frances ook maar iets de moeite van het stelen waard was. Hij sleepte het touw naar de keuken, legde het op haar belachelijke 'moderne' keukentafel met zijn chromen randen die de ruimte het aanzien van een fabriek gaf, en begon in haar keukenladen te zoeken naar iets om het touw mee door te snijden.

Alle keukengerei dat hij in de laden vond – het hakmes, de reusachtige keukenschaar, zelfs de vleesvork – zou, indien goed geslepen, voldoende zijn geweest voor zijn doel en het touw overbodig hebben gemaakt. Maar Nadav had genoeg van bloed. Als tiener had hij besloten dat hij niets meer met bloed te maken wilde hebben. Voordat hij in dienst ging, droomde hij ervan na de oorlog arts te worden, maar dat idee bleef niet langer dan een week bestaan toen hij eenmaal in dienst was. Geen bloed meer, besloot hij toen.

Zelfs jaren later nog werd hij razend bij de aanblik van zijn vrouws bevlekte ondergoed, zo erg dat hij het, als hij het op een onopvallende plaats in de badkamer vond, soms weggooide voordat ze de kans had gekregen het te wassen. Een paar keer had hij zelfs een schaar gepakt en het aan repen geknipt. Toen hij de reusachtige schaar uit Frances' keukenla rond het dikke touw zette, zijn dunne pols trillend van de inspanning waarmee zijn vingers hem rond het touw klemden, herinnerde hij zich plotseling hoe hij in de badkamer van hun appartement in Wenen voor de wastafel had gestaan, het bebloede ondergoed van zijn vrouw in smalle stroken had geknipt en door het blauw-witte porseleinen toilet had gespoeld.

Het was hem niet duidelijk of hij ooit van haar had gehouden. Nee, dat was een leugen. Het was hem volkomen duidelijk dat hij nooit van haar had gehouden, maar hij had haar ook nooit gehaat, en door haar onvermogen om hem enige reden te geven haar te haten had hij zijn gevoelens verkeerd begrepen, had hij gedacht dat ze alles was wat hij ooit had gewild, een vrouw die hem niet zou kwellen of verraden, een vrouw met wie hij de rest van zijn leven een vredig bestaan zou kunnen leiden.

Ze hadden elkaar ontmoet, slechts enkele maanden nadat zijn beminde Nederlandse hem voor altijd had verlaten. Nadav woonde in Wenen, waar hij bedrijfsleider was geworden in een chique truienzaak, een baan waarvan hij nauwelijks de huur van zijn kleine vrijgezellenwoning kon betalen. Hij bracht de avonden door in zijn huurkamer, waar hij in zijn eentje vleesloze maaltijden at, of hij ging uit met een paar vrienden, af en toe, op zoek naar vers vlees – uitstapjes die onveranderlijk stomdronken eindigden, vaak met een vrouw die hij niet eens had gewild en die hem een klap in zijn met stoppels bedekte gezicht gaf voordat ze ervandoor ging. Moderne vrouwen waren niet te verdragen. Nadav was droefgeestig, zo droefgeestig dat zijn vrienden na enige tijd niet meer met hem wilden praten wanneer ze op meisjesjacht gingen uit angst dat zijn mineurstemming zich zou verspreiden als een flinke verkoudheid. Als hij op zekere ochtend, nadat een meisjesjacht weer verkeerd was gelopen, niet liggend in zijn eigen braaksel op de vloer van zijn kamer was wakker geworden, had Nadav waarschijnlijk niet eens overwogen zijn moeder serieus te nemen toen hij die dag haar brief ontving over Bella, een vriendin van een dochter van een vriendin van haar, die met haar ouders naar Wenen was verhuisd nadat haar vader fortuin had gemaakt.

Bella en haar ouders woonden in een enorm appartement met eiken lambrisering, ver van het deel van de stad waar Nadav zijn hok van een kamer had gehuurd. Toen hij voor het eerst bij hen op bezoek ging, goot Bella's moeder grote hoeveelheden dampende kippensoep in blauw-witte kommen, en Nadav slobberde de soep op als een uitgehongerde man en goot daarmee nieuw leven in zijn uitgedroogde botten. Bella's vader, een man met een elegante bril, wiens flaporen er nog steeds naakt uitzagen nadat hij tien jaar eerder zijn slaaplokken had afgeschoren, bleef maar doorgaan over de betekenis van investeringen in de aantrekkende economie, die perfect was voor mensen die net begonnen, jonge mensen als deze voortreffelijke jongeman, bijvoorbeeld, die beslist gebruik zou maken van alles wat het leven te bieden had. Bella zelf, of 'Beyleh', zoals Nadavs moeder haar had genoemd, een mager meisje met donkere ogen wier handen trilden wanneer ze bewoog, was vrijwel stil, een merkwaardige stilte die Nadav als schoonheid in zijn greep hield. Vier weken later waren ze verloofd en vijf weken daarna getrouwd. Zes weken daarna gebruikte Nadav de grote som geld die zijn schoonvader hun als huwelijkscadeau had gegeven om de truienzaak te kopen en plannen te maken voor uitbreiding. Zeven weken later bracht hij een maand lang de middagen liggend op het bureau in zijn nieuwe privé-kantoor door met een van de verkoopsters. Als Bella het al wist, zei ze er niets van.

In Amsterdam had hij het telegram van de psychiatrische inrichting waar zijn vrouw was ondergebracht ontvangen, waarin stond: *onverwacht gestorven komma complicaties van medicinale behandeling stop condoleances stop*. 'Gestorven'. Hij had inmiddels de kracht niet meer om te vermoeden wat Frances beslist zou hebben aangenomen als het ware verhaal: een onverwachte dodelijke-injectieronde, of misschien een onverwachte complicatie van een kamer vol gifgas komma condoleances stop. Maar wat Frances niet wist was dat de jongens in de snoepwinkel die hem een nazi noemden gelijk hadden. Nadav had ook joden gedood, al was het niet met zijn eigen handen.

Hoe was het hem overkomen? vroeg Nadav zich af terwijl het korte eind van het touw, eindelijk doorgeknipt, op de keukenvloer viel. Wanneer was hij een barbaar geworden?

De overstroming is niet onder controle te houden. Tegen de tijd dat Ellen de keldertrap afkomt, is de onderste trede al overstroomd en het waterniveau nog stijgende. Ellen rent terug de trap op om een plastic sneeuwbroek en overschoenen aan te trekken, terwijl Jake wanhopig door het water waadt en de op de golven drijvende miniatuurboeken en poppen en meubels verzamelt. Als ze terugkomt, stapt Ellen de oceaan in, gaat tegenover Jake staan en samen tillen ze het ondergelopen poppenhuis uit het water, houden het hoog boven hun hoofd en dragen het de keldertrap op – waarbij Jake de deurkozijnen zwijgend smeekt zich te verheffen om het opgetilde poppenhuis door te laten – en vervolgens naar de eerste verdieping, waar ze het op het oude witgeschilderde bureau in Leora's oude kamer zetten. Ze gaan terug naar de kelder, doen het raam weer dicht, stoppen de gaten in het vulsel zo goed ze kunnen dicht met de afgebroken ledematen van *Star Wars*-poppetjes in de hoop dat de buitenaardse wezens hen zullen redden. Dan is het tijd om te gaan hozen.

Ellen en Jake wagen zich naar buiten; gehuld in plastic regenjassen met capuchon, en gewapend met schoppen en grote emmers storten ze zich in de oceaanachtige achtertuin. Jake probeert wat water uit de goot bij het kelderraam te scheppen, terwijl Ellen een greppeltje probeert te graven om het water weg te leiden van het huis. Beide projecten zijn gedoemd te mislukken. Tegen de tijd dat Jake een emmer water op straat gooit, is twee keer zoveel langs de muur naar het raam teruggestroomd. Ellens greppel lost op in modder, dan in water, alsof hij nooit gegraven was. Een ogenblik van angstaanjagende rust, gehuld in bliksem en donder, gaat voorbij terwijl ze met zijn tweeën naar de opgeloste greppel staren, naar het ondoorzichtige bruine water dat wie weet wat onder zijn stijgende oppervlak verbergt. Ellens schop is opgeslokt door de golven.

'We kunnen niets doen. Laten we maar gewoon naar binnen gaan en wachten,' schreeuwt Ellen boven het geroffel van de regen uit.

Ze werpen een blik op het kelderraam, en dan, hun gezicht vertrekkend tegen de regen die op hun blote wangen slaat, omhoog naar het huis. Leora's slaapkamerraam gloeit geel in de donkergroene stormlucht. Door vlagen kletterende regen kan Jake net het silhouet van het poppenhuis op het bureau voor het raam ontwaren, en een fractie van een seconde, tijdens een geweldige bliksemflits, ziet hij zelfs de contouren van de miniatuurkamers. Dan verdwijnt het raam in een geweldige donderslag en wordt het hele huis in duisternis gedompeld omdat de stroom uitvalt.

'Wolven in het dorp!'

Misschien was dat het moment geweest, dacht Nadav terwijl hij het touw aan de uitstekende pijp bevestigde die langs het plafond van de meisjesslaapkamer liep en de witgeschilderde bureaustoel van het kind eronder zette, waarop hij een barbaar was geworden – die donkere, afschuwelijke winteravond toen hij dertien jaar was en de roep in hun dorp van huis tot huis was gegaan, de brullende waarschuwing die het bloed in elke familie ijskoud door de aderen deed stromen: 'Wolven in het dorp!'

Hij was op dat moment thuis, bij zijn familie. Zijn familie was geen normale familie, had hij inmiddels begrepen. Normale families hadden een vader, een moeder en net zo veel broers en zusjes als ze aankonden. Maar Nadavs familie was anders. Hij had geen vader, geen broers, geen zusjes – alleen zijn moeder en hij. Maar ze hadden ook andere mensen in hun familie, in het huis waar hij was opgegroeid. Je had Hayyim en zijn vrouw Sarah, die beiden ongeveer tien jaar ouder leken dan zijn moeder, en die Nadav oom Hayyim en tante Sarah noemde, hoewel ze kennelijk niet zijn echte oom en tante waren – gewoon goede vrienden, had zijn moeder hem verteld, die hen tweeën lang geleden, toen hij nog een baby was en ze alleen waren aan deze kant van de oceaan, in huis hadden genomen. En dan had je zijn vijf neefjes en nichtjes, die dat kennelijk niet echt waren – twee oudere meisjes, een van hen al getrouwd, twee kleine jongens, die flink wat jonger waren, en een jongetje, Isaac, dat maar enkele maanden ouder was dan Nadav. Isaac en hij waren vanaf hun babytijd samen geweest en hadden bijna alles samen gedaan, als baby samen gespeeld, op dezelfde dag aan het alfabet begonnen, naast elkaar in de schoolbank gezeten en vanaf dat ze peuters waren ze samen naar de synagoge gegaan. Ze leken zelfs op elkaar, al had Nadav blauwe ogen – ze hadden dezelfde lange, smalle mond, dezelfde bos donker haar, hetzelfde knappe profiel –, zo sterk dat de mensen in het dorp veronderstelden dat ze echte broers waren, of op zijn minst neven. Hoewel hij dat zelf zo nu en dan ook vermoedde, waren ze in het geheel geen familie, voorzover Nadav wist.

Dat zat Nadav dwars, toen hij dertien was. De familie behandelde hem in feite niet anders, maar hij voelde het verschil, of het er nu was of niet. Het waren kleine dingen die hem aan het twijfelen brachten, zoals tante Sarah, die hem tijdens het eten de schaal met aardappelen altijd het laatst aanreikte, wanneer de aardappelen bijna op waren. Of Malka, het nog ongetrouwde oudere meisje, dat, sinds Nadav de zomer tevoren een snelle groei had doorgemaakt, zijn ogen ontweek wanneer ze, haar borsten in een te kleine jurk geperst, bij het fornuis zat, waardoor Nadav zich afvroeg of ze gewoon humeurig was of hem als een soort perverse voyeur zag. Of de twee jongere jongens, die aan één stuk door met Isaac babbelden, leek het, maar zelden met hem. Isaac deed dat soort dingen nooit, en in Isaac, dacht hij, had hij een broer. Wanneer ze samen in de schoolbank zaten, of met de andere jongens naar huis liepen, moest hij vaak naar Isaac kijken – knappe, populaire Isaac, die altijd iedereen aan het lachen maakte – en hij dacht dan trots bij zichzelf: dat is mijn broer Isaac. Soms was het al genoeg om dat te denken. Maar vaak, laat op de avond, wanneer Nadav in zijn bed naar het plafond lag te staren nadat het licht was uitgedaan, glipte de gedachte aan zijn broer weg in de diepe schaduwen van de kamer. En dan voelde Nadav zich alsof hij een bezoeker was in een vreemde, onbekende plaats, een vreemdeling in het huis, in het dorp, in het hele land, in de hele wereld.

Het moment waarop ze de alarmkreet over de wolven in het dorp hoorden, was echter een van de zeldzame momenten waarop Nadav en Isaac niet bij elkaar waren. Die avond, een winteravond met een diepe en vroege duisternis, was Nadav net teruggekeerd van het studiehuis. Nu ze dertien waren, de leeftijd voor bar mitswa, besteedden ze veel meer tijd aan hun godsdienststudie. Maar Nadav had zijn studie net zo lief opgegeven. De ideeën die hij leerde vond hij in steeds mindere mate overtuigend. Hij had bijvoorbeeld een hekel aan de idee van de 'afnemende generaties', die moest verklaren waarom de leer van de rabbi's uit talmoedische tijden zwaarder telde dan die van de meer recente schriftgeleerden. Elke generatie, stelde deze theorie, was verder verwijderd van de thora en daardoor minder goed in de interpretatie ervan. Nadav vroeg zich af of zijn leraar dat gewoon maar had verzonnen om zichzelf gelukkig te prijzen met het feit dat hij ouder was. En dan had je die andere les, over een man die gedwongen werd te kiezen tussen een ander doden en gedood worden. 'Hoe weet je wiens bloed het roodst is?' vroeg de tekst, waarna verklaard werd dat de man zich eerder aan de dood zou moeten onderwerpen dan een moord begaan. 'Misschien is het bloed van de andere man roder dan het jouwe.' Roder? Wat betekende dat in godsnaam? Hij begon moeite te krijgen met dat soort dingen, dus dwaalden zijn gedachten steeds vaker af wanneer Isaac en hij, als studiegenoten, de teksten bestudeerden. Isaac, echter, was steeds meer geïnteresseerd geraakt in zijn studie. Gepassioneerd, zelfs. Steeds als Nadav zijn aandacht er niet meer bij kon houden aan de tafel in het studiehuis, zette Isaac hem weer onder druk en debatteerde tot in de avond over de betekenis van de wet. Soms, als hij er niet meer tegen kon, ging Nadav naar huis, en Isaac bleef dan en studeerde alleen. Het was op een van die avonden, toen Nadav Isaac alleen had gelaten in het studiehuis, dat de schreeuw uitging dat er wolven in het dorp waren.

Nadav en zijn familie, of wat het dichtst bij zijn familie in de buurt kwam, zaten rond het fornuis toen ze de alarmkreet hoorden. Tante Sarah had hem verteld over de hongerige wolven, die soms uit de nabije bossen kwamen en die huilend en kwijlend en met hun gapende kaken door het dorp renden op zoek naar mensen om te verscheuren. Het was in ongeveer vijftien jaar niet meer gebeurd. Het dorp was wat uitgebreid en de wolven waren verder de bossen in gedreven. Maar niet ver genoeg.

'Wolven in het dorp!'

De familieleden keken elkaar aan, en hun ogen schoten door de kamer terwijl ieder van hen zijn eigen inventaris opmaakte van ouders, echtgenoten, broers en zusters, kinderen. Plotseling keken ze allemaal in afschuw op.

Isaac!

'Misschien is hij zo verstandig om te blijven waar hij is,' zei Nadavs moeder met trillende stem. 'Hij zal wel in het studiehuis blijven. Daar is hij veilig. Als hij maar niet naar buiten gaat.'

Er was een korte stilte voordat Malka verkrampte. 'Maar als hij al onderweg is naar huis?' vroeg ze bijna fluisterend. 'Het is al laat. Hij loopt misschien al naar huis. Stel dat hij het niet heeft gehoord. Hij kan soms zo treuzelen.'

Ze keken elkaar allemaal aan, bang het ene of het andere voorstel te doen. Ten slotte sprak tante Sarah, slikkend tot ze haar stem onder controle had. Ze wendde zich tot Nadav en balde haar vuisten.

'Nadav, jij kunt het hardst rennen,' zei ze zonder ook maar de lichtste trilling. 'Ga. Ren naar het studiehuis en haal Isaac.'

Nadav stond als aan de grond genageld op zijn plek bij het fornuis. De afgrijselijke alarmkreet liep als krakend ijswater door zijn aderen. Ze gooide hem voor de wolven!

Tante Sarah keek hem dreigend aan en haar gebalde vuist schoot woest in zijn richting. Toen hij nog steeds niet bewoog, gilde ze: 'Ga! Nu! Waar wacht je op, op de Messias? GA!'

Nadavs voeten brachten hem stompzinnig, zonder dat hij erbij nadacht, naar het haakje aan de muur waaraan zijn jas hing. Hij voelde de hele familie naar hem gapen, en toen hij langs de stoel van zijn moeder liep, merkte hij haar smekende ogen op maar besloot dit te negeren. Hij wurmde zijn lichaam, mager en slungelig van de groeistuip van de vorige zomer, in zijn te kleine jas en trok de voordeur open. 'Wees voorzichtig, Nadav! Wees voorzichtig! En haast je!' riep zijn moeder hem achterna. Maar terwijl Nadav naar buiten dook, hoorde hij hoe Sarah de deur achter hem dicht smeet voor het geval dat, God verhoede, een eenzame wolf, niet tevreden met het vlees van haar adoptieneef, langs hem heen het huis zou willen binnenglippen om haar kinderen te verscheuren. Hij hoorde die slaande deur terwijl hij de sneeuw in sprong, maar hij had geen tijd voor gekwetste gevoelens. Alleen voor een pure, dierlijke angst. Hij was aan de wolven overgeleverd.

Hun huis stond aan het uiteinde van het dorp, en hoewel dat niet groot was, stonden de huizen verspreider dan in de meeste dorpen; er waren veel heuvels en het studiehuis was een heel eind lopen van waar ze woonden. Niet alleen dat, maar Nadav wist ook dat Isaac graag een panoramischer route naar huis nam, een route die langs de buitenrand van het dorp en dichter langs de bossen liep, zodat hij naar de dichte boomgroepen kon kijken of naar de zware koepel van sterren en wolken, en kon nadenken over alles wat hij die dag had geleerd. Nadav stoof naar het pad dat langs de buitenrand van het dorp liep, een pad dat nu volledig onzichtbaar was in de duisternis en door de opgewaaide sneeuw, en hij begon door de dikke sneeuw te rennen – sneeuw als dicht poeder dat blauw glansde in het donker terwijl zijn ogen zich aanpasten – en zocht in het schemerige sterrenlicht de sneeuw af naar pootafdrukken. Maar de wind kwam huilend over de heuvels, zo hard huilend dat Nadav zich afvroeg of hij de wind hoorde of de wolven of allebei, en blies de sneeuw met zulk een kracht over het aardoppervlak dat Nadav de wind letterlijk kon zien in vlagen van voortgeblazen sneeuw, en het aardoppervlak veranderde in een golvende zee of een deinende wolkenbank in de nacht. Er waren nergens pootafdrukken. Nadav draaide zijn hoofd rond terwijl hij door bleef rennen naar het studiehuis, en zag dat zelfs zijn eigen voetafdrukken alweer waren verdwenen. Alsof hij nooit had bestaan.

De wind schrijnde Nadavs gezicht, schroeide zijn jukbeenderen, terwijl hij door het donker rende. Dunne, waterige stroompjes lekten uit zijn neusgaten en hardden de huid onder zijn neus tot een dun ijslaagje. Hij moest zijn ogen half dichtknijpen doordat ze begonnen te wateren en koude tranen schoten naar achteren over zijn slapen. Hij vergat volledig de dreiging van de wolven, vergat volledig waarom hij rende. Alleen zijn voeten herinnerden zich waar hij heen ging. Hij rende en rende, zonder ook maar een ogenblik vaart te minderen, hoewel zijn lichaam hem erom smeekte, en reageerde op elke steek in zijn zij en elk gepiep in zijn borst met een versnelling van zijn benen. Hij werd zelf een wolf. Na een tijdje voelde hij helemaal niets meer, de pijn in zijn zij niet, de kramp in zijn borst niet, zijn rennende benen niet. Hij dacht alleen nog aan zijn broer.

Plotseling, slechts een paar minuten nadat hij aan zijn wanhopige tocht was begonnen, werd het blinde blauwwitte landschap door iets onderbroken. Op de kam van de volgende heuvel ontwaarde Nadav in de duisternis een gedaante die als een gevallen blok hout dwars over het onzichtbare pad lag. Toen hij dichterbij kwam, kon hij tegen de glanzende sneeuw het donkere silhouet onderscheiden van een hoofd, een hals en zelfs een slap neergevallen been. Hij voelde een steek van pure verschrikking door zijn nek schieten. Isaac!

Nadav holde naar de top van de heuvel, maar al voor hij de ineengezakte gedaante bereikte, flitste de gedachte door zijn verdoofde geest dat het Isaac misschien helemaal niet was. De gedaante werd groter en groter en was al snel te groot voor een dertienjarige jongen, zelfs voor een lange jongen als Isaac. Te dik ook. Toen hij ten slotte op de heuveltop was, hield hij zijn adem in terwijl hij zich over de gedaante boog met het gevoel dat hij de knielende buiging voor zijn dagelijkse gebeden maakte.

Het was Isaac niet. Nadav hijgde van opluchting toen hij zag dat het Isaac niet was. Maar hij zoog de vrieskoude lucht naar binnen toen hij opnieuw keek. De man was een boer. Een dikke, zware boer, gladgeschoren en stevig, met blauwe kraalogen. Nadav herkende hem van zijn wandeling met Isaac van en naar het studiehuis. De man kwam elke zondag naar het dorp, ging naar de kerk en probeerde de armetierige groenten te verkopen die hij op zijn stukje harde grond voorbij het bos verbouwde. In de lente en zomer kruiste zijn pad soms dat van Isaac en Nadav, die vaak te zeer opgingen in hun eigen grappen om hem in hun richting te zien zwoegen, zijn reusachtige kruiwagen achter zich aan slepend alsof hij een os was, tot hij bijna tegen hen op botste en schreeuwde: 'Uit de weg, stelletje stommelingen! Vuile klootzakken, ik snij jullie de keel af!' In de wintermaanden kwam hij soms naar het dorp om werk te zoeken, brandhout te hakken en houtblokken te slepen voor oude mensen en weduwen, en deden Isaac en Nadav hun best hem te ontlopen wanneer ze hem, dronken, terug zagen strompelen naar het bos, zijn bijl zwaaiend aan zijn zij. Hij had ook kinderen, deze boer, twee jongens van Isaacs en Nadavs leeftijd en twee meisjes die iets jonger waren. Nadav had de kinderen op weg naar het studiehuis wel eens gezien wanneer ze naar het dorp kwamen om met hun vader naar de kerk te gaan of hem te helpen of op zoek te gaan naar klussen. De twee broers waren net als hun vader, grof en bruut. Ze maakten smerige gebaren wanneer Isaac en hij passeerden, spuugden naar hen en trokken hun broek omlaag om hun kont in hun gezicht te zwaaien, en soms gooiden ze zelfs kiezelstenen naar hun achterhoofd. Maar de meisjes waren in orde, had Nadav altijd gedacht. Ze leken voortdurend te glimlachen, renden en lachten uitbundig alsof ze niet konden geloven dat de wereld zo mooi was. Eén keer had hij, aan de rand van het dorp op Isaacs panoramische route, zelfs een van hen naakt gezien, het gladde kinderlichaam als dat van een jongen, lachend terwijl ze op een bloedhete zomerdag in de rivier sprong. Toen hij haar zag, had Nadav zijn hoofd zo snel mogelijk afgewend, maar zonder het te willen had hij er later aan gedacht toen hij over zijn boeken gebogen zat. De bleke ruimtes tussen de woorden op de bladzijden versmolten in zijn gedachten met haar door de zon verlichte huid.

Maar nu lag haar vader op zijn zij in de sneeuw, bloedend uit zijn hals. Zijn bijl lag naast hem, het blad donker, het handvat nog in zijn bleke hand. Zijn gezicht was verstijfd in een verwarde uitdrukking van afgrijzen, één kraaloog opengebarsten, het andere ooglid dichtgetrokken als een scherm voor een winkelruit aan het eind van de dag. Het lichaam lag daar roerloos. Nadav rook drank aan het lichaam en het drong tot hem door dat de man waarschijnlijk in zijn eigen bijl was gevallen – of zou er een gevecht hebben plaatsgevonden? De wind had eventuele voetafdrukken weggewaaid. Maar het moest kort tevoren zijn gebeurd, dacht Nadav. De wolven hadden hem nog niet gevonden. De plas bloed van de boer, die de sneeuw doorweekte, leek zich te verspreiden, dieper en steeds donkerder te worden.

De levende jongen en de dode boer hielden samen rust in het schemerige licht van de sterren. Plotseling en huiverend zag Nadav hen beiden als van een afstand, als op een foto zag hij zichzelf boven de bloedende wonden van de boer hurken. In de verte hoorde hij gehuil. Misschien de wind, of misschien de wolven.

Dit was klinkklare onzin, besloot Nadav. Hij kon niet op deze manier achter Isaac aan blijven gaan. Plotseling konden tante Sarah of Isaac of de anderen hem niets meer schelen. Ze zouden Nadav niet in zijn eigen bloed vinden.

Hij was nog niet ver op Isaacs route naar het studiehuis. Maar nadat hij zich over het bloedende lichaam van de boer had gebogen, dat daar aan zijn voeten lag, om zich er nogmaals van te overtuigen dat het lichaam niet dat van Isaac in vermomming was, richtte hij zich op, draaide zich om in de sneeuw en struikelde over een arm van het lijk. Nadav gaf een schreeuw die levend werd verslonden door de huilende wind en zette het op een lopen, zo hard als hij kon, harder dan hij tevoren had gelopen, terug naar huis, terug op zijn eigen onzichtbare schreden.

Isaac kon zelf wel thuiskomen, dacht Nadav woest terwijl hij met brandende wangen van de ijskoude lucht die hij inademde door de sneeuw stampte, de woorden oefenend die hij zou gebruiken om het aan zijn familie uit te leggen. Isaac moet doof zijn als hij de alarmkreten niet heeft gehoord. Hij kan ook heel hard rennen. Bovendien maakt hij het steeds later in het studiehuis. Misschien blijft hij daar de hele avond wel. Laat de thora hem tegen de wolven beschermen.

Het kostte Nadav veel minder tijd om thuis te komen. Hijgend als een dier stormde hij de heuvel af, aan niets anders denkend dan aan wolven, enorme troepen zwervende wolven die zich tegoed deden aan mensenvlees. Toen hij zijn huis in de verte zag, rende hij nog harder, vergat al zijn excuses, sprong op de deur af en beukte erop alsof hij voor de hemelpoort stond. Ten slotte liet zijn moeder hem binnen.

Nadav dook de kamer in, gooide de deur dicht en deed de grendel erop. Hij draaide zich om naar zijn familieleden, die in een halve cirkel om hem heen stonden. 'Nu al terug? Je bent amper weg geweest! Noem je dat zoeken?' hoorde hij tante Sarah zeggen. Hij probeerde met zijn excuses te komen, maar hij kon het niet. Hij hapte naar lucht.

'Rustig maar,' zei zijn moeder terwijl ze haar arm om zijn schouders legde, die al op haar ooghoogte kwamen. Ze wees de kamer in. Isaacs oudere broers stapten opzij, waardoor Isaac zelf te voorschijn kwam, in een deken gewikkeld bij het fornuis. 'Hij heeft de hoofdstraat door het dorp genomen.' De familie begon te glimlachen en te lachen, luid gelach van opluchting beroerde de lucht in de knusse kamer.

Alleen Sarah weigerde te lachen. In plaats daarvan herhaalde ze schreeuwend: 'Noem je dat zoeken? Je hebt het opgegeven, lafaard! Godzijdank besloot Isaac de korte weg naar huis te nemen! Hij had dood kunnen zijn! Hij had dood kunnen zijn!' Nadavs moeder begon hem te verdedigen, maar Sarah weigerde naar haar te luisteren en schreeuwde steeds opnieuw: 'Hij had dood kunnen zijn!'

Nadav probeerde zijn schuldgevoel in te slikken en zich niets van haar aan te trekken. Maar toen hij eindelijk waagde te glimlachen naar zijn broer, zag hij Isaacs glimlach overgaan in een uitdrukking die hij nooit eerder op diens gezicht had gezien. Het was een uitdrukking van pure afkeer, alsof Nadav de gemeenste persoon was die hij ooit voor ogen had gehad. Toen Nadav dat gezicht zag, werd hij plotseling verblind door het barbaarse karakter van zijn daad op het moment dat hij zich had afgewend van dat lijk in de sneeuw. Hij had besloten dat zijn eigen bloed roder was.

Maar dat alles – de hals van de boer, het bloed in de sneeuw, de doffe weerzin op Isaacs gezicht – dat alles was niets, een sneeuwvlok op de toendra, één enkele verloren traan in de reusachtige zoute oceaan, vergeleken met wat er vijf jaar later tussen Isaac en hem gebeurde. En toen, terwijl hij op de witgeschilderde bureaustoel in de kinderkamer klom en de lus om zijn nek liet glijden, stond Nadav zich de herinnering toe.

In de smalle lichtbundel van een zaklantaarn, in de veilige haven van Leora's oude slaapkamer met zijn witgeschilderde bureau en stoel, liggen de halfverdronken poppen op de eerste verdieping van het poppenhuis als hijgende vluchtelingen, aan land gespoeld na een schipbreuk, terwijl Jake, zonder hoop, de plassen overstromingswater van de doorweekte vloerplanken veegt met een van de geruïneerde vloerkleedjes. De geredde meubelen van de benedenverdieping zijn zo doorweekt dat alles wat Jake gelijmd had weer los is geraakt. De verf, de Spinoza-bibliotheek en de videoverzameling zijn reddeloos verloren. Het enige wat nog over is, is de slaapkamer op de bovenste verdieping, waar de ezel op droge grond staat. Jake probeert de pop die de kroon draagt nog een keer droog te wrijven met zijn eigen doorweekte hemd en geeft het dan op; hij zet haar doorweekt en wel naast de portretlijst.

Hij doet als laatste test het licht achter het diaschilderij nog een keer aan en dankt God binnensmonds dat hij een lampje op een batterij heeft gekozen. Het schilderij wordt verlicht en de vrouw die de brief leest verschijnt in een flits van kleur die reflecteert in de diamant in de kroon rond het poppenhoofd. Plotseling hoort Jake een hevig geraas van beneden komen: wind en donder en grote vlagen loeiende regen die het huis binnenstormen. Dan, net zo plotseling, houdt het geluid op, tot stilte gezogen door een dichtgeslagen deur.

Jake doet zijn zaklantaarn en het licht achter de dia uit en staat naast het verwoeste poppenhuis, het onherstelbare poppenhuis, in het donker te trillen als hij Leora's stem beneden hoort, lachend en fladderend tussen haar ouders beneden, als wind op water. Enkele ogenblikken later begint zijn hart op het ritme van haar voeten te bonzen wanneer hij haar de trap op hoort stampen. De kamerdeur gaat open.

Leora komt binnen, een zaklantaarn in haar hand. De lichtbundel beweegt over de vloer, glijdt door de kamer naar het bed en stopt net voor Jakes voeten. Ze heeft hem niet opgemerkt. Maar aan de aarzelende beweging van de lichtbundel merkt hij dat ze ziet dat er iets veranderd is in de kamer. Hij houdt zijn adem in.

De straal van Leora's zaklantaarn bestrijkt de onderzijde van het bed, springt omhoog over de ramen en zweeft dan langzaam, heel langzaam, naar het bureau. De lichtcirkel kruipt omhoog, omhoog, omhoog over de laden van het bureau en plotseling raakt het licht het aan: het poppenhuis.

Ze snakt naar adem, is stil, snakt weer naar adem. In het donker hoort hij hoe ze begint te snikken terwijl de lichtstraal de kamers een voor een beschijnt, alsof ze geteld worden, en lange schaduwen over de ruïnes werpt. Ineens kan Jake niet meer wachten.

'Leora,' zegt hij terwijl hij haar vrije hand vindt in het donker.

Ze geeft een schreeuw van verrassing, richt de zaklantaarn op hem en vindt zijn hand, zijn elleboog, zijn oor, zijn gezicht en gilt weer, en lacht, en kust hem en lacht weer.

'Jake! Wat doe jij hier?'

Hij neemt haar hand met de zaklantaarn in de zijne en leidt het licht naar de pop in de slaapkamer boven, de pop die naast de ezel staat, de pop die de ring op haar voorhoofd draagt. De lichtstraal flikkert, beweegt trillend langs het middel van de pop. Hij reikt met zijn andere hand naar de piepkleine ezel en knipt het licht achter de dia aan. Het schilderij gloeit in de duisternis.

Jake knipt zijn zaklantaarn aan en richt hem onder Leora's gezicht, waarbij hij zijn best doet niet in haar ogen te schijnen. 'Ik heb geprobeerd het te repareren, Leora,' zei hij, en zijn stem begint te beven. 'Ik wilde het hele huis repareren. Echt… ik heb allemaal spulletjes gekocht en ik was ermee bezig, ik ben er de hele dag mee bezig geweest en ik was het al weken van plan maar toen kwam de overstroming en kon ik het niet…'

Maar Leora, de tranen biggelend over haar wangen, valt hem in de rede en haar lichtstraal gaat terug naar de pop naast het schilderij. 'Ik vind het zo mooi, Jake. Het lijkt meer op een echt huis.'

En dan ziet ze de ring.

1917. Nadav was nog geen achttien jaar oud en Isaac en hij waren net opgeroepen voor het leger. Nadav was dankbaar. Moe van het eindeloze studietraject zonder een andere toekomst in zicht dan een van de leraren worden die hij was gaan beschimpen, zag Nadav in de oorlog een open poort. Isaac dacht er, uiteraard, anders over, maar er viel niet veel tegen te doen, vooral omdat er geen geld was om kleine ambtenaren om te kopen of hen te helpen weg te lopen. De 'broers' knipten hun haar, schoren hun eerste, zachte baardhaar af en vertrokken. Maar de oorlogspoort werd wijder opengezet dan Nadav ooit had gedacht.

Het schokkende was niet zozeer het aantal doden, de stapels lichamen in de plat gebombardeerde mierenhopen. Noch de nabijheid van de dood, de vriendschappen, gesmeed door maanden op elkaar ademend doorgebracht in de loopgraven, en dan uiteengereten door één enkel schot, en zelfs niet de dood zelf, de manier waarop hun lichamen vernietigd werden zoals mannen nooit eerder de lichamen van andere mannen hadden vernietigd – aan stukken geblazen, over prikkeldraad gesmeten, doorboord met kogels uit machinegeweren, gestikt door chemische stoffen uit gifgas. Schokkend was het feit dat niemand, niet alleen de soldaten, maar ook, nog schokkender, de officieren en zelfs de generaals niet, ook maar het flauwste benul had van wat er echt zou gebeuren op die slagvelden. Bladerend in een boek, jaren later in een bibliotheek in Wenen, zag Nadav een keer een foto van een Frans elitebataljon dat in 1914 klaarstond om ten strijde te trekken. Ze gingen te paard en waren met zwaarden bewapend.

Isaac en hij waren net opgeroepen, en tot grote verbazing van Nadav waren ze met de dag verder uit elkaar gegroeid sinds ze het huis uit waren gegaan; hun uniformen in de loopgraven omhulden en scheidden hen als harnassen. In het geheim, in de paar seconden die dagelijks beschikbaar waren, zei Isaac nog steeds zijn gebeden op, in stilte, 's ochtends, 's middags en 's avonds. Nadav zag zijn gezicht, met strakke lippen en koud, en wist wat hij deed. Maar hij weigerde mee te doen.

Op die ochtend echter – de ochtend die Nadav zich herinnerde terwijl hij op de witgeschilderde kinderstoel klom en het touw in zijn handen nam – was de aanval begonnen. Isaac en Nadav stonden aan de rand van de buitenste loopgraaf, vurend op bevel van een bulderende commandant in de verte, gescheiden van hun medesoldaten door een deel van de loopgraaf en ver uit het zicht van wie dan ook. Met zijn machinegeweer in de aanslag zag Nadav uit zijn ooghoeken hoe Isaac zijn hand in zijn olijfgroene tas stak, er een klein zakje uithaalde, gemaakt van zwart fluweel, en daar iets uitnam.

'Isaac, wat doe je?'

Tijdens een moment van onderbreking was Isaac omlaag gedoken in de loopgraaf, had de linkermouw van zijn uniform losgeknoopt en deze opgetrokken tot boven zijn elleboog waardoor zijn bleke, harige arm te voorschijn kwam. Hij trok zijn wenkbrauwen samen in hevige concentratie, plaatste het kleine lakdoosje op zijn biceps en draaide de leren riem rond zijn arm en hand; toen plaatste hij het andere doosje op zijn hoofd, met de riemen rond het voorhoofd, en ten slotte wikkelde hij de rest van de lange riem drie keer rond zijn middelvinger terwijl hij voor zich uit de bijbehorende bijbelverzen mompelde: 'Ik zal u Mij tot bruid werven voor eeuwig… Ik zal u Mij tot bruid werven door gerechtigheid…'

'Isaac, wat doe je?'

Isaac schikte de riemen rond zijn hoofd, waarbij hij het leer iets uitrekte en veel lager en strakker om zijn hoofd trok dan gewoonlijk. Het zwarte lakdoosje lag op zijn voorhoofd als een juweel in een kroon. 'Wat denk je dat ik doe,' spuugde hij terug.

'Je bent gek,' zei Nadav. 'We moeten hier zo weg. Ze zullen ons binnen een kwartier, of misschien nog eerder, uit deze loopgraaf halen.'

'Daarom doe ik het,' antwoordde Isaac. De beschietingen kwamen dichterbij. Volledig uitgedost met zijn tefillien en nu beginnend aan zijn dagelijkse ochtendgebeden pakte Isaac zijn machinegeweer en ging weer op wacht staan, nog steeds biddend.

'Hoe kun je richten met dat ding op je hand?' vroeg Nadav.

Isaac hield even op met bidden, keek op naar Nadav en wachtte tot Nadav hem recht in zijn ogen keek voordat hij antwoordde: 'Hoe kun je zonder dat richten?'

Nadav zweeg even, onder de indruk, zoals hij vaak was geweest wanneer Isaac de mensen in het studiehuis versteld deed staan met een plotselinge briljante opmerking. Hij voelde zijn mond openhangen. Maar bij het geluid van een nieuwe granaat, die vlakbij insloeg, dwong Nadav zijn aandacht terug naar de loopgraaf en gaf zijn broers in leer gewikkelde arm een stoot met de kolf van zijn geweer terwijl hij gromde: 'Isaac, hou op met je lyrische flauwekul, wil je? Het is het niet waard!'

Isaacs gezicht vertrok van pijn, en Nadav keek naar hem en slikte. Hij had hem niet echt pijn willen doen. Maar toen Isaacs gezicht roder werd en paarse aderen onder de huid van zijn voorhoofd begonnen op te zwellen, zag Nadav dat het niet die stoot tegen zijn arm was geweest die Isaacs gezicht had doen vertrekken.

De druk bouwde zich op in Isaacs voorhoofd, zijn lippen trilden. En toen, plotseling, barstte hij uit en schreeuwde: 'Jij denkt dat je gewoon maar iets kunt vergeten en dat het dan weggaat, maar dat kan niet, Nadav! Zo werkt het niet! Ook al denk je dat je het vergeten bent en dat je er vanaf bent, het gaat nooit weg!'

Nadav kreeg het warm onder zijn uniform. Hij slikte, en schreeuwde toen: 'Waar heb je het over, verdomme?'

'Over jou,' gilde Isaac.

Nadav keek naar Isaacs gezicht, dat vuurrood was onder de zwarte leren riemen en gilde terug: 'Je bent krankzinnig, verdomme!'

Deze keer draaide Nadav zich helemaal naar Isaac toe en gaf hem een harde duw, zonder te verwachten dat het veel effect zou hebben. Maar tot zijn verbazing verloor Isaac zijn evenwicht en viel struikelend een paar stappen naar achteren. Hij probeerde zijn evenwicht te herwinnen, maar stapte in een kuiltje in de grond en kwam op de slinkende munitievoorraad terecht.

Terwijl Isaac achterover viel, klonk tussen hen in een klap die luid genoeg was om de hemel te splijten, als een enorm raam dat dicht werd geslagen. Door de kracht van de granaat die zojuist was ontploft werd Nadav achteruit tegen de wand van de loopgraaf geslagen. Een ogenblik later, terwijl hij wanhopig probeerde te ontsnappen aan de vlammen van de ontbrandende munitievoorraad, zou hij de gapende wonden in zijn linkerarm opmerken en de gierende pijn in zijn gebroken been voelen. Maar op dat eerste ogenblik keek hij alleen naar de plaats waar Isaac had gestaan. Het scheen Nadav toe dat God zelf in een wolk was verschenen en zijn arm had uitgestoken om Isaac te grijpen. Maar toen de rook optrok, zag Nadav Isaacs lichaam op de grond liggen: zijn benen brandden, zijn hals was doorboord met granaatscherven en zijn haardos, die in de loopgraven weer tot zijn oude lengte was gegroeid, was doorweekt van bloed. Het lakdoosje van de tefillien zalfde zijn voorhoofd met bloed. Isaacs bloed, zag Nadav nu, was roder.

Even hield Nadav het beeld vast van Isaacs gezalfde hoofd, zijn doorboorde nek, zijn rodere bloed. Hij was in het beeld, hij voelde het, ademde het, verstijfd en roerloos binnen de lijst. Toen, met één enkele beweging, stapte hij uit het beeld en schopte de bureaustoel waarop hij stond tegen de vloer onder zijn hangende voeten.

En zo, op die kleurloze winteravond eind 1946, toen hij nog geen zevenenveertig jaar oud was, benam Nadav Landsmann zich het leven, want niemand anders wilde het hebben.

10

Het boek van de orkaan Job

1.

1. Er was eens een man uit het land New Jersey, en William Landsmann was zijn naam, en die man was vroom en oprecht en godvrezend en wijkend van het kwaad. 2. En William Landsmann woonde met zijn vrouw in een goed huis in New Jersey, en zijn zoon en zijn zoons vrouw en zijn drie kleinkinderen woonden dichtbij, en tot zijn bezittingen behoorden een auto, en veel kleding, en veel blauw-witte schalen, en meubelen, en veel instapkaarten, en zevenduizend dia's van zijn reizen naar verre landen. 3. Want William Landsmann was gewoon over de aarde te dolen, en deze omhoog en omlaag te bereizen, en hen te vinden die worstelden met God in vele landen over vele zeeën. 4. En op de dag waarop hij terugkeerde van zijn reizen bracht hij zijn film weg om ontwikkeld te worden en in diaraampjes te worden gezet. 5. En dan liet William Landsmann een licht schijnen om de dia's op een scherm in zijn huis te projecteren, en hij keek ernaar met het licht en zag dat ze goed waren.

6. Op een dag kwamen de zonen van God om zich voor de God van hemel en aarde te stellen, en onder hen kwam ook Satan. 7. God zei tegen Satan: 'Vanwaar komt gij?' En Satan antwoordde God en zei: 'Van een zwerftocht over de aarde, die ik doorkruist heb.' 8. En God zei tegen Satan: 'Hebt gij ook acht geslagen op mijn knecht William Landsmann? Want niemand op aarde is als hij, zó vroom en oprecht en godvrezend en wijkend van het kwaad.' 9. Satan antwoordde: 'Is het om niet, dat William Landsmann God vreest? Hebt Gij zelf niet hem en zijn huis en al wat hij bezit

aan alle kanten beschut? Het werk zijner handen hebt Gij gezegend, en zijn bezit is zeer toegenomen in het land. 10. Strek daarentegen uw hand uit en tast alles aan wat hij bezit – of hij U dan niet openlijk zal vervloeken!' 11. En God zei tot Satan: 'Zie, al wat hij bezit zij in uw macht, alleen naar zijn dia's zult gij uw hand niet uitstrekken.' 12. Toen ging Satan van Gods aangezicht heen.

13. En dus nam Satan het op zich om de carrousel van de vooruitgang terug te draaien, en hij draaide hem vele dagen terug, draaide de duisternis weg voor het licht en het licht weg voor de duisternis, 14. en hij verscheen in de tijd van de grootouders van William Landsmann. 15. En hij bracht groot lijden over William Landsmanns grootmoeder, zozeer dat zij terugkeerde naar een ver land, 16. en daar sloeg hij de geest van William Landsmanns vader met smart en eenzaamheid en weerstand, 17. en de smart en de eenzaamheid en de weerstand brachten de vader van William Landsmann naar de oorlog, waar hij grote kwelling en gruwel onderging door zijn eigen hand, die hij ophief tegen zijn broeder, 18. en toen het bloed van zijn broeder tot hem riep van de aardbodem, sloeg William Landsmanns vader er geen acht op. 19. En de vader van William Landsmann sloeg ook geen acht op de schreeuw van zijn vrouw, en hij liet haar sterven, 20. en zo stierf William Landsmanns moeder toen William Landsmann nog een jongen was, 21. maar William Landsmann vervloekte God niet. 22. En William Landsmann werd weggevoerd uit zijn geboorteland, en opnieuw weggevoerd. 23. En na het bereiken van het land New Jersey benam William Landsmanns vader zich het leven en liet William Landsmann alleen achter, zonder moeder of vader. 24. En vele jaren later werd de kleindochter van William Landsmann, een jonge vrouw, nog niet geheel volgroeid, geslagen terwijl ze over de weg liep, en viel, en stierf, 25. en de ouders en broers van het dode meisje trokken ver weg, naar Californië, William Landsmann ver achter zich latend. 26. En toen werd William Landsmanns vrouw geslagen, en haar geheugen ontglipte haar, zodat zij zich zelfs haar man nauwelijks herinnerde. 27. Maar door dit alles heen vervloekte William Landsmann God niet.

II.

1. Weer was er een dag waarop de zonen Gods zich voor God stelden, en Satan kwam onder hen. 2. En God zei tegen Satan: 'Vanwaar komt gij?' En Satan antwoordde God en zei: 'Van een zwerftocht over de aarde, die ik doorkruist heb.' 3. En God zei tegen Satan: 'Hebt gij ook acht geslagen op mijn knecht William Landsmann? Want niemand op aarde is als hij, zó vroom en oprecht en godvrezend en wijkend van het kwaad, 4. en nog volhardt hij in zijn vroomheid, hoewel gij Mij tegen hem hebt opgezet om hem, zonder oorzaak, in het verderf te storten.' 5. Maar Satan antwoordde God en zei: 'Huid voor huid, en al wat iemand heeft, zal hij geven voor zijn leven. Strek daarentegen uw hand uit en tast zijn dia's aan – of hij U dan niet openlijk zal vervloeken.' 7. En God zei tot Satan: 'Zie, hij zij in uw macht.' Toen ging Satan van Gods aangezicht heen.

9. En een grote orkaan stak op en schudde de fundamenten van William Landsmanns huis. 10. Achter William Landsmanns huis vloeide een kleine stroom, afkomstig uit een hoofdriool, 11. en op de dag van de grote storm stroomde het water over en rees het vloedwater en openden zich de sluizen, 12. en het water vulde William Landsmanns achtertuin, en barstte door het raam van zijn woonkamer, 13. en een grote golf spoelde tegen de muur van zijn woonkamer en nam de dozen mee die de zevenduizend dia's van verre landen bevatten.

14. En de dozen openden zich op de golven, en de dia's kwamen los uit hun carrousels, 15. en elke dia zonderde zich af van de dia naast hem, en dreef transparant op de wateren, 16. elk los van zijn volgorde, betekenisloos en verspreid, 17. land gemengd met land, en jaar gemengd met jaar, 18. geen ervan meer of minder belangrijk dan de andere, 19. zacht schijnend in het licht van de groene stormhemel, zachtjes rustend op de huid van het water, 20. geen beelden door schijnend maar alleen de donkere diepte, 21. en zo dreven de

dia's, twee aan twee en zeven aan zeven, het raam uit en de storm in, ver weg gevoerd, door de riolen en weg, weg naar de uitgestrekte oceaan, 22. waar ze langzaam, heel langzaam, alsof ze de tijd voelden oplossen in de dichtheid van het water, omlaag, omlaag, omlaag zweefden naar de bodem van de zee.

23. Toen nu de drie vrienden van William Landsmann hoorden van het leed dat hem had getroffen, kwam ieder van hen uit zijn woonplaats: Leora de New Jerseyse, Yehudah de Brooklyniet en Leah de Oostenrijk-Hongaarse, 24. en zij kwamen volgens afspraak bij elkaar om hem te beklagen en te troosten. 25. En toen zij van verre hun ogen ophieven en hem zagen zonder zijn dia's, en hem niet herkenden, verhieven zij hun stem en weenden, en zij scheurden hun mantel en strooiden stof op hun hoofd, hemelwaarts. 26. En zij zaten bij hem op de grond, zeven dagen en zeven nachten; niemand sprak een woord tot hem, want zij zagen dat zijn smart zeer groot was. 27. Daarna opende William Landsmann zijn mond en vervloekte zijn geboortedag.

III.

1. En William Landsmann hief aan en zei:

2. 'De dag verga waarop ik geboren werd,
    het ogenblik verga waarop mij ouders elkaar ontmoetten,
    vernietig het ogenblik waarop zijn ogen de hare ontmoetten!

3. Beter ware het geweest dat ik nooit was geboren
    dan te leven en mijn beelden te zien drijven op de golven,

4. Mijn levenswerk verspreid, mijn scheppingen ongeschapen…
    Een hele wereld verdwenen op de oceaanbodem!

5. Mijn brullen stroomt voort als water,
    mijn woede barst tegen de sluizen,

6. En ik stort mijn toorn uit in de wateren beneden.

7. Vervloekt zij de God van hemel en aarde,
   die slechts opbouwt om te vernietigen;

8. Die grote steden bouwt,
   alleen om ze te overstromen,

9. Die het rijk van de mens tot stof doet vergaan,
   en zijn levenswerk in het hart van de zee werpt!'

IV.

1. Toen nam Leora, de New Jerseyse, het woord en ze zei:

2. 'William Landsmann, ik wens niet te spreken,
   echter, alle mensen op jouw dia's konden mijn tong niet langer
       bedwingen.
   Ik vraag je niet waarom je God vervloekt, maar vraag:
   waarom vervloek je God pas nu?

3. Je vervloekt de dag waarop je ouders elkaar ontmoetten, maar
   je vervloekte niet de dagen waarop ze stierven.

4. Je vervloekte God niet bij de dood van je moeder,
   noch toen je vader je verstootte,
   noch toen twee landen hetzelfde deden.

5. Je vervloekte God niet op het vinden van je vaders lichaam,
   noch toen je hem begroef in de wildernis, eenzaam en alleen.

6. Je vervloekte God niet bij de dood van je kleindochter,
   noch toen je zoon je overliet aan straten bevolkt door geesten.

7. Doch nu liggen je dia's verspreid over de golven,

beelden van mensen die je liefhad noch kende,
verre vreemdelingen, nu eindelijk vrij…

8. En hierom, alleen hierom,
   keer je je af en vervloek je God?'

v.

1. Hierop werd William Landsmann rood en hij brulde, en hij bulderde tegen haar:

2. 'Wee jou, New Jerseyse, die de wegen kent
   van hemel noch aarde, die denkt
   in termen van "goed" en "slecht", van "juist" en "onjuist",

3. Met je supermarktethiek! Filosofie van Costco!
   Moraal van winkelcentra; theologie van videofilms;

4. Onverdiend lijden zie je slechts als
   een slag wreed uitgedeeld door de hemelen
   en niet door mensen hier op aarde,

5. Jij die bij lijden vraagt: "Waar was God?"
   en nooit: "Waar was de mens?"

6. Jij, die van het geloof in God
   een Disney World-religie maakt!

7. Nee, New Jerseyse, je kent de wegen niet
   van de mens op deze aarde.

8. Toen dat jonge meisje, je vriendin, stierf,
   met wie ik nooit mijn tranen heb gedeeld,
   zocht ik niet God, maar jou, haar vriendin…
   Maar jij verkoos niet te luisteren.

9. Mijn vaders moeder liet haar leven achter,
   mijn vader liet mijn moeders leven achter,
   en liet toen zijn leven achter, en het mijne.

10. Maar die beslissingen namen zij! Zij!
    Niet een of andere God die de hemel splijt.

11. Tot vandaag heb ik God niet vervloekt omdat:
    in deze grootse wereld van vrijheid en keuze,
    alleen overstromingen en plagen en orkanen nog Gods schuld
    zijn.'

VI.

1. Toen nam Yehudah, de Brooklyniet het woord, en hij zei:

2. 'Vrees niet, William Landsmann, niet alles is verloren!
   Bedwing je vervloekingen, onderdruk je dreigementen!
   God bouwt een betere wereld voor hen die wachten.

3. Die getroffen dia's die je zag als jouw lot,
   meegevoerd door het water, verdronken in de golven,
   zinken niet alleen in de diepten van de tijd:

4. Onze God zendt een vloed naar de wereld om haar te zuiveren.

5. Eens, toen alles op aarde verloren was, vroeg God
   zijn dienaar Noach een ark te bouwen,
   om te redden wat hij kon van de vloedwateren
   die God neerstortte over het land
   om alle land weer in zee te veranderen.

6. Alleen zo kon God de aarde redden van het kwaad:
   door opnieuw te beginnen. Want water is het
   enige op aarde wat God niet heeft geschapen.

7. Toen God de aarde schiep, lezen we:
   "De aarde was woest en ledig,
   en duisternis lag op de vloed" – ja, de vloed –
   "en de Geest Gods zwccfde over de wateren" – ja,
   de wateren! God heeft het water niet geschapen,

8. Maar heerst erover; men zou zelfs kunnen zeggen
   dat water een deel is van God, en Hij een deel van het water.

9. In de bijbel toont water altijd Gods macht. Lees!:

10. "De Here troonde boven de zondvloed."

11. "De stem des Heren is over de wateren,
    de God der heerlijkheid doet de donder weerklinken,
    de Here over de geweldige wateren!"

12. "Breng onze gevangenen terug,
    als beken terugkerend in de woestijn!"

13. "Laat het recht als water golven,
    en gerechtigheid als een immer vloeiende beek!"

14. "Des Heren is de aarde en haar volheid,
    want hij heeft haar op de zeeën gegrond,
    en op de stromen gevestigd!"

15. "De zee bruise en haar volheid!"

16. "Hij verandert de rots in een waterplas,
    de keisteen in een waterbron!"

17. "Hij verzamelt het water der zee als een dam.
    Hij legt watervloeden in schatkamers op."

18. "Want de aarde zal vol zijn van de kennis van God,
    zoals de wateren de zee bedekken!"

19. Zie je, dat alles is voorbij, William Landsmann,
    al wat voorbij is, is slechts een begin.

20. Laat het wegspoelen, wegspoelen…
    en laat het leven opnieuw beginnen!'

VII.

1. Hierop werd William Landsmann rood en hij brulde, en hij bul-
    derde tegen hem:

2. 'Jouw rechtvaardigingen vloeien als water,
    en je eigendunk als een machtige stroom!

3. Nee, Brooklyniet, jij kent niet
    de wegen van God op aarde.

4. Jouw God is een god van woorden, woorden, woorden!
    Stapels citaten, hoofdstukken, verzen:

5. Een vers voor geboorte en een vers om te sterven,
    een vers om te doden en een vers om te helen,
    een vers om te rouwklagen en een vers om te dansen,
    een vers om te scheuren en een vers om dicht te naaien,
    een vers om te bewaren en een vers om weg te werpen…

6. En o, of jij verzen wegwerpt!

7. "God bouwt nieuwe werelden uit de zondvloed," zeg je,
    "door alles te vernietigen en opnieuw te beginnen."

8. Maar van dat oude verhaal over de zondvloed ben je één ding
   vergeten.

9. Open je boek weer en zoek dit ontbrekende vers
   dat God verkondigt aan Noach: "Er zal nooit een zondvloed
   meer wezen om de aarde te verwoesten!"

10. Nooit meer… gelezen? Nooit! God verwoest zijn wereld niet!

11. Meer bewijs, zeg je? Ga dan hierheen, ga hierheen,
    naar een ander vers dat je hebt weggeworpen.

12. Dieren kwamen bij Noach in de ark, twee aan twee en zeven aan
    zeven,
    en van daaruit, zeg jij, begon de wereld opnieuw.

13. Maar is het niet bij je opgekomen dat God de vissen schiep?
    En zeedieren, zeehonden en zee-egels, ondeugend als de jon-
    gen die ik was.
    Schepselen die altijd in de zee hebben geleefd.

14. Geen "nieuwe wereld" voor hen… nee, zij bleven
    veilig in de diepten van de oceanen,
    zich onbewust van de verstrijkende tijd, bezinksels ziftend
    uit vroeger tijden, onwetend van de zondvloed boven hen
    of van een wereld waarin dingen kunnen worden uitgewist;
    zij duiken in de diepten, verkennen
    dingen zo lang geleden weggeworpen
    door hen die meenden te verwoesten
    wat niemand volgens hen mocht weten.

15. Nee, Yehudah, God "zuivert" de wereld niet,
    noch wist hij zijn beelden uit van de aarde.

16. Dingen worden bewaard, ergens, hoe dan ook,
    en dit wordt niet weerlegd door jouw onwetendheid daarvan.

17. Jij tracht alle verleden levend te houden behalve het jouwe…
    je doet de doden van fictie, maar niet van feit herleven;
    je onthoudt de mythen, maar werpt je geschiedenis in zee!

18. Mijn dia's bewaarden een wereld die verloren kan gaan,
    en nu zijn die dia's zelf verdwenen,
    mij ontwrongen door de arm van God,
    wiens beschermende werk ik hoopte te doen.

19. Nee, Yehudah, jouw bijbelse God zou dit misschien doen,
    maar de mijne niet…
    niet de aardse God wiens schatkamers we kunnen vinden!'

VIII.

1. En toen sprak Leah, de Oostenrijks-Hongaarse, en ze zei:

2. 'Alsjeblieft, mijn dierbare kleinzoon, spreek niet meer;
   je gejammer bedroeft mij ten diepste!

3. Brengt een wijze ijdele kennis voort,
   en vult hij zijn binnenste met oostenwind?

4. Je weeklaagt over foto's alsof een stad vernietigd was,
   maar ik stel een hardere vraag:
   waarom weeklagen over wat dan ook?

5. Want tranen worden verspild, en geweeklaag meegezogen
   door het gieren van de wind.

6. Ik wandelde over de wereld alle jaren van mijn jeugd…
   wandelde en wandelde en vond geen troost.

7. Ik keek naar de sterren en ze werden mij ontzegd;
   ik keek naar de rivieren en ze werden droog gezogen;
   ik reisde van een land van bossen naar een land van ijzeren ravijnen;
   rotsen van staal en ijzer, straten geplaveid met niet uitgekomen dromen.

8. Boeken kwelden mij, woorden boden mij geen troost;
   hun letters staken hun schreven naar mij uit
   als kwaadsprekende tongen.

9. Ik strekte mijn handen uit op zoek naar hulp
   en ze werden gegrepen en samengebonden,
   de ene vinger aan de andere genaaid, vereelt en verdoofd.

10. Ik klauwde de vloer in rouw, ik scheurde mijn rok in tranen,

11. En toen ik weer opstond, wandelde ik opnieuw weg,
    en wierp mijn verleden achter mij, op de bodem van de oce-
    aan.

12. Ik wandelde verder, verder, verder, over bergen en door dalen,
    tot ik een open deur vond en ernaast ineenzakte.

13. Eens weeklaagde ik; langgeleden voer ik uit tegen de hemel,
    maar daar, in de wildernis, vond ik mijn laatste toevlucht:
    als God je niet antwoordt, houd dan op met vragen!

14. Ben jij als eerste der mensen geboren
    of eer dan de heuvelen voortgebracht?

15. Ik wist, toen er geen antwoorden meer kwamen,
    dat ik moest ophouden met vragen, en dat zou ook jij moeten
    doen.'

IX.

1. Hierop werd William Landsmann rood en hij brulde, en hij bulderde tegen haar:

2. 'Europese zelfgenoegzaamheid! Woorden van uitgeputte continenten!
   Nutteloos, ongelovig, hulpeloos, wanhopig,
   de taal van hem die zich net zo lief laat begraven!

3. Zij die spreken als jij hebben hele rijken verloren
   en minder geprotesteerd dan ik om mijn dia's.

4. Tevreden hun leven voorbij te zien gaan, of te zien verdwijnen,
   jullie werpen niet alleen je verleden maar jezelf in zee!

5. Ik heb dat leven al geleid, in omgekeerde richting.

6. Als jongen hield ik op met vragen voordat mijn mond zich had geopend;
   ik had nauwelijks leren spreken voordat ik mijn lippen verzegelde.

7. Ik doorzocht de woordenboeken van het verlangen,
   ik raadpleegde de archieven van de wanhoop.

8. Ik vond daarin de woorden om mijn verdriet te benoemen,

9. Maar ik verwachtte nooit antwoorden,
   en vroeg toen nooit meer.

10. Ik wandelde zwijgend, al die jaren,
    ik vroeg niets, en kreeg er niets voor terug.

11. Jaren, vele jaren lang, was ik jou,
maar zwijgen brengt meer lawaai voort dan zwijgen meebrengt!

12. En nu stel ik mijn eigen eis
aan de God van hemel en aarde:

13. Ik vraag U niet, God, mijn moeder terug te brengen,
noch mijn vader, noch mijn jeugdjaren.

14. Ik vraag niet om rijkdom, wijsheid, macht, het eeuwige leven,
zelfs niet om gerechtigheid, of genade, of liefde.

15. Ik vraag alleen om de beelden die ik van de wereld heb geschapen.

16. Breng mijn beelden tot mij weder, o God, en ik zal wederkeren.
Vernieuw mijn dia's gelijk vanouds!'

x.

1. Toen antwoordde God William Landsmann vanuit de storm, en zei:

2. 'Wie is het toch die het raadsbesluit verduistert met woorden zonder verstand?
Gord nu als een man je lendenen,
dan wil Ik je ondervragen, opdat je Mij onderricht.

3. Waar was jij toen ik de aarde grondvestte?

4. Tekende jij de kromme rug van een te lang meisje
dat over de aarde loopt met gebogen hals,
haar hoofd vernedert voor het aangezicht van de dag?

5. Heb je een foto gemaakt van de schop
   van de zuster van een lang meisje, die haar bed deelde,
   die draait en woelt in onrustige slaap...
   of van de schop gevoeld diep in de schoot
   van een lang meisje neerliggend in stille angst?

6. Heb je een koepel gefotografeerd van hangende sterren,
   of het flakkeren van een vlam die een lap verslindt
   die in een gaspijp is gepropt...
   of het gezicht van een jongen met verbrande neusgaten,
   die eindelijk vredig slaapt?

7. Heb je de eenzaamheid gefotografeerd
   van een kind opgegroeid in te kleine kleren,
   in een kamer te klein, in een huis te klein,
   in een wereld te klein voor het kleinste hoekje van zijn hart,
   het trekken van een te kleine jas over zijn magere, groeiende
   schouders,
   of de zachte aanraking van zijn moeders lippen tegen de rand
   van zijn oorlelletje,
   terwijl hij zich onder zijn dekens omdraait en doet of hij
   slaapt,
   doet alsof hij niet voelt dat ze over hem waakt?

8. Heb je de foto afgedrukt van de duw van één man tegen een andere
   in een storm van vuur en zwavel,
   of de plotselinge misstap van een voet in een gat,
   die een heel leven zwart kleurde?

9. Omvatten jouw dia's het beeld van een jongen
   die elke avond zwijgend voor een boek zit,
   zijn groeiende, tastende vingers zoekend naar een woord,
   heen en weer gaande tussen de pagina's
   om zijn vaders grimas en zijn moeders vervaagde gezicht te
   vergeten?

10. Zul je je foto laten zien van een piepkleine slaapkamer,
    gedeeld door vader en zoon, en door het lijk van de vader,
    en door de zoon die zijn best deed het uit zijn hoofd te zetten?

11. Waar is je foto van een jong, jong meisje,
    een meisje te jong om de schatkamers van de tijd op te graven,
    of ook maar de dichtstbijzijnde kasten van haar geest te ver-
        kennen...
    Waar is je kiekje van dat vallende meisje,
    dat vallend, struikelend op de grond tuimelt,
    op de weg, halverwege de reis naar wie ze was,
    alvorens te bereiken wie ze nooit zou zijn?

12. Heb je een foto gemaakt van de zachte klauwen van de slaap
    die in je handen dringen terwijl je doezelend in je stoel zit,
    armen gevouwen, je hoofd naar voren buigend als in gebed,
    de zachte, diepe slaap die je eerst bij de hand ontbiedt,
    en je vlees binnendringt tot je handen verdoofd raken
    en rechter- en linkerhanden oplossen in de lucht?

13. Heb je de grote galerij der dromen gefotografeerd
    die ik onder je oogleden hang wanneer je slaapt?
    Dat grote, donkere gordijn dat de slaap onthult
    op de gezonken wereld van verleden en toekomst...

14. Waar zijn je dia's van die galerij van ongeleefde dromen?

15. Je eet je maaltijden uit blauw-witte porseleinen kommen,
    maar ik eet de mijne uit de blauwe kom van de zomer
    en de witte kom van de winter,
    elk op zijn beurt omgekeerd;

16. Je steekt kaarsen aan en doet lampen aan
    terwijl ik de aarde laat draaien en de ondergaande zon omlaag
        duw.

17. Je neemt je foto's van de oceaan, van de rimpelingen van het op-
    pervlak,
    maar heb je de volheid ervan gefotografeerd…
    de eeuwen van geheimen begraven op de zeebodem?
    Want er zijn geheimen daar, diepe geheimen…
    het verleden van de hele wereld, elk moment volmaakt be-
    waard,
    mijn uitgestrekte schatkamer onder water voor elke vluchte-
    ling van de tijd.

18. Ik daag je uit, William Landsmann, om een
    beeldengalerij als de mijne te verzamelen.
    De brul van de oceanen en de volheid ervan…

19. Dat zijn mijn beelden, mijn universum, mijn eeuwigheid,
    die ik hier op droog land in jullie midden heb geplaatst.

20. Ik heb je naar mijn beeld geschapen.
    Ik ben niet geschapen naar het jouwe!'

21. En God trok zich terug in de storm.

XI.

1. En William Landsmann rees op uit zijn rouw, en vertrok voor
zijn volgende reis, en zijn vrouw reisde met hem. 2. En hij reisde
naar het land Californië, waar hij nergens anders heen ging dan
naar het huis van zijn zoon, en zijn zoons vrouw en zijn twee kleinzoons, 3. en hij bracht zijn camera niet mee.

4. Maar toen hij in het huis van zijn zoon, en zijn zoons vrouw en
zijn twee kleinzoons kwam, vond William Landsmann verlos-
sing… 5. in de vorm van dia's, zijn eigen dia's, beelden van zijn
kleindochter, Naomi Landsmann, 6. die William Landsmanns
vrouw, die ziek in haar hoofd was maar niet in haar ziel, in haar

gekte ver weg had gezonden naar hun zoon, 7. of wellicht niet in gekte, maar in de wijsheid, zelfs uit de diepste diepten van de vergeetachtigheid, van weten wat het bewaren waard is.

8. Moge deze herinnering, en elke herinnering geschapen naar haar beeld, een zegen zijn.

II

Een toerist in de Verloren Stad

De nacht voor haar bruiloft had Leora een droom. Ze droomde dat ze een diepzeeduiker was geworden.

Het was nacht in haar droom, net als het buiten was terwijl ze droomde: een warme zomernacht, bevend van zomernachtelijke fluisteringen, vochtig gras slapend onder een dunne nevel die als een sluier voor het huis van haar ouders hing. Leora's lichaam bleef slapen, onrustig woelend door zijn laatste nacht in het smalle eenpersoonsbed, maar zij rees op uit het bed en liet haar lichaam achter. Niet zoals je dat in films ziet. Ze veranderde niet in een spookachtig beeld van haarzelf dat een blik achterom werpt op het lichaam en grijnzend vertrekt naar een andere wereld. Het was minder ingewikkeld dan dat, alsof haar lichaam een zuster van haar was met wie ze dat smalle bed had gedeeld, en ze schopte die zuster gewoon een beetje opzij om zich uit het bed te bevrijden, stond op en liep weg, en liet haar zuster, woelend in haar gewelddadige slaap, achter zich.

Ze verliet de slaapkamer langzaam, liet het licht uit en stapte zachtjes door het donker. Ze liep de trap af en de voordeur uit, de nevelige zomernacht in, gewikkeld in de vibraties van tjirpende krekels die de lucht deden ratelen alsof ze mensen uit angst terug wilden jagen in hun huis, om indringers weg te houden uit de diepe, betoverde zomernacht. Ze liep door haar buurt, langs het huis van Jasons ouders, toen langs Naomi's oude huis, toen langs het huis van Bill Landsmann en toen de snelweg op. Er was niemand op de weg.

Ze liep heel lang over de snelweg, kwam langs borden die haar

eerst naar de stadjes gebaarden waar haar ouders waren opgegroeid, dichter bij New York, en toen naar de stadjes waar haar
grootouders waren opgegroeid, nog dichterbij, naar die ring van
geruïneerde uitbreiding waar haar overgrootouders ooit voor anker
waren gegaan als Columbus, en voor het eerst de Nieuwe Wereld
hadden betreden. Ze kwam langs deze afritten, maar nam ze niet.
Ze bleef doorlopen.

Ze begon sneller te lopen, toen nog sneller, en algauw liep ze op
een drafje, en draafde, rende, sprintte, en ze negeerde de pijn in
haar zijden en verminderde geen moment vaart, terwijl het zweet
over haar voorhoofd liep en ze bijna stikte terwijl ze de dichte zo-
mernevel naar binnen hapte – ze rende langs uitgebrande fabrieken en chemische moerassen, langs spoorwegemplacementen en
stortterreinen, langs vuilnisbelten en verlaten gebouwen, langs ver-
vallen twee-onder-één-kaphuizen en neergehaalde elektrische lei-
dingen, langs ongebruikte schoorstenen en reusachtige watertor-
rens, langs lege straten, lege gebouwen, lege huizen, waarvan geen
enkel raam de donkere nacht verlichtte. Leora bleef rennen en rennen onder de oranje snelweglantaarns, naar ze opkijkend terwijl ze
ritmisch voorbij flitsten boven haar hoofd, als toen ze een kind was
en op de achterbank van haar ouders' auto lag, met haar hoofd tegen het portier bonkend en door het zijraampje opkijkend naar de
donkere hemel, beschermd tegen de nachtelijke demonen door het
gestadige, bonzende ritme van de elektrische straatlantaarns.

En toen, tijdens een plotselinge onderbreking van het ritme van
de lantaarns, stapte ze van de snelweg en rende naar haar bestemming, zonder stil te staan voordat ze door het kleine park langs de
waterkant was gelopen, over het kleine met rommel bezaaide grasveld was gestormd en de pas gereconstrueerde promenade bereikte. Achter de reling lag de haven van New York. Vanaf de reling
ontvouwde zich voor haar ogen de zuidkant van Manhattan, waarvan de schitterende nieuwe gebouwen, die boven het donkere,
mysterieuze water van de haven uittorenden, glommen in mysterieuze kleuren als oranje en groen en blauw. Leora had absoluut de
indruk, in die donkere zomernacht, dat de stad niet verankerd lag

in het land, maar eerder dreef, boven het oppervlak van het water zweefde. Of, preciezer gezegd, dat de stad alleen, bij wijze van spreken, de top van de ijsberg was – dat iets onder het wateroppervlak, iets veel groters en gewichtigers en machtigers, haar ondersteunde. Voor haar, wenkend met een reusachtige toorts, als een fakkel op een plaats waar een misdaad is gepleegd, stond het Vrijheidsbeeld.

Leora klom op de reling langs het wandelpad, een ogenblik balancerend terwijl ze naar de schitterende, brandende stad keek. Toen haar ogen langs het Vrijheidsbeeld gingen, wierp ze zichzelf overboord – en dook omlaag, omlaag, omlaag in het water beneden, tot ze bij de zeebodem kwam.

Leora is de enige ter wereld die dit weet: er is een stad onder de stad New York.

We hebben het niet over de metro, of de kelderverdiepingen, of de parkeergarages, of de geldkluizen of de ondergrondse winkelgalerijen of de treinstations of de rioolsystemen of de telefoonkabels of de rattennesten. Ook bedoelen we niet de georganiseerde misdaadsyndicaten of de sekshandelaren of de undercoveragenten of de omkoperij of de afzetterij of de mannetjesmakerij of de vuilspuiterij, of de illegale immigranten of de slavenhokken of de kinderen in te kleine huizen, of de geheime, met elkaar in verbinding staande gangen tussen de harten van mensen. Nee, we hebben het over een echte stad, een parallelstad waarvan de fundamenten op de bodem van de New Yorkse haven rusten. Het is een stad die volledig bestaat uit dingen die de mensen in de wereld erboven zijn vergeten, uit alles wat ze besloten hebben, bewust of anderszins, in de oceaan te werpen.

Nu hebt u waarschijnlijk al een beeld voor uzelf van hoe deze verloren stad eruit zou zien. U stelt zich waarschijnlijk mensen voor die op van die fietsen met een reusachtig voorwiel op een wijsje van ragtimemuziek door drukke straten met in hoepelrok gestoken vrouwen rijden. Of misschien hebt u trompetterende jazzbands voor ogen, echte swingdansers, of clandestiene kroegen,

of blanke gangsters. Misschien denkt u aan pijprokende industrie-
baronnen met monocles in huizen als paleizen, of listige, goedaardige krantenjongens met tweedpetten op die 'Extra! Extra!' roepen. Of misschien hebt u zich zelfs een beeld gevormd, nog niet
geheel in kleur, van schepen met bollende zeilen en mannen met
gepoederde pruiken. Maar de verloren stad is geen opslagplaats
voor nostalgie – geen vitrine met de versies van het verleden die alleen in het heden bestaan, gecreëerd uit een mix van ijle lucht en
ons nog ijlere vermogen de schoonheid van het moment te zien.
Nee, de verloren stad – en het is goed mogelijk dat er andere verloren steden zijn, verscholen onder de Seine of de Jangtse of de Krim
of de Nijl of de Oostzee of de Ganges of de Amazone of de Donau
of de Amsterdamse grachten, maar hier hebben we het alleen over
New York – bevat alleen dingen die wij echt achter ons hebben gelaten, is uitsluitend opgebouwd uit wat we voor altijd verloren ach-
ten.

Het is een ommuurde stad, deze stad onder de stad New York.
De zuidelijke muur is dik en sterk, bestaat uit de overblijfselen van
de muur die ooit Wall Street begrensde, de oude fortificaties die
langgeleden gebouwd zijn door de kolonisten van Nieuw Amsterdam – in de tijd waarin de sterkte van een stad meer bepaald werd
door wat ze buiten kon houden dan door wat ze in staat was binnen te laten. Zoals we zeiden, is de verloren stad een ommuurde
stad, maar alleen in naam. De stad is zo overbevolkt, zo overweldi-
gend vol, zo wemelend en gierend en ziedend en brandend van alles wat we nu zijn vergeten, dat het over de muren stroomt, het
armzalige afval van haar krioelende kusten verspreidt zich in alle
richtingen tot de muren rond het centrum weinig meer zijn geworden dan een technisch detail. Maar in dit toevluchtsoord onder
water kunnen de bijeengekropen massa's vrij ademhalen. De burgers, wier lichaam zich de vorm van een foetus in een zoutachtige
schoot herinnert, ademen door kieuwen in half doorgesneden halzen.

De taal die er gesproken wordt, varieert van tijd tot tijd. In het
begin was het het getjilp van vogels, grote zwermen vogels, omlaag

gedreven door zwerflandbouw erboven. Toen, en dit is eeuwen zo geweest, werd Manhattans de lingua franca van deze verloren stad. Nee, niet de metaforische, denkbeeldige taal van rijkdom en armoede en misdaad en kunst, maar de feitelijke taal Manhattan, gesproken door de Manhattan-stam van inboorlingen die het eiland een paar honderd jaar geleden heeft opgegeven voor kralen met een waarde van ongeveer vierentwintig dollar. (Sommige inwoners van de verloren stad, de zeer benijde elite van de gemeente, dragen deze kralen om hun hals.) Natuurlijk worden er ook andere talen gesproken. Een paar honderd burgers spreken zeventiende-eeuws Nederlands; een stuk of tien gaan er prat op Esperanto te beheersen. En de laatste tijd leren steeds meer mensen Jiddisch.

Buiten de muren is de weg naar de verloren stad onder New York geplaveid met tefillien.

Leora ging bijna onopgemerkt de verloren stad binnen. De poortgebouwen van de stad – bemand, hoorde ze later, door zelfmoordenaars – bewaken de deuren niet erg zorgvuldig, en de wachter die dienst had toen zij binnenkwam was bijzonder onoplettend. De wachter, een knappe man van in de veertig met een grijzende snor en helderblauwe ogen, ging volledig op in iets wat hij las. Vanuit haar positie was moeilijk te zien wat het was, maar toen ze een beetje omhoog zweefde in het water, terwijl ze door de poort probeerde te glippen, ving ze een glimp op van Duitse woorden – iets dichtbeschrevens, met voetnoten. Toen ving de wachter echter haar blik op, sloeg het boek dicht en bedekte de titel met zijn arm. 'Wat wil je?' gromde hij.

Ze kromp enigszins in elkaar. Vanuit haar ooghoeken zag ze tientallen mensen door de poort binnengaan, van wie niemand zich verwaardigde een soort identiteitsbewijs of paspoort te laten zien. In de verloren stad, besefte Leora, is binnengaan nooit een probleem. De wachters zijn er om te voorkomen dat mensen haar verlaten.

'Alleen een plaatselijke plattegrond, als u er een hebt,' stamelde ze.

De wachter bromde wat, pakte toen een sleutel en opende een la van het bureau dat voor hem in het poortgebouw stond. De la barstte open, en Leora zag dat hij vol zat met allerhande papieren – getypte papieren, gedrukte papieren, gestencilde papieren, met bruine inkt beschreven vergelende papieren. Na een volle vijf minuten te hebben gezocht, haalde de wachter er een kleine rol uit. Hij overhandigde haar de rol door het raampje, maakte een ongeduldig gebaar met zijn hand, gromde weer en verdiepte zich opnieuw in zijn boek. Leora haastte zich door de poort en in de stad stond ze stil om de van water doortrokken gele randen te ontrollen. Maar toen ze de rol had geopend, zag ze dat de kaart vrijwel blanco was en dat alleen de contouren van de oceaanbodem erop stonden afgebeeld – een kaart van wat geweest was. En zo dwaalde ze, niet in staat zich ergens op te richten, door de drukke straten.

De straten van de verloren stad waren overvol. Maar in tegenstelling tot wat je zou verwachten, was er niet veel vreemds aan als je eenmaal gewend was aan de gaslantaarns, het ontbreken van auto's, het geluid van het Manhattans en de mensen die door kieuwen ademden. Het was in feite bijna verontrustend zo normaal als het leek. Mensen keerden terug van hun werk, haastten zich voorbij alsof ze aan niets anders konden denken dan aan de maaltijd of de zoon of de dochter of de geliefde die thuis op hen wachtte. Sommigen deden boodschappen, kochten karntonnen of naaimachines, terwijl anderen alleen etalages keken en zich afvroegen of ze zouden investeren in een lezing van de frenoloog. Weer anderen maakten gewoon een ommetje – jonge stellen met de armen om elkaars middel, oude stellen die hand in hand liepen, stellen ertussenin met ritsen kinderen op hun rug. Het had niet normaler kunnen zijn. Niet tevreden met al dat normale, doolde Leora wat verder tot ze de dierentuin van de verloren stad ontdekte.

Er is een dierentuin in de verloren stad, met alle dieren die zijn uitgestorven. Het vogelhuis zit vol met dodo's; er zijn rotsen van fiberglas die bewoond worden door sabeltijgers. Er is een zeeverblijf vol dieren waarvan Leora zelfs de namen niet wist – dieren uit vroeger tijden, reusachtige schaalachtige dingen en piepkleine gevederde dingen en doornachtige dingen en slijmachtige dingen die waarschijnlijk nooit aan de oersoep zijn ontkomen. Vooral de mastodontenvoorstelling is zeer populair, want op bepaalde tijden van de dag mogen kinderen die de verloren dierentuin bezoeken op de wollige mammoeten rijden; met hun vuistjes grijpen ze het krullende haar van de *behemoths* en ze gillen en huilen en smeken hun ouders ze ervan af te tillen. En toen zag ze natuurlijk de dinosaurussen, hun macht begraven in hun lendenen, hun kracht verborgen in hun buikspieren. Springend en donderend over de fiberglazen heuvels verstijfden ze hun staart tot hoge ceders en de pezen van hun dijen groeiden aaneen, hun botten als bronzen buizen, hun ledematen als ijzeren staven. Maar ze leken niet veel op de dinosaurussen die je op plaatjes of in films ziet. Ze waren niet met schubben bedekt, maar hadden een huid – een echte huid, bijna als mensenhuid, maar onbehaard, op sommige plaatsen zacht en op andere vereelt, strak over spieren getrokken, zodat elke donderende stap een rimpeling door hun vlees deed gaan. En in plaats van zichzelf te camoufleren met doffe aardkleuren waren deze dinosaurussen schitterend: hun huid glansde als een iriserend blauw, vervagend tot indigo, vervagend tot paars, vervagend tot een diep, gloeiend, bovenaards rood, en de verschillende kleuren glinsterden om de beurt, afhankelijk van het water om ze heen, als tropische vissen.

Toch zag Leora, zelfs in de dierentuin, alleen het normale. Kinderen die op het glas van het aquarium bonkten, ouders die tegen ze schreeuwden in het Manhattans; jongere kinderen die de dodo's voerden, oudere kinderen die munten tegen het glas gooiden in een poging de sabeltijger in beweging te brengen. De dieren, zag ze, waren verworpenen. Maar de mensen? Normaal!

Nog steeds op zoek naar iets vreemds – hoewel, toegegeven, de verloren stad geen goede plaats is om dat te vinden – dwaalde ze nog verder door de verstopte straten tot een paar hulpvaardige burgers haar de weg naar de gemeentebibliotheek wezen, een van de grootste gebouwen in de verloren stad. Ze liep de met zeepokken bezette trap op en raakte er met elke glibberige stap zekerder van dat ze achter de met zeewier bedekte deuren eindelijk haar begraven schatten zou vinden.

Maar tot haar verbazing, hoewel ze niet verbaasd had moeten zijn, ontdekte ze dat de meeste werken in de bibliotheek – die natuurlijk allemaal uitverkocht waren – het equivalent van rotzooi waren. Liefdesromans, oude politieke thrillers, spionageverhalen uit de Koude Oorlog, biografieën van popsterren waar ze nog nooit van had gehoord. De doe-het-zelfsectie was immens, net als de zelfhulpsectie. Tientallen jaren van dieetboeken die suggereerden dat mensen zichzelf moesten doodhongeren, kookboeken waarvan de recepten vaak om spek vroegen, opvoedkundige boeken die voor kinderen de roede aanbevolen, en boeken die mensen nieuwe manieren beloofden om snel rijk te worden, marktpieken en depressies voorspellend die nooit werkelijkheid werden. En natuurlijk duizenden boeken en pamfletten met niets anders erin dan ouderwetse pornografie, teleurstellende tekeningen van dingen die zelfs niet meer als grotesk werden beschouwd. En dan was er nog rommel die er niet bekend uitzag: 'stuiverromans', als feuilleton gepubliceerde westerns, astrologiegidsen, oogstcijfers, gekerfd in stukken schors.

Maar dat was alleen het materiaal in de boekenkasten. Het grootste deel van de bibliotheek, zo ontdekte Leora, bestond uit archieven. Geen documenten over beroemde mensen, maar over gewone mensen, het soort mensen van wie brieven en foto's in de bovengelegen stad nooit onsterfelijk zouden zijn gemaakt, zelfs niet door hun kleinkinderen. Er waren eindeloze stapels liefdesbrieven, tot bundels bijeengebonden, brieven die in elke serie vuriger en vuriger werden en dan onvermijdelijk verkoelden en eindigden in een bittere laatste uitwisseling – het soort brieven, dacht Leora bij zichzelf, dat mensen weggooien of na ontvangst van de laatste verbranden. Er waren duizenden sollicitatiebrieven, gerangschikt op de afzenders. Er waren brieven van ouders aan kinderen die op zomerkamp waren, gevuld met in de wind geslagen adviezen over gifsumak, en brieven van ouders aan kinderen in legerkampen, geretourneerd aan de afzenders, ongeopend. En dan waren er nog de foto's – kleur, zwart-wit, sepia, helemaal terug naar lithografieën, in mijlenhoge stapels – zonder etiket, losse foto's van Joost mocht weten wie, genomen Joost mocht weten waar, Joost mocht weten wanneer; uit fotoalbums, uit de context en uit de tijd gevallen.

Terwijl ze door deze foto's bladerde van mensen die er steeds bekender uit begonnen te zien, kwam het bij Leora op dat al haar dwalen door de verloren stad tot op dat moment enigszins zinloos was geweest. Ze liet de foto's uit haar handen op een beschimmelde met chroom afgewerkte tafel vallen, liet de stapels literaire rotzooi achter zich, liep de zeegepokte deuren uit en ging op weg naar het gemeentehuis van de verloren stad om de registers te raadplegen en te kijken of ze soms inwoners van de verloren stad kende.

Ja, de 'registers'. Er zijn geen telefoonboeken in de verloren stad want telefoons zijn er nog niet. (Telegrammen worden incidenteel van de verloren stad naar de stad erboven gestuurd, maar aan de andere kant ontbreekt de technologie voor ontvangst.) Terwijl Leora naar het gemeentehuis van de verloren stad liep – of, liever, zwom, of, nauwkeuriger gezegd, zweefde besefte ze dat een tweede teleurstelling heel goed mogelijk was. Ze was tenslotte van hoop vervuld naar de bibliotheek gegaan en had daar vrijwel niets gevonden. Het leek absurd om van het gemeentehuis meer te verwachten. Maar in de verloren stad ontdek je al snel dat het onmogelijk is om absurde gedachten – of eigenlijk alle gedachten – uit je hoofd te zetten. Je kunt ze nergens kwijt.

De ambtenaar in het gemeentehuis zag er vaag bekend uit. Hij was een wat pezige man, jong, met een dikke bos bruin haar en wat puistjes bij een van zijn mondhoeken. Toen hij sprak, klonk zijn stem helder en vol, als een klop op een boomstam. 'Zoek je een bepaalde persoon?' vroeg hij aan Leora toen hij met een hele stapel reusachtige registerboeken aan kwam zetten en een klopje gaf op het bovenste exemplaar nadat hij ze had neergelegd. 'Je moet wel beseffen dat we hier honderden van deze boeken hebben. Maar ze bestrijken alleen de tijden waarin het schrift heeft bestaan. Als je op zoek bent naar iemand van voor die tijd, kun je het mij vragen en dan zal ik kijken wat ik kan doen.'

'Nee, dit is prima,' antwoordde ze snel en ze pakte de vier bovenste boeken van de stapel. Even wou ze dat ze met een echt onderzoek bezig was. Maar ze was slechts een bezoeker, een toerist.

Leora ging zitten en opende langzaam het eerste alfabetische deel. De pagina's waren reusachtig, op folioformaat, als een oud religieus boek. De inschrijvingen waren uiteraard met de hand gedaan. Eerst zocht ze haar eigen naam, en ze slaakte een zucht van opluchting toen ze zag dat ze niet geregistreerd stond. Toen begon ze te bladeren, op zoek naar Naomi. Maar onderweg naar Naomi zocht ze in een opwelling Jason op. Tot haar verbazing werd hij vermeld. En ook zij, tot haar grote schrik – vlak naast hem: 'Dr. en mevr.' Hij had ook een verwijzing naar een zakelijk register: 'Zie onder Artsen, Geriatrische Geneeskunde.'

Ze smeet het boek dicht.

'Gevonden wat je zocht?' riep de ambtenaar van achter de balie. Hij hurkte, afwezig, naast een grote stapel inventarislijsten.

Leora dook ineen op haar stoel en staarde naar het boek voor haar alsof het onbeheersbaar groeide, alsof het formaat breder en dikker werd tot ze zich alle inschrijvingen erin kon voorstellen: de vriendjes met wie ze niet was getrouwd, de banen die ze niet had genomen, de kennissen die ze in de steek had gelaten, de eindeloze lijst van mensen die ze niet was geworden. En toen, daarna, kwamen de lijsten van alle mensen die iedereen niet was geworden, de eindeloze aantallen mensen die hadden kunnen bestaan maar niet bestonden. Ze voelde hoe haar hand werd teruggetrokken naar het omslag van het boek, hoe haar vingers over de van water doortrokken tafel naar de ouderwetse groenleren band gingen. Toen sloeg ze haar handen neer en stond op van haar stoel.

'Ja, bedankt voor je hulp,' riep ze naar de ambtenaar, en haar stem klonk zo luid dat ze er verlegen van werd. Ze rende de zaal uit voordat hij de kans kreeg iets terug te zeggen.

Nadat Leora het gemeentehuis van de verloren stad had verlaten, begon ze aandachtiger naar de mensen om haar heen te kijken – de mensen op straat, ja, maar ook de mensen achter de ramen, waarvan sommige bedekt waren met dikke gordijnen, maar andere onbedekt waren en een volledig zicht boden op de mensen erachter. Maar toen ze nauwkeuriger keek, en aan de gigantische registerboeken dacht, besefte ze plotseling waar ze naar keek. De mensen achter de ramen, de mensen op straat, iedereen die ze gezien had in de verloren stad – al die mensen doorleefden alle dingen die niet in de stad erboven waren gebeurd, alle keuzes die niet waren gemaakt, alle niet geleefde levens werden geleefd op de vergeten oceaanbodem. Er was niet slechts één Naomi in de verloren stad, beseftc Leora, er waren er duizenden, allemaal versies van de persoon die ze nooit was geworden. Ergens in deze stad, stelde ze zich voor, waren Jake en zij getrouwd met andere mensen; ergens anders was William Landsmann, een oude, gedistingeerde heer uit het moderne Wenen, wellicht in de stad op een plezierreisje als gepensioneerde. Of misschien waren ze geen van allen ooit geboren, hadden hun ouders besloten met een ander te trouwen, of hadden hun grootouders dat besluit genomen. Onder de eindeloze duizenden, miljoenen mensen die in de verloren stad woonden, bestonden al deze mogelijkheden – met uitzondering van de mogelijkheden die de mensen boven hadden gekozen.

Plotseling voelde ze het immense gewicht van de miljoenen liters water en niet geleefde levens met volle kracht op zich drukken. Ze vocht om overeind te blijven, maar viel op haar knieën. De mensenmassa in de straat begon haar te vertrappen. Ze schermde haar gezicht af en rolde onder hun benen door naar een open deur, waarbij ze ternauwernood aan verplettering ontsnapte toen ze de deur achter zich dichtsmeet. Een ogenblik bleef ze tot een bal gerold op de grond liggen, met haar handen nog voor haar gezicht. Toen ze iets kalmer was geworden, strekte ze zich uit, kwam wankelend overeind en opende haar ogen.

Ze was in een school, een klaslokaal; het soort klaslokaal waar ze in bijna tien jaar niet in was geweest. Er was een schoolbord, er stonden tientallen bekraste schooltafels en stoelen en er hing een grote, kapotte klok aan de muur. Er waren geen leerlingen, maar voor in het lokaal hing een wit scherm dat een deel van het schoolbord bedekte. Achter in het lokaal stond, op een kleine tafel, een diaprojector. Het kwam bij Leora op dat de leerlingen van de scholen van nu waarschijnlijk nog nooit een diaprojector hadden gebruikt; als een diaprojector weer op een school zou verschijnen, zou geen van de leerlingen weten hoe hij moest worden bediend. Maar gelukkig was er iemand in het lokaal die dat kon. Gezeten op een vinylbank, tegen de achterste muur, zag ze Bill Landsmann.

'MENEER LANDSMANN?' probeerde Leora te roepen, maar haar stem droeg niet ver. Ze kon zichzelf niet verstaanbaar maken, ontdekte ze, behalve als ze fluisterde. Ze had nooit eerder tegen Bill Landsmann gefluisterd. 'Wat doet u hier?'

Even betreurde ze haar vraag, en ze werd rood en raakte in paniek, bang voor wat het antwoord zou kunnen zijn. Maar toen fluisterde Bill Landsmann terug: 'Maak je geen zorgen, Leora. Ik leef hier niet. Alleen mijn dia's zijn hier… en onze vriendschap, ja?'

Leora werd roder dan de dinosaurussen in de verloren dierentuin. Bill Landsmann verzachtte zijn uitspraak. 'Het was te moeilijk voor je, toen. Ik weet het,' zei hij. Maar toen stond hij op, schraapte zijn keel en verhief zijn stem. 'Wie weet wat je over mij zou hebben ontdekt. Of wat ik zou hebben ontdekt over jou. Wat weet je echt over een ander behalve dat wat ze je willen laten zien?'

Ze stond roerloos in het water. Bill Landsmann boog zich naar voren en zette de diaprojector aan, en Leora schrok van het plotselinge leeuwengebrul van de ventilator. Bill Landsmann liep naar de zijkant van het lokaal en deed het licht uit. Het vierkant van wit licht op de muur klapperde zachtjes in de zware golven in het lokaal.

Bill Landsmann begon de dia's door te klikken, de ene na de andere, monotoon, elke dia trillend van de spanning van het water. Ze waren stuk voor stuk blanco.

Hij las geen tekst voor. In plaats daarvan leegde hij de diacarrousel nadat alle dia's getoond waren en stak zijn handen uit, die gevuld waren met de kleine, blanco vierkantjes, als stapels ramen met dichtgetrokken schermen.

'Deze zijn voor jou,' zei hij. 'Je kunt ze vullen met wat je maar wilt. Maar je moet iemand vinden om ze aan te vertonen.'

Leora nam de dia's aan, en elke dia gleed in haar handen als een nog niet geleefde dag. Bill Landsmann begeleidde haar naar de deur. Ze wilde iets zeggen, al was het maar gedag, maar hij vond het niet nodig om verder met haar te praten. Hij gooide de deur voor haar neus dicht. Eerst dacht ze dat het een belediging was. Toen besefte ze dat het een zegen was, een afscheid.

Leora kon de verloren stad niet door haar poorten verlaten, en dat wilde ze ook niet. In plaats daarvan veerde ze van de oceaanbodem op en schoot ze omhoog, hard duwend tegen eeuwen van afgewezen mogelijkheden tot ze aan het oppervlak kwam en haar hoofd uit het zoute water barstte als dat van een pasgeboren kind. De nacht liep ten einde, was gevangen tussen donker en licht, en de lucht had een nietszeggende, naamloze kleur, was een leeg doek. Ze zwom naar de waterkant, hees zich op droog land en werd wakker.

Er was een tijd waarin ook zij zich een toerist voelde in haar eigen leven. Maar die dagen lijken nu langgeleden, als het kijken door het raam van een ander.

STAMBOOM FAMILIE LANDSMANN

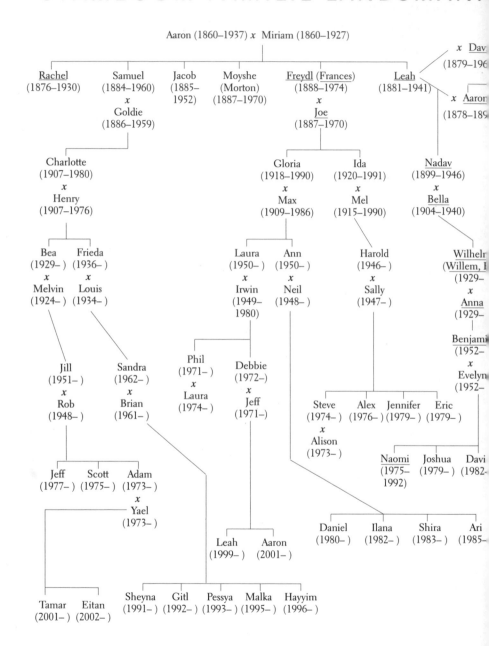

Aaron (1860–1937) *x* Miriam (1860–1927)

x Dav
(1879–196

Rachel
(1876–1930)

Samuel
(1884–1960)
x
Goldie
(1886–1959)

Jacob
(1885–
1952)

Moyshe
(Morton)
(1887–1970)

Freydl (Frances)
(1888–1974)
x
Joe
(1887–1970)

Leah
(1881–1941)

x Aaron
(1878–189

Charlotte
(1907–1980)
x
Henry
(1907–1976)

Gloria
(1918–1990)
x
Max
(1909–1986)

Ida
(1920–1991)
x
Mel
(1915–1990)

Nadav
(1899–1946)
x
Bella
(1904–1940)

Bea   Frieda
(1929–) (1936–)
x   *x*
Melvin   Louis
(1924–) (1934–)

Laura   Ann
(1950–) (1950–)
x   *x*
Irwin   Neil
(1949–   (1948–)
1980)

Harold
(1946–)
x
Sally
(1947–)

Wilhelr
(Willem, I
(1929–
x
Anna
(1929–

Benjami
(1952–
x
Evelyn
(1952–

Jill
(1951–)
x
Rob
(1948–)

Sandra
(1962–)
x
Brian
(1961–)

Phil
(1971–)
x
Laura
(1974–)

Debbie
(1972–)
x
Jeff
(1971–)

Steve   Alex   Jennifer   Eric
(1974–) (1976–) (1979–) (1979–)
x
Alison
(1973–)

Naomi   Joshua   Davi
(1975–   (1979–) (1982–
1992)

Jeff   Scott   Adam
(1977–) (1975–) (1973–)
x
Yael
(1973–)

Leah   Aaron
(1999–)   (2001–)

Daniel   Ilana   Shira   Ari
(1980–)   (1982–) (1983–) (1985–

Tamar   Eitan
(2001–) (2002–)

Sheyna   Gitl   Pessya   Malka   Hayyim
(1991–) (1992–) (1993–) (1995–) (1996–)

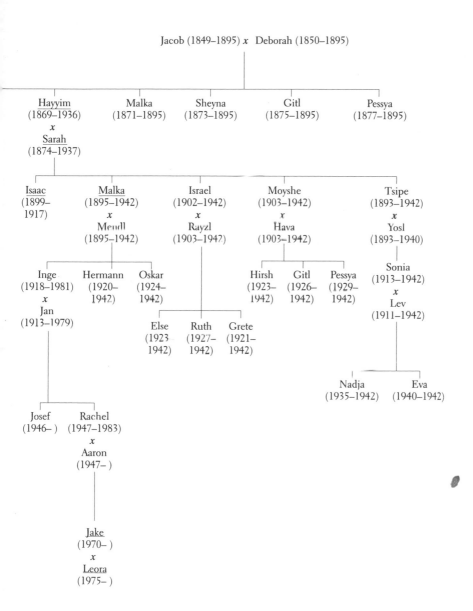

Jacob (1849–1895) *x* Deborah (1850–1895)

Hayyim (1869–1936) *x* Sarah (1874–1937)

Malka (1871–1895)

Sheyna (1873–1895)

Gitl (1875–1895)

Pessya (1877–1895)

Isaac (1899–1917)

Malka (1895–1942) *x* Mendl (1895–1942)

Israel (1902–1942) *x* Rayzl (1903–1942)

Moyshe (1903–1942) *x* Hava (1903–1942)

Tsipe (1893–1942) *x* Yosl (1893–1940)

Inge (1918–1981) *x* Jan (1913–1979)

Hermann (1920–1942)

Oskar (1924–1942)

Hirsh (1923–1942)

Gitl (1926–1942)

Pessya (1929–1942)

Sonia (1913–1942) *x* Lev (1911–1942)

Else (1923–1942)

Ruth (1927–1942)

Grete (1921–1942)

Nadja (1935–1942)

Eva (1940–1942)

Josef (1946–)

Rachel (1947–1983) *x* Aaron (1947–)

Jake (1970–) *x* Leora (1975–)

De onderstreepte personen komen in het boek voor.

Woord van dank

Mijn dank aan Henry Freeman, een wereldreiziger wiens verbijsterende diaverzameling en vastberadenheid tijdens de confrontatie met de orkaan Floyd algemeen bekend zijn in mijn geboorteplaats. Ik ben hem erkentelijk voor de inspiratie voor deze roman. Er zijn echter geen overeenkomsten tussen hem of zijn familie, en de personages in dit boek.

Ik dank de beheerders, het personeel en de researchers van het Lower East Side Tenement Museum in New York City, die mij enkele jaren geleden geholpen hebben met mijn voorbereiding voor een artikel voor het tijdschrift *American Heritage*, dat later de inspiratie vormde voor een deel van dit boek, en ik dank Giulia Miller, die mij toestond haar scriptie voor het University College Londen te lezen, getiteld: *Spinoza en de Amsterdamse joodse gemeenschap: wie wees wie af?* Ook ben ik dank verschuldigd aan dr. Nathan Winter, die op verzoek voor een snelle wetenschappelijke feitencontrole zorgde (eventuele overgebleven fouten zijn mijn verantwoordelijkheid), en aan de vele andere leraren in mijn leven.

Ik dank mijn agent Gary Morris, die met zijn literaire en zakelijke vaardigheden een uitstekend onderkomen voor dit boek vond, en mijn redacteur, Alane Mason, die het op een ochtend voor het ontbijt begon te lezen en het niet meer neerlegde voordat ze uitgebreid aandacht had besteed aan elke regel, en mij hielp het zo goed te maken als het maar kan zijn.

Maar mijn grootste dank gaat uit naar mijn 'huisredacteuren': mijn zusters Jordana en Ariel, die genoeg om de personages gaven om ze als echte mensen te zien; naar mijn broer, Zach, want alle humor in dit boek is in feite de zijne; naar mijn vader, die de kleinste fouten opmerkte; naar mijn moeder, die de lastigste problemen oploste, en naar mijn man, Brendan, mijn huisraadgever, die nooit twijfelde.

Dara Horn